Esta colecção
tem como objectivo proporcionar
textos que sejam acessíveis
e de indiscutível seriedade e rigor,
que retratem episódios
e momentos marcantes da História,
seus protagonistas,
a construção das nações
e as suas dinâmicas.

1 - HISTÓRIA DOS ESTADOS UNIDOS DESDE 1865
Pierre Melandri

2 - A GRANDE GUERRA - 1914-1918
Marc Ferro

3 - HISTÓRIA DE ROMA
Indro Montanelli

4 - HISTÓRIA NARRATIVA DA II GUERRA MUNDIAL
John Ray

5 - HITLER - PERFIL DE UM DITADOR
David Welch

6 - A VIDA DE MAOMÉ
Virgil Gheorghiu

7 - NICOLAU II
Marc Ferro

8 - HISTÓRIA DOS GREGOS
Indro Montanelli

9 - O IMPÉRIO OTOMANO
Donald Quataert

10 - A GUERRA SECRETA
Ladislas Farago

11 - A GUERRA DE SECESSÃO - 1861-1865
Farid Ameur

12 - A GUERRA CIVIL DE ESPANHA
Paul Preston

13 - A VIDA QUOTIDIANA NO EGIPTO NO TEMPO DAS PIRÂMIDES
Guillemette Andreu

14 - O AMOR EM ROMA
Pierre Grimal

15 - OS TEMPLÁRIOS
Barbara Frale

16 - NO RASTO DOS TESOUROS NAZIS
Jean-Paul Picaper

17 - HISTÓRIA DO JAPÃO
Kenneth G. Henshall

18 - ARTUR, REI DOS BRETÕES
Daniel Mersey

ARTUR,
REI DOS BRETÕES

Título original:
Arthur: King of the Britons

Originalmente publicado na Grã-Bretanha por
Summersdale Publishers

Tradução: Maria Dulce Guerreiro

Revisão da Tradução: Pedro Bernardo

Capa de José Manuel Reis

Depósito Legal nº 233845/05

Impressão, paginação e acabamento:
Manuel A. Pacheco
para
EDIÇÕES 70, LDA.
Outubro de 2005

ISBN: 972-44-1250-4

EDIÇÕES 70, Lda.
Rua Luciano Cordeiro, 123 – 1º Esqº - 1069-157 Lisboa / Portugal
Telefs.: 213190240 – Fax: 213190249
e-mail: edi.70@mail.telepac.pt

www.edicoes70.pt

DANIEL MERSEY

ARTUR, REI DOS BRETÕES

edições 70

CAPÍTULO I

REI QUEM?

Se de facto adquiriu o livro e pensou, "Afinal, quem é este Rei Artur?", não se preocupe. Esta questão já andou na boca de muitos milhões de pessoas ao longo dos últimos 1500 anos. Felizmente, a maior parte dos que a colocaram congratulou-se por isso, desvendando detalhes de um dos períodos mais emocionantes da história da Grã-Bretanha e pondo a descoberto uma vastidão de factos sobre uma das mais emocionantes lendas. Muitos historiadores e investigadores tentaram montar os seus argumentos no burro da História, evocando pelo caminho toda a espécie de teorias. Um vastíssimo número de investigadores tendeu a eleger um candidato como sendo *o* Rei Artur. Revelou-se muitas vezes uma tarefa ingrata, e ao tentarem atingir o seu objectivo, os escritores muitas vezes ignoram a evidência que não sustenta as suas teorias de estimação. Abordar este livro mais como "biografia" do que como "solução" permite-me apresentar uma imagem, tão abrangente quanto possível num livro destas dimensões, do Artur histórico e literário, na esperança de que preencha algumas das lacunas cuja explicação foi negligenciada por outros autores. Este livro não é certamente um denso volume académico através do qual os peritos em literatura arturiana possam ficar mais esclarecidos. Espero que seja antes um óptimo espaço onde nós, comuns mortais, possamos descobrir mais sobre uma das mais famosas personagens do folclore: a história popular de Artur.

Há que considerar dois reis Artur muito distintos – o Artur dos contos infantis, da literatura e do folclore, e o Artur da história. São muito diferentes, mas são ambos objecto desta "biografia", que regista o seu surgimento desde as suas mais remotas encarnações até precisamente aos dias de hoje.

A essência do Rei Artur

O nome de Artur emerge inicialmente da história sombria dos séculos V e VI A.D. A mão forte e controladora do governo romano tinha-se desintegrado na Grã-Bretanha, e, tal como noutras partes do antigo império, os ricos do período pós-romano permaneceram para fazer frente à rapina dos estrangeiros, as ferozes tribos bárbaras. Um punhado de vagas referências nas línguas celtas sugere que Artur era um senhor da guerra, natural da Grã-Bretanha, que lutou contra os inimigos do reino. As narrativas das supostas façanhas históricas de Artur (e também alguns actos sobre-humanos) tornaram-se populares e espalharam-se pelos sobreviventes britânicos, e, mais tarde, por volta do século X, pelas culturas galesas.

Quinhentos anos depois, Artur tinha-se tornado proverbial para a realeza da época – tanto no bem como no mal – e ao longo da época florescente do romantismo medieval e do romance de cavalaria, viria a impor-se como símbolo de tudo o que era justo e virtuoso no mundo medieval. Além disso, os escritores medievais apresentavam estas histórias fantásticas como se fossem reais – os conceitos de escrita "de ficção" e "não-ficção" eram demasiado diferentes no mundo medieval para se poderem explicar à luz de uma perspectiva actual. Alanus de Insulis, ao escrever sobre o assunto na última metade do século XII, observou que seria quase certo atirarem uma saraivada de pedras a quem quer que dissesse que Artur estava morto. (Alanus escreveu pouco tempo depois de um poeta chamado Wace ter tornado popular a teoria de que Artur não estava morto, apenas adormecido.)

Em poucas palavras, a história de Artur, tão dramatizada pelos autores medievais populares – e recuperada pelos autores modernos –, consta como se segue.

Artur nasceu num reino dividido onde os Bretões e os seus inimigos se digladiavam em guerras sangrentas. O pai de Artur, Uther, era líder dos Bretões, e Artur era o seu filho ilegítimo, nascido depois de um poderoso e enigmático feiticeiro, Merlin, o ter ajudado a seduzir a mulher do duque da Cornualha. Quando Uther morreu, e como não deixara nenhum herdeiro óbvio, os nobres britânicos continuaram a combater entre si pelo domínio do reino. Merlin anunciou que o chefe dos Bretões seria revelado através de um desafio – reuniu a nobreza num lugar onde uma bela espada estava magicamente incrustada num rochedo; Merlin decretou que quem conseguisse arrancar a espada governaria o país. A elite da nobreza britânica tentou a façanha, mas todos falharam. Contudo, Artur, foi bem sucedido, não se sabendo na altura que ele era filho de Uther.

Apesar de Artur ter vivido os primeiros anos da sua vida na condição de humilde escudeiro de um simples cavaleiro, o seu carisma e as suas qualidades de liderança manifestaram-se com evidente brilhantismo quando conquistou o trono – os inimigos dos Bretões foram expulsos e Artur empenhou-se em restaurar a ordem para o seu reino. Enquanto o seu poder crescia, Artur casou-se com Guinevere, e, com ela, veio juntar-se à sua corte um bando de audazes cavaleiros. A sua corte aumentava, e Artur fundou a famosa Ordem da Távola Redonda, a cuja mesa nenhum cavaleiro haveria de sentar-se com maior proeminência do que os seus companheiros de armas, nem sequer o próprio Artur. Merlin levou Artur até à Dama do Lago, uma feiticeira que vivia debaixo de água; a Dama do Lago presenteou Artur com a espada mágica, Excalibur.

O reino da Grã-Bretanha floresceu sob o domínio de Artur e a orientação de Merlin. Um dia, Artur teve uma visão religiosa e passou a concentrar a sua atenção na demanda do Santo Graal. O Cálice Sagrado, o Graal, fora usado para recolher o sangue de Cristo crucificado, e encontrá-lo apelava ao sentido de devoção cristã de Artur. Os cavaleiros de Artur empenharam-se na busca do Graal, empreendendo uma série de difíceis tarefas, muitas vezes de natureza altamente simbólica.

A maior parte dos cavaleiros de Artur perdeu a vida na Demanda do Graal, contudo, Galaaz e Percival foram bem sucedidos e encontraram o cálice sagrado (ou pelo menos uma visão dele); mesmo assim, não conseguiram levá-lo à posse de Artur.

O valoroso cavaleiro Lancelot era o herói de Artur, defensor do rei e da sua mulher, Guinevere. Por fim, a rainha e o herói apaixonaram-se, e Lancelot partiu para viver em exílio. Mais tarde, acabou por acontecer o mesmo a Guinevere. A relação entre Lancelot e Guinevere e a perda dos cavaleiros de Artur, mortos na Demanda do Graal, passaram a simbolizar o declínio do reino de Artur, após os seus sucessos iniciais. Enquanto Artur estava envolvido numa campanha militar além-mar, o seu filho ilegítimo,

Modred (mais informação sobre o seu perfil quezilento no capítulo III) alcançou o poder, usurpando o trono de Artur e roubando a espada Excalibur, que, por artes mágicas, garantia a quem a possuísse protecção contra ferimentos.

Artur regressou e reuniu um exército de leais servidores para combater Modred. Os dois exércitos confrontaram-se na Batalha de Camlann. Após longa e sangrenta peleja, Artur, com os poucos cavaleiros que lhe restavam, descobriu Modred no meio do campo de batalha. Artur e o filho encontraram-se, e desferiram um contra o outro violentos golpes fatais (como é óbvio, a espada Excalibur não funcionou para o filho malvado do rei). Mordred morreu imediatamente e Artur tombou, ferido de morte. O rei foi colocado num barco e navegaram até à ilha misteriosa de Avalon, onde foi sepultado Alguns disseram que Artur era "o rei do passado e do futuro", e que ele e os seus leais cavaleiros jaziam, não mortos mas adormecidos, prontos para se erguerem uma vez mais quando a Grã-Bretanha fosse assolada pela crise.

Após o período medieval estes contos do reino de Artur continuaram a ser narrados, mas não sofreram alterações. O facto pode talvez atribuir-se à excelente narrativa de Sir Thomas Malory, *A Morte de Artur*, editada em livro por Thomas Caxton em 1485, tendo ganho rápida popularidade.

Não obstante, o império romântico e de cavalaria do Artur de Malory, onde a castidade e a valentia eram o mais importante, encantou outros grandes edificadores do Império Britânico: os vitorianos. Assim, no seio da Inglaterra vitoriana crescia um movimento romântico nos campos da arte e da literatura, e as lendas de Artur eram apelativas para os escritores e artistas envolvidos. Assim, os vitorianos – cuja recuperação da escrita da história incluía a súbita aparição do chifres nos capacetes dos Vikings e muitas outras criações poéticas bem reais – fizeram recolhas da versão medieval da ficção arturiana e permitiram que esta seguisse o seu curso infiltrando-se no mundo moderno. No século XX, emergiu uma tendência para recontar as histórias arturianas inseridas num contexto histórico correcto (os séculos V e VI). O desafio de Artur também não passou despercebido ao cinema moderno, e Clive Owen apareceu recentemente num grande sucesso de Hollywood sobre o Artur histórico. Parece que as lendas populares, tal como a música e a moda populares, surgem em círculos, e, tal como já aconteceu no mundo medieval, Artur está agora pronto a erguer-se ao pináculo da nossa indústria de entretenimento.

Hoje em dia, muita gente apenas recorda uma coisa da história – que Artur retirou a espada da pedra. Algumas pessoas talvez saibam qualquer coisa sobre a Demanda do Graal e sobre o facto de Artur ter morrido depois de Modred lhe ter desferido o golpe mortal. A maior parte recorda-se que Artur devolveu a sua espada mágica à Dama do Lago, antes de morrer. Mas não há muita gente que se lembre das restantes glórias do reino de Artur, dos feitos entre o seu surgimento e extinção, das muitas expedições importantes que empreendeu com os seus cavaleiros. E um número ainda maior de pessoas nem sequer imagina que a famosa espada de Artur, Excalibur, e a espada no Rochedo, não são a mesma espada, mas, na verdade, armas distintas. Menos pessoas ainda conhecem o enquadramento histórico da lenda.

O mundo das lendas, mito e folclore

Lendas, mitos e folclore. As pessoas usam frequentemente estes três termos como se todos se equivalessem, mas cada um tem a sua definição exclusiva.

Os mitos são histórias sobre deuses, deusas, acontecimentos sobrenaturais e criaturas fabulosas, e sobre a forma como os humanos interagem com esse mundo particular. Como tal, as histórias que consideramos agora como mitos provêm geralmente de religiões primitivas – como aquelas oriundas da Grécia, Egipto e do mundo nórdico. Antigamente, as pessoas que faziam parte dessas culturas acreditavam que esses deuses e criaturas característicos dos mitos tivessem existido, e estes ajudavam a explicar por que é que as suas sociedades funcionavam da forma como funcionavam. A diferença entre um mito e uma religião depende do facto de se considerarem ou não as histórias religiosas como verdadeiras – pode dizer-se que os mitos mais não são do que religiões fora de moda.

As lendas, por outro lado, são mais baseadas na História. Isto não quer dizer que uma lenda necessite de grande quantidade de factos históricos, e pode agora provar-se que o fundo histórico de muitas é incorrecto. Poderes mágicos, animais fabulosos e o sobrenatural podem desempenhar simultaneamente um papel na lenda, mas coabitam com os heróis num mundo por vezes ligado a datas específicas. As histórias mais conhecidas sobre o rei Artur enquadram-se quase sempre nesta categoria – muitos escritores fornecem datas para o nascimento e morte de Artur (normalmente nos séculos V e VI), mas depois introduzem valores sociais medievais e cavaleiros de armaduras cintilantes (ambos incorrectos no contexto da história da época), e lançam o rei e os seus cavaleiros contra uma multiplicidade de dragões, feiticeiros e gigantes. As sagas – tão prezadas pelos escritores medievais germânicos e escandinavos – também se enquadram nesta categoria.

O folclore, ou contos populares, se se preferir, são histórias tradicionais que, antes de mais, desempenham uma função de entretenimento, por oposição ao papel mais sóbrio desempenhado pelos mitos. Muitas vezes, o folclore é regional, trazendo à história o sabor de uma região específica. Uma vez mais, podem figurar criaturas e acontecimentos mágicos, mas as histórias não têm como objectivo instruir o público. Os contos de fadas coabitam de uma forma bastante feliz com o folclore, apesar de o fenómeno dos contos de fadas ter germinado dos movimentos românticos do século XIX. Muitas das histórias sobre Artur dos antigos Celtas e das regiões de Gales e da Cornualha deveriam ser consideradas contos populares.

No seu conjunto, muitas das histórias modernas envolvem elementos dos três conceitos, e não vale a pena ficarmos excessivamente obcecados pela distinção entre mito, lenda e folclore: à medida que neste livro se for lendo sobre Artur, ver-se-á que o folclore preenche uma certa parte, que a lenda preenche de longe a parte mais preponderante e que o mito fica em último lugar (excepto, talvez, na Demanda do Graal).

Os mitos, as lendas e o folclore todos se desenvolveram por razões independentes; para instruir, fornecer explicações ou entreter – no entanto, hoje em dia, a maior parte das pessoas encara os três conceitos puramente como formas de entretenimento.

Artur, S.A. Um fenómeno mundial

Os contos do rei Artur expandiram-se a partir das suas origens relativamente humildes nos salões de festas da antiga Grã-Bretanha medieval e, mais tarde, junto da nobreza do País de Gales, para se tornarem depois populares nas cortes de cavalaria da Europa medieval. Os Franceses, Italianos e Germânicos eram entretidos com histórias do grande rei da Cristandade, e gradualmente a lenda de Artur estendeu-se ainda para mais longe, para a Europa Oriental e para o Médio Oriente. A lenda popular europeia viajou até às Américas e outros recantos agitados do mundo e Artur está agora cimentado como um herói da lenda, da fantasia e do cinema. Uma rápida pesquisa a "Rei Artur" na internet, a um simples clique com a ponta dos dedos, dar-lhe-á acesso a cerca de 295 000 resultados.

Artur, o cabide: um guarda-roupa repleto de deuses e heróis

Alguns dos guerreiros e elementos da corte de Artur são quase tão famosos como o próprio rei. Muitas destas personagens merecem este reconhecimento, pois são figuras da lenda e do folclore por mérito próprio, arrancadas às suas próprias histórias e transplantadas para a corte de Artur. Outras foram no passado verdadeiras figuras históricas, cuja identidade e personalidade reais foram recolhidas de modo a que os seus nomes pudessem figurar na lenda arturiana.

Algumas das personagens tiveram provavelmente origem nos antigos deuses e deusas celtas; estas figuras pagãs primitivas foram incorporadas no mundo arturiano cristão como parte do impulso sobejamente reconhecido da Cristandade para absorver para a sua própria religião as memórias de outras (da mesma forma que muitas igrejas cristãs foram construídas em lugares onde existiam santuários pagãos mais antigos). Kay, Bedivere, Guinevere e Morgana, a Fada, podem possivelmente ser identificados com antigas divindades celtas.

Outras personagens, como Lancelot, Galaaz, Gawain e Percival eram provavelmente heróis do folclore e da literatura por mérito próprio, antes de terem sido incorporadas nas histórias imensamente populares de Artur. À luz da modernidade, isto assemelha-se muito a uma equipa de futebol que contrata um novo jogador, uma nova estrela que trará ao clube a força do seu talento, esperando-se que atraia ao mesmo tempo mais adeptos.

Alguns dos seguidores de Artur podem ser identificados por partilharem o nome com uma figura histórica reconhecida. Por exemplo, Urien e o seu filho Owain, que tão exemplarmente lutou contra os seus inimigos saxões no Reino de Rheged, no Norte de Inglaterra, são lembrados na lenda arturiana como os dois cavaleiros Urien de Gore e Ywaine. Peredur foi um príncipe britânico do século VI, mas foi mencionado por Geoffrey de Monmouth como sendo um dos nobres de Artur; Peredur transformou-se mais tarde na famosa personagem Percival. Tristão, cavaleiro tanto da corte de Artur como do folclore britânico independente, pode ser vagamente identificado como o Bretão celebrado num famoso monumento de pedra da Idade Média, na Cornualha; é possível que o seu pai na lenda, o rei Mark, esteja também mencionado nesta pedra. Contudo, tal como Urien, Owain e Peredur, Tristão pode ter tido inicialmente origem no Norte da Bretanha, bem como o príncipe picto de nome Drust. E, por fim, Merlin, o grande feiticeiro que tantas vezes aconselhava e ajudava Artur, poderá ter sido criado com base na memória de uma célebre figura histórica chamada Myrddin, poeta de finais do século VI, no Norte de Inglaterra, que enlouqueceu após a Batalha de Arderydd em 573. As personagens que surgem na lenda arturiana raramente têm algo em comum com o seu antecessor histórico, à excepção do nome. Isto pode muito bem aplicar-se ao próprio Artur. Não obstante, no caso do grande rei nem sequer podemos ter a certeza de realmente ter existido no passado um herói histórico com esse nome. Mas, caso tenha existido, apresentava provavelmente, tal como os outros, pouca similaridade com o rei da lenda.

A capacidade da lenda arturiana para incorporar personagens de outras histórias ou culturas ajudou a assegurar a longevidade do nome de Artur através dos tempos e por todo o mundo; os contos são suficientemente flexíveis para ser adaptados ao sabor cultural ou regional. Os autores modernos ainda continuam a fazer praticamente o mesmo. Por exemplo, Bernard Cornwell faz de Sagramor um guerreiro do Norte de África (Sagramore – com um "e" no fim – era um cavaleiro na lenda arturiana, mas não tinha qualquer ligação a África antes do trabalho de Cornwell. E não são poucos os filmes que se baseiam na ideia de transportar milagrosamente um "Zé-Ninguém" do mundo moderno para o mundo ancestral de Artur.

Saber distinguir os Anglos dos Armoricanos

Ao longo do livro, aperceber-se-á de que há referências aos Bretões, Saxões, Pictos, e a várias outras culturas e épocas. À medida que se vai prosseguindo na leitura, tudo deverá encaixar gradualmente e não será difícil distinguir os Anglos dos Armoricanos. Não obstante, caso fique um pouco confuso, aqui fica um guia prático:

Armoricanos

Emigrantes britânicos que se instalaram na Bretanha francesa no começo da época medieval; este termo significa mais ou menos o mesmo que Bretões franceses e refiro-o apenas para indicar que uma personagem da lenda arturiana é da Armórica.

Anglo-Normandos

As classes dominantes (daí a designação cultural) da Inglaterra do tempo da conquista de Guilherme, *o Conquistador*, em 1066, até à morte do rei Estêvão em 1154. Neste livro, refiro o termo principalmente quando faço referência aos cronistas medievais que escreveram sobre Artur.

Anglo-Saxões

Este termo é usado com moderação e não deverá ser confundido com os Saxões mencionados mais à frente. Neste livro, anglo-saxão é usado para referir os reinos cristãos ingleses estabelecidos desde finais do século VI em diante. Antes disto – e durante a maior parte da era arturiana – referi-me a estes "Ingleses" primitivos como Saxões.

Bretões (da Bretanha)

Povo da Bretanha, que tinha forte parentesco e fortes laços culturais com a Grã-Bretanha na Alta Idade Média e na época medieval. A Bretanha foi um reino originalmente constituído, no início da época medieval, por emigrantes britânicos em parte do território da actual França.

Bretões (da Grã-Bretanha)

Eram os nativos que habitavam as Ilhas Britânicas quando estas foram conquistadas por Roma no século I d.C. Com a dissolução da autoridade romana no início do século V, na época antes da era arturiana, os Bretões defenderam-se uma vez mais.

Com a conquista das Terras Baixas, que passaram a ser a Inglaterra, os Bretões passaram a ser conhecidos como Galeses e Córnicos e quando os Bretões dos últimos reinos do Norte foram assimilados pelos seus inimigos do Norte tornaram-se Escoceses [ou Escotos].

Alta Idade Média

Uma época. Mais correctamente, deveríamos referir-nos à época contida aproximadamente no período entre 410 – 1066 como o começo da época medieval, mas, no contexto deste livro, o termo Alta Idade Média evita qualquer confusão com a primeira parte do "verdadeiro" período medieval(*).

Francos

Os Francos foram os herdeiros da maior parte da Gália romana, ou, mais correntemente, da actual França. É provável que os Francos tivessem mantido fortes laços com os reis do Sul da Saxónia (na verdade, havia provavelmente Francos entre os primeiros invasores "saxónicos"), mas eram pertinazes no que melhor sabiam fazer – conquistar e defender vastas extensões da Europa.

Irlandeses

Os Irlandeses, na sua forma mais pura, eram os habitantes da moderna Irlanda, que atacaram subitamente a costa ocidental da

(*) Muitas vezes, os historiadores britânicos dividem a história entre o século IV ou V e o século XV em dois períodos: *Dark Age* – literalmente, Idade das Trevas – e *Middle Age* – Idade Média –, que correspondem, *grosso modo*, ao que os historiadores continentais designam respectivamente por Alta Idade Média e Baixa Idade Média. (*N.T.*)

Inglaterra com considerável sucesso. Também se estabeleceram nas áreas costeiras de Gales e no Sudoeste da Escócia, onde o povo do reino de Dalriada(*) se tornou conhecido por Escoceses. Os Irlandeses partilharam alguma herança cultural com os Bretões (e, mais tarde com os Escoceses, os Galeses e os Córnicos).

Pictos

Os Pictos foram os primeiros nativos da moderna Escócia: na sua essência estão as tribos dos Bretões do Norte. Mesmo nos tempos modernos, há quem se refira frequentemente aos Pictos como os "misteriosos pictos" e, na verdade, pouco se sabe sobre os seus costumes ou história, pois nunca ninguém descobriu sobre eles qualquer registo escrito. Muitos académicos alvitrariam que os Pictos não estavam muito ligados a outras culturas indígenas das Ilhas Britânicas (os Bretões e os Irlandeses). Viriam a integrar-se com os Escoceses do Dalriada, originários da Irlanda, para criarem a Escócia.

Saxões

Neste livro falarei em "Saxões". No contexto de Artur, não deverão ser considerados um grupo específico de pessoas. Usei o termo de forma genérica, para me referir às muitas tribos germânicas continentais que chegaram a Inglaterra e invadiram e atacaram por um período superior a 200 anos. Muitas tribos não foram conquistadas por Roma e muitas eram intensamente pagãs. Segundo a tradição, vieram três tribos: os Anglos, os Jutos e os próprios Saxões, mas, na realidade, também havia provavelmente muitas outras. São diferentes dos Anglo-Saxões mencionados neste livro. Os Anglo-Saxões podem considerar-se seus bisnetos, mais maduros e cristianizados.

Escoceses

Os Escoceses são originários da Irlanda, e este termo apenas se refere aos povos irlandeses do Dalriada que se estabeleceram na Escócia, dando origem ao futuro reino da Escócia conjuntamente

(*)Tradução de Dal Riata, antigo reino gaélico do Norte da Irlanda. (*N.T.*)

com os naturais da região, os Pictos. Alguns cronistas da Alta Idade Média e da época medieval referiram-se a todos os Irlandeses como Escoceses.

Erguei-vos, Sir... aaaa?

As origens das personagens da lenda arturiana são variadas; alguns nomes começam como nomes escoceses, outros como irlandeses, latinos, ou de outras partes da Europa. Ao que parece, só para confundir o leitor incauto, diferentes autores usaram muitas variações de nomes nos seus contos arturianos. Quando menciono uma personagem da lenda, uso o nome mais fácil de pronunciar ou recorro à mesma ortografia que o autor de determinado trabalho, embora mantendo-a, para que se possa identificar com o original. Quando me refiro a figuras históricas, uso as ortografias mais comummente aceitáveis. As diferentes traduções de nomes pessoais foram passando por transformações ao longo dos tempos e nem sempre é possível dizer qual delas é a correcta.

CAPÍTULO II

O ARTUR HISTÓRICO

O punhado de referências que pode passar por história parcialmente fidedigna, ou talvez, mais exactamente, por folclore com uma débil evocação da história, e que chegou até ao século XXI, sugere que Artur viveu no princípio do século VI. Tal é plausível – estes dois séculos são popularmente conhecidos como a Idade das Trevas, em virtude do facto de ter subsistido tão pouco conhecimento do que aconteceu nesse período. Durante estes dois séculos, a Grã-Bretanha foi um país muito diferente do que é hoje. Por exemplo, a Inglaterra, o País de Gales, a Escócia e a Irlanda do Norte não existiam politicamente tal como hoje os conhecemos. Para se perceber porquê, é importante considerar os acontecimentos nas décadas que antecederam a época em que presumivelmente Artur viveu e também os acontecimentos dos séculos anteriores. Ao longo dos 400 anos que precederam a era de Artur, a Grã-Bretanha tinha sido parte do Império Romano, e o fim desta relação, no início do século V, deixou os habitantes da Grã-Bretanha numa encruzilhada histórica. Deveriam continuar com um modo de vida romano, ou deveriam reinventar-se? E como poderiam eles lidar com a ameaça da enorme quantidade de novos invasores que ansiavam por visitá-los munidos de perigosas lanças afiadas e perfurantes? Esta foi claramente uma época importante na criação de uma nova Grã-Bretanha.

As nossas fontes

Para descobrir o que de facto aconteceu há 1500 anos, é importante saber quem disse o quê na altura, e também o que os historiadores e arqueólogos conseguiram descobrir desde então (bem como o que não conseguiram descobrir).

O facto crucial que devemos ter em conta é que temos muito poucas fontes de informação fidedignas em textos escritos, e cujas datas inspirem confiança. Se fôssemos às compras ao supermercado da História, poderíamos deitar a mão a todos os artigos verdadeiramente contemporâneos da época de Artur e mesmo assim ainda iríamos para a fila da caixa de "Até 10 artigos".

O que não ireis encontrar neste capítulo é uma série de datas verdadeiras e precisas. Porquê? Porque pura e simplesmente não as temos. Sobreviveram pouquíssimos manuscritos relevantes com detalhes da história da Grã-Bretanha da era em que possivelmente Artur viveu. É óbvio que nesta época não havia jornais e é certo que também não havia película para documentários cinematográficos. E a invenção da imprensa ainda estava a uma distância de 1000 anos. Assim, os poucos registos escritos que possuímos foram redigidos por escritores coevos – na sua maioria religiosos, como os monges – e por isso reflectem a sua visão pessoal daquilo que constituía um facto histórico importante, e o seu rigor pode estar muito aquém dos padrões actuais. Não obstante, escritores como Gildas e Nennius (que conheceremos devidamente no capítulo IV), Beda, escritor anglo-saxão do século VIII, ou o raro escritor europeu que ocasionalmente se debruça sobre assuntos britânicos, mantiveram vivas as poucas ideias que hoje temos sobre os acontecimentos de então.

Não sabemos o que foi escrito no passado e se perdeu, não tendo chegado aos dias de hoje – ao que parece, Geoffrey de Monmouth afirmou ter recorrido à ajuda de um livro britânico arcaico para escrever a sua influente *História*. Pode até ser que escritores como Beda, que viveu cerca de 200 anos após alguns dos acontecimentos sobre os quais escreveram, tenham tido acesso a tal material, ou podem também ter escrito apenas as histórias provenientes da tradição oral do seu povo.

Muitos dos documentos mais antigos que sobreviveram até aos nossos dias não são originais. Tal como as histórias celtas sobre Artur, os textos originais foram copiados e por vezes traduzidos, numa data posterior, e sob circunstâncias tais que estamos à mercê desses últimos escribas, fazendo votos para que os tenham copiado fielmente e traduzido bem. Também é difícil saber-se até que ponto foram sinceros alguns dos últimos escribas – por vezes, podem ainda sofrer interpolações e contaminação de outras fontes e, tal como no mundo moderno, as fraudes não podem ser postas de parte.

Alguns investigadores excederam-se nas suas interpretações das fontes disponíveis, ao ponto de conseguirem esclarecer várias décadas de história pela análise exaustiva de uma ou duas frases diminutas que apenas podem fornecer algo ainda menos esclarecedor do que a simplicidade da história. Contudo, não obstante os potenciais problemas de se trabalhar com fontes não comprovadas e possivelmente tão imprecisas – e com tão poucos textos relevantes disponíveis, as hipóteses de comparar factos são praticamente risíveis –, os académicos e investigadores modernos têm trabalhado com o pouco material disponível para escreverem uma narrativa da história britânica da Alta Idade Média.

Muitos dos principais documentos são referidos no capítulo IV; misturam livremente a possível narrativa histórica com a pura fantasia, e já não é possível saber em que fontes sobreviventes devemos confiar ou que partes devem ser rejeitadas conjuntamente com as histórias de gigantes e feiticeiros. O trabalho do anglo-saxão Beda, que escreveu a sua *História da Igreja e do Povo Inglês,* no século VIII, deveria ser considerado, conjuntamente com as próprias fontes dos Bretões, e recorre, em parte, pelo menos, ao trabalho mais antigo de Gildas. A acrescentar ao trabalho de Beda foi também registada em *A Crónica Anglo-Saxónia* uma "perspectiva diferente".

A *Crónica Anglo-Saxónia* inclui uma considerável quantidade de informação sobre os anos do período arturiano, parecendo parte dessa informação plausível, mas a outra intrinsecamente improvável. A denominação dos lugares nem sempre pode ser verificada, e apenas podemos conjecturar no que respeita à informação negligenciada pelos cronistas (existe uma lacuna quanto às derrotas das batalhas saxónias, por exemplo, e as localizações geográficas mencionadas estão muito relacionadas com determinados períodos). A acrescentar a esta incerteza, a *Crónica* só foi escrita alguns séculos depois de terem sido registados os acontecimentos mais remotos que aborda, e, apesar de se basear na mais antiga tradição oral saxónia, não há razão para se esperar que esta seja mais fiável do que as fontes britânicas equivalentes. Não obstante, *A Crónica Anglo-Saxónia* define em traços largos a velha perspectiva escolástica da história britânica desses tempos. O estilo de registos incluído é demonstrado pelos seguintes exemplos baseados em traduções da *Crónica*:

AD 446: Os Bretões imploram ajuda a Roma, para enfrentarem os Pictos. Ao ser-lhes negada essa ajuda, os Bretões resolvem recorrer aos Anglos.
AD 449: Os Anglos vêm a pedido do rei britânico, Vortigern. Chegam em três barcos a Ebbesfleet, e lutam, com sucesso, contra os Pictos, a favor dos Bretões. Chegam outros familiares provenientes dos povos jutos e saxónicos. Os seus líderes eram Hengest e Horsa, que primeiro lutaram e mataram os inimigos de Vortigern, atraiçoando depois os Bretões, matando-os pela espada e pelo fogo.
AD 455: Vortigern luta contra Hengest e Horsa em Aegelesthrep. Horsa é morto e Hengest e o seu filho Aesc recebem o reino.
AD 456: Hengest e Aesc lutam com sucesso numa batalha contra os Bretões em Crecganford (provavelmente Crayford), obrigando-os a retroceder para Londres.
AD 465: Hengest e Aesc lutam contra os Galeses (tal como a *Crónica* doravante descreve os Bretões; ironicamente a palavra significa estrangeiro) perto de Wippedesfleot e matam 12 nobres galeses.
AD 473: Hengest e Aesc vencem novamente os Galeses; percebe-se neste registo que os Galeses fugiram dos Saxões como o diabo da cruz.
AD 477: Aelle chega à Grã-Bretanha com os seus três filhos, Cymen, Wlencing e Cissa. Desembarcam em Cymensora (provavelmente Chichester) e matam muitos Galeses. Os sobreviventes fogem para Weald.
AD 485: Aelle vence novamente os Galeses, numa margem perto de Merecredesburna.
AD 488: Aesc recebe o reino (Hengest provavelmente morreu) e governa Kent durante 34 anos.
AD 491: Aelle e Cissa cercam Anderida (forte de Pevensey) e matam todos os Bretões que se encontram no interior.

A informação procedente das escavações arqueológicas acrescenta outro tipo de esclarecimento à informação escrita proveniente das fontes históricas. Enquanto que os documentos escritos tendem a mostrar-nos o quadro genérico – os nomes dos reis, as batalhas levadas a cabo, a importância do clero dessa época – a arqueologia ajuda-nos a descobrir como as pessoas de facto viviam, e pode revelar os potenciais desequilíbrios dos testemunhos escritos. Em muitos aspectos, a arqueologia é o micronível de esclarecimento relativamente ao macronível patenteado nos registos escritos. E os registos arqueológicos estão em constante crescimento – na década passada foram descobertos e escavados pelo menos três locais significativos onde se encontravam túmulos reais, e assim se conseguiu obter com estas escavações uma maior quantidade de informação esclarecedora.

Os investigadores recorrem frequentemente ao folclore e à tradição regional para preencher as lacunas e acrescentar consistência à evidência histórica e arqueológica. O recurso a material dessa natureza constitui um problema, porque partes de uma determinada história podem ser claramente míticas, enquanto que outras partes da mesma história podem ter um fundo de verdade. Contudo, ignorar completamente essas tradições pode levar à desconsideração de factos de alguma importância vital ou à perda de pistas de investigação; o engenho é saber identificar que partes de uma história podem ser verdadeiras, e a melhor maneira de o fazer é verificar se se correlacionam com os testemunhos arqueológicos ou com os testemunhos históricos mais consistentes.

Outra ferramenta útil para os historiadores confrontados com a tela praticamente em branco da Alta Idade Média britânica é comparar os acontecimentos da época na Grã-Bretanha com os acontecimentos dessa mesma época na Europa. Muito do que havia sido o Império Romano estava sujeito a lutas de poder e a migrações tribais semelhantes, e também sabemos que acontecimentos como o flagelo da febre amarela assolaram a Europa nos séculos entre a queda de Roma e a criação dos Estados medievais. Muitos acontecimentos estavam muito mais bem documentados na Europa do que em Inglaterra; por exemplo, as referências à praga atrás mencionada são vagas nas fontes provenientes das Ilhas Britânicas, pelo que, sem a confirmação das fontes continentais, não poderíamos ter sabido muito a seu respeito. No entanto, não é fácil estabelecer comparações entre a Grã-Bretanha e outras regiões europeias durante este período – por se tratar de uma ilha, teria surgido na Grã-Bretanha uma série de problemas, povos e processos diferentes em comparação com o que aconteceu no continente. O surgimento e a queda de novos regimes em França e Itália (dando apenas dois exemplos) eram mais frequentes do que parece ter sido o caso na Grã-Bretanha; sem a delineação da fronteira por uma linha marítima, o continente estava sujeito a um número muito maior de movimentos culturais do que os que provavelmente ocorriam na Grã-Bretanha, e assim, cada vaga sucessiva fazia desaparecer a anterior. Se alguma coisa se mantinha inalterável era o facto de a Grã-Bretanha ser provavelmente mais conservadora do que os seus vizinhos, tal como, em grande parte, continua ainda a ser.

Os historiadores estão constantemente a reavaliar as várias fontes de informação da história britânica da Alta Idade Média, e surgem frequentemente novas teorias e refutações. O arqueólogo Ken Dark chegou mesmo a propor um cenário radical, contudo credível, de continuidade romano-britânica para a época britânica da Alta Idade Média, indo assim contra quase todos os pontos de vista tradicionais. Outro grande exemplo disto é a actual sugestão de que o primeiro período do reino escocês de Dalriada não foi na verdade fundado por guerreiros irlandeses estabelecidos na região no ano, ou por volta do ano 500. Esta fora a história geralmente aceite desde pelo menos os dias de Beda (e os seus escritos remontam ao século VIII). Contudo, uma análise recente da cultura material reunida pelos arqueólogos não mostra suficiente semelhança entre os objectos pessoais dos povos na região onde se estabeleceu o Dalriada e os objectos dos pretensos naturais do Norte da Irlanda. Ao invés, é possível que os povos do Dalriada fossem um único povo, constituído por gentes da região, diferentes dos Pictos, dos Bretões e (do outro lado do mar) pelas culturas irlandesas em redor. Mas, no que diz respeito a este livro, mantive a perspectiva mais tradicional da imigração irlandesa, pois a teoria ainda não foi completamente dissecada.

Em suma, não existe nenhuma fonte de informação indubitavelmente fiável, muito menos uma série de fontes que possam fornecer-nos informações sobre os acontecimentos na Grã-Bretanha nas décadas imediatamente anteriores ou até mesmo ao longo das décadas em que se crê que Artur tenha vivido. Mas, reunindo as várias fontes disponíveis, tentando ler nas entrelinhas, e encadeando a evidência arqueológica disponível, é possível criarmos a nossa própria sequência dos acontecimentos. Convém lembrar que, na maior parte das vezes, não podemos ter certezas absolutas do que aconteceu. E com esse voto de confiança, passemos à história...

A invenção da Grã-Bretanha romana, ascensão e queda

Antes de abordarmos o próprio Artur, é útil tentar obter uma visão generalizada dos acontecimentos na Grã-Bretanha antes da época arturiana; isso ajuda a explicar por que é que a história britânica se moldou da forma como o fez na Alta Idade Média.

A Grã-Bretanha foi empurrada para a ribalta da História quando Júlio César chegou à ilha em 55 a.C. Antes de César, muito poucos escritores clássicos tinham lançado um olhar atento para esta ilha bastante fria e chuvosa, situada precisamente na orla do Império Romano. Naquele tempo, os habitantes da Grã-Bretanha eram uma amálgama de povos recentemente imigrados da Europa continental e de povos que habitavam as ilhas antes da sua chegada.

Não havia qualquer sentimento nacional e o conceito de Inglaterra, Escócia, País de Gales e Irlanda simplesmente não existia – e continuaria ainda a não existir até várias gerações após a era arturiana. Não existiam infra-estruturas nacionais, e os Bretões viviam um estilo de vida rural, devendo lealdade e obediência aos seus chefes tribais, que em troca lhes ofereciam protecção e sentido de pertença. Os reinos variavam substancialmente em poder e dimensão – alguns tinham a dimensão de uma comarca britânica moderna, outros, de várias comarcas.

Os Romanos voltaram em 43 d.C, quando foi enviada pelo Canal, a mando do imperador Cláudio, uma força de invasão imperial. A conquista romana da Grã-Bretanha progrediu notavelmente com muito poucos percalços – a famosa revolta de Bouddicca foi rapidamente esmagada, tal como a de Caracticus, e os misteriosos druidas (que se presume terem sido uma seita elitista de líderes britânicos, assumindo também possivelmente alguns deveres religiosos) foram chacinados nos seus bosques sagrados em Anglesey. Na verdade, estes eram problemas característicos da infância de uma nova era, já esperados enquanto os nativos se adaptavam a uma forma de vida mais evoluída como habitantes de uma província romana. Pelo menos, esta teria sido a perspectiva dos Romanos. A "romanização" aliou-se habilmente à força bruta – uma combinação que pretendia mostrar aos nativos os benefícios do comércio, cidades e estrutura social romanos, apoiados por legiões de soldados bem treinados e bem chefiados, caso a persuasão cortês não resultasse. Na época do reinado de Adriano, no início do século II, a maior parte dos Britânicos do Sul estava a estabelecer-se como colónia romana, e as tribos de Gales e da Escócia, em geral desordeiras e indomáveis, estavam controladas na sua própria pátria. A governação romana permitia a prosperidade do comércio com a Europa e com o Mediterrâneo, e os Bretões em breve começaram a estabelecer-se nas comunidades urbanas à volta das principais instalações militares e dos principais centros administrativos dos Romanos. Pela primeira vez na História, a maior parte da Grã-Bretanha era governada mais como uma província do que, à imagem da sua antiga existência, como um caleidoscópio de reinos mais pequenos.

À medida que as novas cidades romanas começaram a florescer, e que se criou uma infra-estrutura para permitir que o Sul da Grã-Bretanha funcionasse pela primeira vez mais como uma região política independente do que como um mosaico de sub-regiões, a Grã-Bretanha era antes de mais um posto avançado pacífico para os legionários e autoridades de Roma. Nas regiões meridionais e ocidentais do país, foram construídas centenas de *villas* pelos ricos senhores da terra; algumas *villas* eram as residências rústicas desses civis abastados, outras eram pouco mais do que quintas gloriosas, mas ambos os tipos reveladores de uma economia florescente e da contínua romanização do Sul da Grã-Bretanha. Pensa-se que os Romanos até permitiram que alguns nobres britânicos mantivessem o seu estatuto social. Junto das fronteiras da Grã-Bretanha romana, esses nobres devem ter governado como senhores da guerra, defendendo ali as áreas civilizadas contra ameaças externas, enquanto que os que viviam nas cidades terão ocupado postos no governo local. A cristianização chegou à Grã-Bretanha e o Império tornou-se oficialmente cristão durante o reinado de Constantino; está registado que três bispos britânicos assistiram a um concílio em Arles em 314. Mesmo assim, o culto pagão continuou.

Como mencionado anteriormente, no Norte, a Escócia actual, e nas regiões das Terras Altas da Grã-Bretanha ocidental, os Romanos tiveram menos sucesso; pensa-se que as tribos destas áreas tinham criado sociedades menos sofisticadas do que no Sul, influenciado pelo continente, e adaptaram-se menos rapidamente ao estilo de vida criado pelo Império Romano. De igual importância é o facto de o terreno difícil das Terras Altas meridionais da Escócia e do Norte da Grã-Bretanha dificultar o sucesso militar do exército romano. A maior parte das regiões viria a sofrer a influência do império, mas o Norte do que é hoje a Escócia nunca foi inteiramente assimilado ou conquistado por Roma, nem a Irlanda; isto tornar-se-ia, a longo prazo, um problema para a Grã-Bretanha romana.

A resposta a uma pergunta que questionasse aquilo em que se tinha tornado exactamente a Grã-Bretanha "romanizada" dependeria em muito da pessoa a quem a pergunta fosse dirigida. Um agricultor britânico que no século I vivesse nas margens do Tamisa seria bastante afectado pelo desenvolvimento da Londres romana e pelas estradas e casas de campo na região. Os seus bisnetos teriam vivido felizes na cidade, exprimindo-se provavelmente numa mistura da língua latina e inglesa, e considerando-se "romanos" para todos os efeitos e propósitos. Por outro lado, um pastor britânico a viver nas montanhas de Gales teria talvez notado poucas mudanças na sua vida, aparte avistar ocasionalmente uma patrulha romana, e durante o período romano é provável que os descendentes do pastor tivessem vivido uma vida relativamente não romanizada.

À medida que a Grã-Bretanha romana florescia, tornava-se por isso num alvo para as tribos fora do domínio directo de Roma. As cidades maiores – normalmente bem guarnecidas militarmente pelo exército – estavam razoavelmente a salvo das investidas, mas os campos férteis e as pequenas cidades onde se concentrava grande actividade devem ter sido presas fáceis, uma vez que seria impossível ao exército romano conseguir detectar e repelir todas as forças atacantes que entravam na Grã-Bretanha. Os Pictos (tribos não conquistadas da actual Escócia) e os atacantes irlandeses causaram problemas, e as autoridades romanas construíram a "Muralha de Adriano" no século II (entre as modernas Newcastle e Carlisle), posteriormente a Muralha de Antonino (mais para norte), com uma existência mais curta, e ainda, nos finais do século III, uma série de fortes costeiros ao longo da costa ocidental, para se defenderem contra essas incursões. Alguns chefes britânicos até decidiram (calculamos que com autorização de Roma) reconstruir os fortes nos cumes das montanhas, que tinham sido construídos pelos seus antepassados; em tempos de conflito, a população local podia abrigar-se no interior das paredes em madeira e taipa destes fortes.

A dada altura no século III, a estabilidade da Grã-Bretanha romana encontrava-se ameaçada: vindos do norte e do ocidente, os Irlandeses e os Pictos continuavam com as suas investidas, mas agora tinham-se-lhes juntado outros, no sul e nas costas a leste. Estes novos piratas eram inimigos saxões vindos de terra firme, do continente, que também nunca tinham sido conquistados por Roma. Construiu-se uma série de fortes ao longo da linha da costa oriental e meridional para conter esta nova ameaça, e o seu dispositivo de conjunto foi denominado Costa Saxónica, nome derivado dos seus putativos atacantes. Mesmo assim, as investidas continuaram, e em 367 ocorreu uma conspiração, conhecida como a "Conspiração Bárbara", em que parece que os Irlandeses, Pictos e Saxões conspiraram para subjugar as defesas imperiais através de uma série de ataques pré-planeados. Foram mortos dois importantes chefes militares romanos e a Grã-Bretanha ficou temporariamente mergulhada no caos, até chegarem reforços do continente. Posteriormente ocorreu um período de refortificação, e em finais do século IV muitas cidades romanas tinham as suas próprias muralhas (ainda podem ver-se actualmente vestígios em cidades como York e Chichester).

A partir deste período, os Saxões surgem frequentemente como a principal ameaça para a Grã-Bretanha romana e para os seus sucessores pós-império; mas quem eram exactamente estes Saxões? Muitas histórias diferentes deste período sugerem que havia três tribos de "Saxões": os Anglos, os Jutos e os próprios Saxões. Segundo a tradição, diz-se que os Anglos tinham desembarcado a norte e a leste da Anglia (o nome antigo desta região da ilha, que corresponde aos actuais Norfolk e Suffolk), os Jutos em Kent, e os Saxões ao longo da costa sul, espalhando-se rapidamente para o vale do Tamisa. À luz dos factos actuais, estas três tribos teriam sido apenas alguns dos muitos e muito diversos grupos culturais que chegaram à Grã-Bretanha: Francos, Dinamarqueses, e muitos outros povos germânicos viajavam nos seus barcos compridos desde a sua terra natal no noroeste da Europa.

Os povos saxões chegavam às costas britânicas como atacantes e piratas, mas também vinham a pedido do governo imperial. A política militar tinha mudado nos últimos tempos do império, permitindo que muitos guerreiros não romanos servissem como soldados mercenários. Recrutado nos territórios não conquistadas que rodeavam o enorme império, este novo tipo de exército romano incluía muitos Saxões, e achados arqueológicos provam que muitos serviram na Grã-Bretanha. Tomemos como exemplo os dois grandes chefes dos soldados romanos mortos na Conspiração Bárbara. Chamavam-se Fullofaudes e Nectaridus, ambos nomes germânicos.

Os séculos III e IV assistiram a um declínio gradual da opulência e prosperidade da Grã-Bretanha romana; em determinadas ocasiões neste período, todo o Império esteve sob tensão política e económica e para a Grã-Bretanha não era melhor ou pior do que para o resto das possessões continentais de Roma. Em duas ocasiões, a Grã-Bretanha ficou separada do resto do Império nas revoltas políticas dos finais do século III; durante os últimos tempos do império, muitos líderes militares e políticos foram nomeados "Imperadores", invadindo os seus adversários e proclamando independentes os seus próprios impérios. A certa altura, houve sete indivíduos que ao mesmo tempo se proclamavam imperadores. Isto, a juntar ao movimento religioso separatista que surgira na Grã-Bretanha, granjeou para a província uma reputação de território conturbado.

Em 383, outro general descontente decidiu rebelar-se. O seu nome era Magnus Maximus, e estava estacionado na Grã-Bretanha. Muitas casas reais britânicas e, posteriormente, casas reais galesas, alegam descender dele, e figura nas histórias mais tardias do folclore galês como Macsen Wledig, por isso, é muito provável que fosse um homem popular na província. Apesar de tão caras memórias, Magnus Maximus desguarneceu a Grã-Bretanha de parte considerável da sua guarnição, e marchou para afirmar a sua pretensão a um território no continente, deixando grande parte da Grã-Bretanha muito mal defendida pelos soldados romanos. Magnus Maximus não teria pretendido conquistar todo o Império Romano, que se estendera por vastas extensões de território europeu, em vez disso, desejava provavelmente criar o seu próprio império dentro do Império, talvez constituído pela Grã-Bretanha e pelas províncias onde são hoje a França e a Espanha. O seu exército venceu o do imperador Graciano e Magnus conseguiu de facto o domínio do lado ocidental do Império até à sua morte, em 388.

Durante a campanha continental de Magnus, as investidas dos Pictos, Irlandeses e Saxões devem ter continuado na Grã-Bretanha; como general experiente que era (pelo menos o suficiente para derrotar outros exércitos romanos em combate), Magnus teria feito algumas diligências para a defesa da Grã-Bretanha na sua ausência. Se o não tivesse feito, poderia ter-se visto rapidamente confrontado a leste pelos rivais romanos e a oeste pelos Bretões descontentes. A evidência sugere que ele levou a cabo campanhas contra os Pictos antes de se lançar na sua aventura europeia, para evitar posteriores ataques quando o seu exército principal estivesse ausente. No entanto, a mais provável fonte de substituição do exército britânico que Magnus trouxera consigo eram mercenários contratados. Provavelmente Magnus Maximus contratou ainda mais Saxões para defenderem a Grã-Bretanha em seu nome; como se explicou acima, a política imperial dos últimos tempos favorecia o emprego de guerreiros tribais *en masse*, pagos pelos cofres imperiais, para a defesa contra outras tribos menos amigáveis. Também é provável que Magnus tivesse feito acordos com alguns nobres britânicos do Norte e de Oeste, menos romanizados e mais vocacionados para a guerra, para que estes defendessem a sua própria ilha. Esses senhores da guerra teriam sido os governantes dos últimos tempos das dinastias britânicas do Norte e do Oeste, e isto explicaria talvez a sua popularidade no folclore galês e britânico (e a razão pela qual tantas linhagens reais britânicas, e, mais tarde, galesas, alargaram as suas árvores genealógicas até ao próprio Magnus Maximus). É bem provável que Cunneda, que levou os seus guerreiros desde a região de Edimburgo até à costa noroeste do País de Gales para a defender das incursões irlandesas, tivesse sido um desses senhores da guerra britânicos. Maximus pode também ter colocado outro senhor da guerra como este no sul, e talvez até um grupo de guerreiros irlandeses no antigo Sudoeste Galês (actual Devon), para defender o território de outros Irlandeses menos amistosos.

Apesar disso, partir para a Europa com o grosso do seu exército deve ter deixado grande parte da Grã-Bretanha exposta a investidas posteriores; os guerreiros tribais eram obviamente úteis, mas com a partida das legiões de Magnus Maximus também desapareceram a sua infra-estrutura militar e as estratégias de defesa em toda a província. Mesmo assim, durante a época em que Magnus governou o território continental, e desde a sua morte até precisamente aos anos 396-398, não há registos de novas guarnições imperiais na Grã-Bretanha, portanto as suas políticas devem ter sido relativamente eficazes. Foi referido mais tarde que uma das unidades com a qual Magnus marchara para a Europa, previamente colocada em Caernarvon, serviu nos Balcãs. Por isso, parece não sido nunca necessário fazer regressar à Grã-Bretanha as unidades ali estacionadas.

Quando, nas datas já referidas, voltou a ocorrer a intervenção imperial, a situação chamou a atenção do talentoso general Stilicho (ele próprio um Vândalo ao serviço das autoridades romanas). Este lançou ataques contra os Pictos, Irlandeses e Saxões, que tinham invadido a Grã-Bretanha e aí começado a estabelecer postos avançados. Stilicho era um senhor da guerra experiente, o que não era surpreendente: por todo o império, os exércitos de Roma lutavam contra as hordas bárbaras, como os Godos, os Vândalos, os Hunos e ainda os Saxões, ao mesmo tempo que tinham que combater os generais rebeldes e os imperadores usurpadores. Até mesmo as duas tribos bárbaras com nomes mais amistosos – os Alanos e os Francos – estavam a causar problemas. O período em que ocorreu a séria ameaça causada por estas tribos saqueadoras assistiu novamente, em 401, à retirada das tropas imperiais da Grã-Bretanha, que rumaram para Itália para ali combaterem. Dada a rápida transferência dos soldados romanos colocados na Grã-Bretanha, foi sugerido que as defesas estacionadas na Muralha de Adriano e nos fortes costeiros ao longo das costas ocidentais, meridionais e orientais fossem desguarnecidas, para se conseguir mobilizar um exército de campanha de grande mobilidade, pronto para se deslocar para as zonas militares mais críticas, e chefiado por um general com o título de conde dos Bretões. Este exército de campanha, composto por unidades de infantaria e cavalaria, teria cerca de 6000 homens.

A década seguinte viria a revelar-se uma das mais importantes na história da Grã-Bretanha romana, ainda que actualmente se saiba muito pouco sobre este assunto. Pensa-se que o declínio da economia continuou, provavelmente acelerado pela incerteza quanto à defesa da Grã-Bretanha. Posteriormente, em 406 e 407, surgiu na Grã-Bretanha uma sucessão de três novos rebeldes candidatos a imperadores. Os seus nomes eram Marco, Graciano e Constantino (reconhecido como imperador Constantino III). Envolvidos em campanhas no território continental, devem ter enfraquecido mais ainda o exército, e, provavelmente, Constantino levou muitos dos soldados a uma morte prematura e sangrenta nos combates em França e Espanha. Constantino foi executado por tropas fiéis ao imperador Honório em 411.

Durante este tempo, enquanto os três usurpadores combatiam, tentando consolidar testas-de-ponte na Europa continental, pensa-se que os Bretões expulsaram da ilha os governantes da administração romana, e depois começaram a derrotar os Pictos, Irlandeses e Saxões que ocupavam as suas cidades. Pelo menos é o que registou um historiador grego chamado Zósimo, não muito depois do acontecimento. Sem mais detalhes (e há pouquíssimos relatos consistentes, quando se trata de factos históricos relativos à Grã-Bretanha desta época), podemos especular que a maioria dos nobres bretões fiéis ao verdadeiro imperador, Honório, expulsou os governantes de Constantino. Ou, ao sentir que o Império estava de rastos, talvez um grupo de nacionalistas britânicos tenha decidido que estava na hora de se afastarem de Roma e prosseguirem sozinhos, defendendo-se com soldados britânicos, mercenários saxões e irlandeses admitidos por Magnus Maximus. Pode até ter acontecido que Constantino ou qualquer outro dos usurpadores tenha expulso os que apoiavam Honório, e tenha colocado os seus próprios confrades nos seus cargos. Simplesmente já não sabemos o que aconteceu, mas, com efeito, por volta do ano 410 a Grã-Bretanha tinha-se finalmente tornado uma vez mais independente, e começara a defender-se de todos os invasores. Honório chegou a escrever para os conselhos locais da Grã-Bretanha, dizendo-lhes para dali em diante assegurarem as suas próprias defesas. Não se sabe por que lhes teria ele escrito, em vez de o ter feito aos comandantes militares ou ao chefe da administração civil; talvez os Bretões dissidentes tivessem voltado a um governo regional baseado nas velhas divisões tribais, ou talvez tivessem sido os líderes locais a expulsar todas as autoridades governantes. Mas o que Honório deixou claro foi que os Bretões não deviam esperar qualquer ajuda imediata, como a que tiveram no rescaldo das derrotas impostas aos usurpadores oriundos da sua própria tribo.

A Grã–Bretanha independente

Assim, a Grã-Bretanha estava de novo por sua conta, liberta dos mandamentos de Roma, e de novo sozinha, no limiar da derrocada de um Império. Os Bretões não haviam descoberto subitamente um dia que os Romanos tinham partido. Houvera uma dispersão gradual nas décadas anteriores (talvez mesmo séculos) e parecia até que os Bretões tinham também decidido libertar-se do Império – algo que outros tinham tentado antes sem sucesso.

Contudo, apesar de terem recentemente conquistado a independência, logo que os Romanos partiram os Bretões não voltaram ao seu estilo de vida anterior ao período romano, cobrindo-se de toscas pinturas de guerra de azul e arremetendo os seus carros de combate em ataques devastadores. A relação complexa entre Roma e a Grã-Bretanha tinha-se desenvolvido desde o primeiro contacto de Júlio César no século I a.C., e muitos Bretões urbanos teriam uma longa linhagem de antepassados educados segundo a tradição romano-britânica. Tecnicamente, a partir do princípio do século III fora permitido aos Bretões livres do sexo masculino intitularem-se cidadãos imperiais – a partir desta data passaram a ter direitos iguais aos de qualquer outro cidadão do Império Romano.

Mas, nessa disposição tipicamente britânica que ainda persiste nos dias de hoje em certas regiões, nem todos os Bretões teriam considerado ter alguma vez pertencido a outra coisa que não fosse o seu velho nome tribal. Lembra-se do agricultor e do pastor britânicos usados como exemplos do grau de romanização, no princípio deste capítulo? Até que ponto a governação romana influenciava o estilo de vida dos Bretões dependia bastante da sua localização geográfica. A um nível básico, os que viviam perto das localidades e fortes romanos ter-se-iam provavelmente considerado mais "romanos" do que "ingleses"; os que viviam isolados provavelmente sentiram o oposto. Assim, apesar de terem afastado os funcionários da administração romana, alguns Bretões considerar-se-iam ainda, até certo ponto, romanos. Outros Bretões, aqueles que viviam nas franjas do mundo romanizado, talvez nunca se tenham considerado romanos, e podem ter visto a independência da Grã-Bretanha como o trampolim ideal para reafirmarem a governação que haviam implantando. O resultado, numa daquelas reviravoltas cruéis com que a História por vezes nos surpreende, é que as áreas mais romanizadas foram as primeiras a cair sob influência de invasores estrangeiros, e a posterior cultura britânica desenvolveu-se a partir das áreas que tradicionalmente tinham sido menos influenciadas pelas leis romanas. Em 410, contudo, a supremacia ainda era mais dos Bretões do que de qualquer invasor estrangeiro, e os Bretões continuaram a governar as suas terras mantendo os métodos romanos de organização e cultura.

É difícil avaliar como foi o governo dos Bretões nos primeiros anos da independência. Praticamente não chegaram até nós provas que nos possam ajudar. Habitualmente, os historiadores supõem que se manteve uma forma de governo centralizado, apenas diferente da administração romana no aspecto em que os Bretões governavam isolados do resto do império e sem obedecer a qualquer imperador que não fosse Bretão. Quanto a isto, qualquer imperador que tenha governado a Grã-Bretanha pós-romana e independente terá sido efectivamente um imperador de importância reduzida, governando as regiões da Grã-Bretanha em lugar das províncias da Europa. Pode até ter acontecido que a Grã-Bretanha se tenha descentralizado – a carta de Honório aos Bretões em 410 pode apontar para isso – e que tenha aparecido imediatamente uma série de reinos, quando a Grã-Bretanha rejeitou o domínio romano. De qualquer modo, o governo centralizado continuou (como sugerem as considerações que se seguem), mas também é provável que alguns líderes isolados (aqueles que nunca se tinham tornado completamente romanizados) se tenham separado para formar os seus próprios pequenos reinos à margem do governante da Grã-Bretanha pós-romana. Não sabemos quem governou a Grã-Bretanha no princípio do século V, após o período romano, mas há um nome que sobrevive do folclore: Vortigern.

O nome "Vortigern" pode traduzir-se *grosso modo* por "Rei dos Reis" e uma vez que Vortigern aparece como governante de toda a antiga província romana na história britânica tradicional ao longo da maior parte do século V, é muito possível que este nome fosse um título honorífico e não um nome pessoal. Geoffrey de Monmouth retomou o nome "Vortigern" e na sua *História* o escritor medieval traçou a história tradicional de Vortigern e do início da Grã-Bretanha pós-romana, admitindo que este nome se referia à identidade de um homem e não a um conjunto de muitos. A *História* de Geoffrey é referida no capítulo III, e o papel de Vortigern na história britânica será analisado mais à frente neste capítulo. Quer Vortigern tenha existido ou não, e quer tenha sido uma só pessoa ou o conjunto de várias, aparentemente alguém governou toda a província, baseando a sua governação nas leis romanas.

Além das memórias tradicionais britânicas, e mais tarde galesas, da história destes povos neste período, temos muito pouca informação disponível. A ruptura com o domínio romano colocou a Grã-Bretanha fora da esfera imediata do interesse romano – os seus historiadores ocupavam inteiramente o seu tempo a tentar registar as violentas idas e vindas nas províncias ainda governadas por Roma (Roma foi saqueada em 410 pelos Visigodos, e esta época, tanto antes como depois deste acontecimento, foi de grande caos). Aos conflitos entre os vários pretendentes ao título de Imperador juntava-se uma economia débil, e o estabelecimento de tribos anteriormente consideradas "bárbaras" em entidades políticas formidáveis fazia correr rios de tinta das penas dos historiadores.

Apesar de Roma considerar a Grã-Bretanha um mero palco secundário, poucas menções foram feitas à ilha que agora se libertara. Existem dois registos de visitas de São Germano, uma em 428-9 e outra em 445-6. Ainda que os relatos das suas visitas estivessem principalmente relacionados com assuntos eclesiásticos, ficou escrito o suficiente para revelar alguns dos aspectos políticos da vida na Grã-Bretanha. Primeiro, na sua primeira visita Germano veio para combater o crescimento de um grupo cristão secessionista que se formara, conhecido como os Pelagianos. Durante os últimos tempos do Império, embora o cristianismo fosse a religião oficial de Roma, assumia diversas formas e até os cultos pagãos eram ainda tolerados. Não obstante, para Germano ter sido enviado, é provável que os Pelagianos fossem na altura encarados com alguma preocupação. É possível que os Pelagianos tivessem tido influência na separação inicial da Grã-Bretanha com o Império, o que indicaria que talvez constituíssem um grupo nacionalista britânico, embora isto possa escamotear as verdadeiras causas do movimento, que, na verdade, talvez fossem tão simples como, por exemplo, uma forma diferente de adoração. Simplesmente, não se sabe. O mais importante é que a chegada de Germano indica que ainda havia ligações entre a Grã-Bretanha e o continente e que os dirigentes da Igreja Romana continental mantinham um interesse activo na Grã-Bretanha, depois desta se ter tornado independente.

Pensa-se que o grupo de Germano viajou livremente pela Grã-Bretanha e que, por esta altura (cerca de 420), a Grã-Bretanha já era bastante mais pacífica, tendo os Bretões a sua própria governação num estado ordeiro. Podemos ter a certeza absoluta que, se assim não fosse, o biógrafo de Germano teria tecido uma crítica mordaz à incompetência dos Bretões. A vida urbana continuou como antes, e Germano curou a filha de um funcionário que alegava ter alguma forma de poder imperial; isto sugere novamente que os Bretões estavam a governar-se a si próprios usando um antigo modelo romano, pelo menos na região que Germano visitou. De facto, podemos estar absolutamente certos quanto à região visitada pelo santo aquando da sua primeira visita; ele fez uma peregrinação a Verulamium (St. Albans), a norte da actual Londres. O Sudeste estava altamente romanizado nos dias do Império, e o testemunho da visita de Germano sugere que ainda assim era nessa época. Não podemos ter a certeza se o resto da Grã-Bretanha anteriormente romana se estava a governar tão bem; ao que parece, é plausível acreditar que as áreas no interior, tal como as visitadas pelo santo, estavam bastante a salvo dos piratas saqueadores, mas que as franjas da ilha – tanto ao longo das costas como mais para norte, em torno da Muralha de Adriano – eram menos pacíficas. Esses territórios fronteiriços da ilha devem ter servido como zonas-tampão entre a "civilização" e a "barbárie", e eram provavelmente vigiados pelos senhores da guerra e os seus guerreiros. Esta teoria ajusta-se perfeitamente ao que sabemos da política de defesa de Magnus Maximus em finais do século IV. Cunedda (que Magnus provavelmente transferiu para uma área que se estende do Norte do actual País de Gales até ao Sul da moderna Escócia) e os seus sucessores teriam desempenhado este papel de barreira de protecção, papel que também deve ter sido desempenhado por um líder chamado Coel Hen ao longo da Muralha de Adriano. Coel Hen é mais lembrado como o Velho Rei Cole, famoso na poesia infantil inglesa, mas parece ter sido um líder poderoso do Norte da Grã-Bretanha nas primeiras décadas do século V; muitas dinastias posteriores do Norte da Grã-Bretanha afirmaram ser suas descendentes.

O próprio Germano deparou com invasores aquando da sua primeira visita. Não podemos ter a certeza exactamente onde, mas, longe do cenário pacífico da vida na cidade o santo conduziu os

Bretões a uma vitória sobre os invasores saxões e pictos. Esta vitória, conhecida como a Batalha de Aleluia, foi travada num vale, onde Germano encorajou os Bretões a armarem uma emboscada aos inimigos, erguendo-se todos ao mesmo tempo para gritarem "Aleluia!" três vezes em uníssono, o que intimidou os Saxões e os Pictos e os pôs em fuga. A tradição galesa identifica a batalha como tendo ocorrido perto de Mold, no País de Gales, apesar de um vale nos Montes Chiltern, mais próximo de St. Albans, ser um local igualmente provável para o acontecimento. A interpretação da forma como a batalha foi ganha é quase de certeza hagiográfica, mas não era invulgar que homens santos acompanhassem os guerreiros na batalha (vários milhares de monges britânicos foram supostamente chacinados na última batalha de Chester em 616). Devem ter ocorrido ainda outras investidas, como a que é evocada na história de São Patrício, originalmente um Bretão forçado à escravatura pelos Irlandeses, com a idade de 16 anos. Mas, de um modo geral, parece que os Bretões se estariam a defender adequadamente pelos seus próprios meios.

Apesar da mensagem deixada pela história de Germano, que aparentemente remete para o "tudo na mesma" (na mesma a vida na cidade, o governo e o rechaçar dos invasores por parte dos Bretões), as provas arqueológicas sugerem que nem tudo estava tão na mesma. Perto do início do século V, a própria indústria de cerâmica da Grã-Bretanha desaparecia, e por volta de 420 a moeda parece ter deixado de ter uso comum (as últimas moedas em circulação na Grã-Bretanha tinham chegado em 402). Desta vez, a economia, em declínio nos últimos séculos, parecia ter atingido finalmente a estagnação. Mesmo assim, as autoridades municipais ainda funcionavam – neste caso, a arqueologia confirma a história de São Germano; tal como em pleno século V, estava ainda a ser repavimentada uma das principais artérias da Lincoln do período romano, o fórum em Cirencester parece ter continuado a ser usado e notam-se fases de reconstrução empreendidas em St. Albans e Wroxeter. Parece até que, no século V, foi colocado um novo cano de água numa zona em St. Albans.

Durante as duas primeiras décadas do século V, não foi apenas São Germano que cruzou o Canal ao serviço do Império. Algumas fontes sugerem que o exército romano, talvez acompanhado pelas autoridades romanas, voltou uma vez ou mais na primeira e segunda décadas do século V. Desconhecemos as razões por que o fizeram; pode ter sido para averiguarem sobre as hipóteses do regresso da administração romana. Podem também ter regressado como enviados de paz, propondo uma aliança entre os Bretões independentes e o Império Romano, que se desmoronava: pensa-se que os Bretões estavam a ser bem sucedidos na resolução de questões que o resto do Império não conseguia resolver, nomeadamente o combate às tribos invasoras hostis. Ou talvez um grupo de dirigentes pró-romanos lhes tivesse pedido para voltarem; decerto terá havido apelos desta natureza no século V. Uma referência na *Crónica Anglo-Saxónia*, relativa ao ano 418, refere os Romanos a reunirem e a esconderem os seus tesouros em ouro. Isto pode ser uma referência a uma dessas últimas visitas, em que os Romanos tentavam levar consigo tudo o que fosse de valor. Seja qual for o motivo para o reaparecimento dos representantes dos Romanos, não se verificou a reintegração do Império e os Bretões continuaram independentes.

Por ocasião da visita de São Germano em 440, crê-se que a Grã-Bretanha se encontrava num estado de deterioração. Até esta altura, em que se refere que o santo se encontrou com um dirigente não referido por um título romano, mas simplesmente como homem importante da região, a maior parte da Grã-Bretanha era provavelmente ainda governada por um governo central. Em algumas regiões nas franjas da ilha podem ter-se formado pequenos reinos, menos romanizados, e cuja função era proteger esses territórios contra os inimigos, mas, de um modo geral, a Grã-Bretanha parecia não estar a sair-se pior do que nos últimos tempos da hegemonia romana. Tudo isso estava prestes a mudar. Dramaticamente.

As guerras saxónias

Nunca saberemos ao certo se Vortigern, que nos últimos registos do folclore galês e na muito influente *História* de Geoffrey de Monmouth se notabilizou pela sua incompetência, era realmente apenas um homem, ou se este nome era um título atribuído ao líder do governo central da Grã-Bretanha nos primeiros anos depois do período romano. O que sabemos é que Vortigern (ou Vortigerns, caso se tratasse de um título) foi culpado por ter desencadeado a ruína da sua nação. Não é possível certificarmo-nos até que ponto a história é verdadeira, mas da abordagem de Geoffrey de Monmouth a esta mesma história destacam-se provavelmente alguns factos históricos.

A história sobre Vortigern, tão frequentemente contada, é como se segue, embora seja impossível, como já foi dito, aquilatar até que ponto é verdadeira.

Os exércitos dos Bretões não conseguiam fazer frente à rapina dos Pictos e dos Irlandeses que saqueavam profundamente os ricos territórios agrícolas da Grã-Bretanha sub-romana. Os Bretões imploravam por ajuda aos governantes romanos no continente, mas a resposta que obtinham era que tomassem eles próprios conta dos seus destinos. Em desespero, o líder britânico Vortigern decidiu combater o fogo com o fogo – contratou mercenários saxónicos em terras europeias, pedindo-lhes que libertassem a Grã-Bretanha do pesadelo das pilhagens, a troco de terra fértil. Ao tomar esta atitude, Vortigern seguia simplesmente um precedente estabelecido pelos imperadores romanos, que também empregavam guerreiros mercenários para combaterem pelo império ou para viverem em zonas difíceis, servindo de salvaguarda entre os Romanos pacíficos e as terríveis tribos bárbaras pagãs.

Vortigern contratou o rei saxónico Hengest e o seu irmão Horsa, que vieram em três navios carregados de guerreiros, fixando-se em Kent e enfrentando adversários em todo o território (Pictos e Irlandeses – deixando, obviamente, em paz os seus empregadores). Isto pode ter ocorrido nos anos das décadas de 20, ou talvez 40 do século V, dependendo da forma como as datas foram calculadas. Ao princípio tudo começou bem. Os Saxões eram grandes guerreiros e, sem grande esforço, mandaram muitos guerreiros precocemente para a cova. Hengest passou palavra às gentes da sua terra, e vieram mais guerreiros. Sozinhos, os Saxões acabaram com a ameaça dos Irlandeses e dos Pictos, enquanto os Bretões se encolhiam de medo atrás das muralhas das suas cidades. Quanto mais Saxões chegavam (acompanhados por duas outras tribos – os Jutos e os Anglos), maior a necessidade de terras para lhes serem entregues; é possível que a peste também tenha atingido a Grã-Bretanha por essa época, afectando mais os Bretões, que residiam nas cidades, do que os seus rústicos aliados saxões, mas a posse de terra para produzir víveres continuava a ser cada vez mais importante. Vortigern recusou ceder mais terra aos Saxões; precisava dela para o seu próprio povo e estava algo inquieto pela quantidade de Saxões que tinham inundado a Grã-Bretanha.

Isto foi de mais para os Saxões. Precisavam de mais terras, e, como guerreiros endurecidos que eram, decidiram apoderar-se delas pela força. Em 449 (ou talvez até mais cedo, em 429, dependendo das diferentes interpretações das datas fornecidas pelas fontes originais), ocorreu uma grande rebelião e os Saxões foram muito mais bem sucedidos do que os Bretões de Vortigern. Os Bretões propuseram uma trégua para discutir os termos da paz e os líderes saxões introduziram armas sub-repticiamente numa reunião destinada ao efeito, assassinando a nata da nobreza britânica num acontecimento que viria a ser lembrado como "a Noite das Facas Longas". Um traço cruel na natureza de Hengest permitiu que a vida de Vortigern fosse poupada – foi enviado de volta para os Bretões, com os quais viveu em desgraça, vindo finalmente a morrer num incêndio no seu palácio, como um homem despedaçado.

Após a Noite das Facas Longas, Hengest e Horsa irromperam pelas terras baixas e juntaram-se a outros líderes saxões para obrigarem os Bretões a voltarem para as terras altas de Gales, do Wessex (Exmoor e Dartmoor) e dos montes Câmbricos (alguns chegaram mesmo a fugir para o continente, criando o seu próprio reino na actual Bretanha). Todos os Bretões que não fugiram foram assassinados pelos guerreiros saxões ou feitos escravos, e a todo o instante chegavam mais famílias saxónicas do continente. As designações dos locais britânicos, a língua e os costumes desapareceram das terras baixas da Grã-Bretanha e os Bretões que ali permaneceram depressa esqueceram o seu legado romano e adoptaram os antigos costumes celtas, que, nos montes Câmbricos e do Wessex, nunca tinham sido esquecidos.

E é neste ponto que deixaremos, de momento, a história tradicional.

Estudos recentes revelaram que a parte final desta história parece não ser verdadeira – muitos Bretões provavelmente continuaram a viver nos seus territórios sob a lei dos Saxões e as provas arqueológicas de genocídio são raras. Ao longo deste capítulo há referências à "formação de reinos saxónicos", ou a como "os britânicos perderam o domínio" de certas áreas. Habitualmente pensava-se que quando uma região se tornava, por exemplo, "saxónia", os Bretões (ou Irlandeses ou Pictos) que antes tinham lá vivido felizes eram expulsos ou fugiam para qualquer outro lado. Esta ideia era reforçada pelas revelações surpreendentes de escritores arcaicos, como Gildas, que davam a impressão de não se poder andar mais de meia dúzia de passos sem se tropeçar em mais um Bretão decapitado. Por muito cativante que isto possa ser, parece hoje provável que não seja verdadeiro. É certo que alguns senhores da guerra podem ter decidido assassinar os povos recentemente conquistados: é assim que a história dos Saxões recorda Cadwallon, um senhor da guerra britânico do século VII, apesar de estas fontes serem compreensivelmente parciais. É verdade que até temos a menção esporádica a incidentes semelhantes em documentos como a *Crónica Anglo-Saxónia.* Esta relata que Aelle, um senhor da guerra saxão, assassinou em 491 todos os Bretões que encontrou no interior de um velho forte costeiro, em Pevensey. Contudo, por si só, o facto de esses escândalos serem mencionados sugere que constituíam excepções. Em todos os aspectos, a mudança do regime bretão para o regime "saxónico" provavelmente afectou apenas a nobreza – a dinastia reinante e o conjunto de nobres mais próximos que a rodeava. Testes genéticos modernos (tanto de ADN como da estrutura dentária) defendem a ideia de que a população da Grã--Bretanha era, antes da era moderna, quase sempre uma constante. A fuga de nobres britânicos para a actual Bretanha por volta desta altura também sugere que a conquista deslocou apenas os escalões mais altos da sociedade, mais do que a população em geral. Isto deu azo a uma situação potencialmente confusa em que os guerreiros britânicos podiam combater a soldo do rei saxão que tinha autoridade sobre os seus territórios e contra um seu rival britânico ou contra um outro rei saxão, e vice-versa. Todos os assuntos relativos à identidade cultural deviam ser por vezes confusos, e parece razoável imaginar que a posterior cultura anglo-saxónia e irlandesa foi uma mistura diluída dos antigos ideais saxónicos e britânicos.

Até que ponto a história "tradicional" é verdadeira e até que ponto é pura lenda, não sabemos. A revolta dos Saxões pode ter ocorrido numa pequena área geográfica, ou pode ter sido mais abrangente, dependendo de até onde se estendeu a influência de Vortigern. Aparentemente, dir-se-ia que Vortigern governou a maior parte da antiga província romana. Não obstante, se a Grã-Bretanha se fragmentou em pequenos reinos mais cedo do que aquilo que é amplamente aceite, a sua história pode apenas contar a derrocada de um reino. Dito isto, o peso da opinião sugere que Vortigern chefiava toda a nação, e, como tal, a história, ao evocar a sua vida, provavelmente evoca fragmentos de verdade por detrás da queda dos Bretões, no seu próprio país.

Antes da chegada dos Saxões como lanceiros contratados, a convite de Vortigern ou não, pelo menos alguns Bretões perceberam que necessitavam de ajuda para repelir os invasores irlandeses e pictos. Mas, Gildas conta-nos que os Bretões, em vez de recorrerem a outros mercenários, pediram ajuda ao senhor da guerra romano Aëtius, em 446. Este, em termos vívidos, chamou a este evento "os Lamentos dos Bretões". Este apelo caiu em orelhas moucas, e parece que pelo menos alguns líderes britânicos convidaram mercenários saxónicos para combaterem por eles. A dada altura, ao que parece logo após a sua chegada, alguns senhores da guerra saxónicos arquitectaram um golpe contra os seus senhores britânicos, usurpando terras para si e para os seus guerreiros.

Independentemente de quão espalhada estivesse a revolta dos mercenários saxões, os líderes britânicos tinham ainda que lutar contra as incursões dos Pictos, a norte, dos Irlandeses, a oeste, e dos Saxões, ao longo das costas meridionais e orientais. A violência dos ataques, principalmente por parte dos Saxões, parece ter feito com que as leis de Vortigern se tivessem tornado ineficazes. Esta acção desencadeou provavelmente uma luta de poder entre os outros líderes britânicos e desfez qualquer unidade, pois as facções digladiavam-se para conquistar as propriedades uns dos outros.

Em determinada altura no século V, parece também que alguns senhores da guerra romperam com as leis do governo centralizado e formaram os seus próprios reinos. Líderes diferentes formaram talvez os seus próprios reinos em diferentes ocasiões, e não necessariamente num ano específico, a assinalar o fim da autoridade de um domínio central; e é bem possível que áreas menos romanizadas tivessem rompido mais cedo com este domínio, logo no início da independência britânica, apesar da queda de um líder como Vortigern poder ter desencadeado o processo. Na época de Gildas (no século VI), a Grã-Bretanha estava inteiramente nas mãos desses "tiranos" (um termo que provavelmente não tinha uma conotação tão negativa como na era moderna). Os antecedentes desses tiranos eram provavelmente bastante variados – alguns poderiam ser guerreiros abastados contratados para defenderem as fronteiras, outros poderiam ser ricos proprietários de terras que exerciam o domínio longe do governo central, recorrendo aos seus exércitos particulares. Decerto que, aos olhos de Gildas, desde a unificação da Grã-Bretanha, que a sua referência a um "tirano orgulhoso" (provavelmente Vortigern) sugere, que durante aproximadamente a centena de anos que passou até à época em que escreveu, o poder central e dominante dos Bretões se fragmentara num punhado de reinos mais pequenos e mais fracos.

Desconhecemos os nomes de todos os reinos britânicos desta época, ou onde se situavam as suas fronteiras. Parece provável que muitas cidades romanas tenham sido locais de fundação das novas dinastias, e que as importantes personalidades civis nessas cidades assumissem o poder. Cidades como Londres, Cirencester, Lincoln, Wroxeter, Chester, York e Carlisle podem ter sido todas sedes de reis. Sabemos que a extremidade sudoeste da Grã-Bretanha, Devon e a Cornualha formavam o reino de Dumnonia, e que surgiram vários reinos em Gales, incluindo Gwynedd, no Norte, e Gwent e Dyfed ("Demetia") no Sul. Os reinos britânicos do Norte eram razoavelmente grandes, e estavam destinados a durar por muito mais tempo do que alguns dos seus congéneres do Sul: Rheged, Strathclyde e Gododdin viriam a engendrar uma bela colecção de histórias populares nos séculos futuros. Outros reinos setentrionais não foram tão bem sucedidos, tendo Elmet, nos montes Peninos, sido anexado pelos reinos saxónicos, e Bernicia e Deira passado relativamente cedo para as mãos dos Saxões.

É bem possível que a ineficácia do governo de Vortigern (ou de um determinado Vortigern, se na verdade se tratava de um título) tenha dado origem a estas divisões e à formação de reinos. Fosse qual fosse a verdadeira causa, a guerra civil irrompeu entre os Bretões, e estes depressa começaram a recorrer aos mercenários saxões para combaterem os seus próprios pares. Os senhores da guerra saxões só podiam beneficiar com esta situação, e provavelmente nesta altura conseguiram bases mais sólidas no seu próprio território. A partir de meados do século V em diante podem encontrar-se vestígios de enclaves no vale do Tamisa, partes de East Anglia e ao longo da costa meridional. A *Crónica Gaulesa* regista que, por volta de 441, a Grã-Bretanha estava sob domínio dos

Saxões. Apesar de provavelmente apenas se referir às zonas meridionais directamente em contacto com o território continental (áreas britânicas que revelam sinais de crescimento do número de Bretões por esta altura), a referência pareceria demasiado associada ao conceito da revolta saxónia e ao poder subsequente e temporário dos Saxões. A data, caso seja mais fiável do que as apresentadas nas fontes originais britânicas, sugere que a intervenção saxónia teria sido antes de 449, data tradicionalmente estabelecida, o que nos remete mais para trás, para 429 ou para uma data nos anos da década de 30 ou no início da de 40 do século V. É possível – até mesmo provável – que muitos desses senhores da guerra saxões mercenários tenham participado, e a discrepância nas datas pode reflectir a rebelião de vários grupos em diversas regiões. No entanto, os senhores da guerra saxões estavam a fazer incursões pelo território britânico.

As guerras civis entre os reinos recentemente fundados, aliadas a pressões externas por parte dos Irlandeses, dos Pictos e, em grau sempre crescente, dos Saxões, provavelmente fizeram com que a Grã-Bretanha tivesse caído no limiar da anarquia. Até meados do século V (talvez logo nas décadas de 20 e 30, mas mais possivelmente nas décadas 40 e 50) os Bretões tinham conseguido resolver as suas próprias questões e manter a Grã-Bretanha independente.

A descrição de Gildas sobre a Grã-Bretanha de meados até ao final do século V referia uma região corrupta, onde grassavam epidemias, e numa espiral de declínio económico, com cidades a desmoronarem-se e terras devastadas pela guerra e pela fome. Por vezes há também alusões à peste (em meados do século VI assistiu-se à chegada da febre amarela na Grã-Bretanha, mas é possível que anteriormente se tenham espalhado outras epidemias, a partir do continente). Contudo, a evidência revelada por escavações arqueológicas em muitas regiões sugere que as coisas não estavam tão mal como levaria a crer a descrição apocalíptica de Gildas. É pouco provável que houvesse muitos exemplos de cidades completamente edificadas e abandonadas. A vida urbana parece ter entrado em declínio, mas não há muita coisa que indique que tivesse ocorrido subitamente um êxodo em massa das cidades, com edifícios a arder e corpos espalhados pelas ruas, ao estilo de Hollywood; embora não haja dúvidas de que, em finais do século V e século VI ocorreu um declínio gradual. Em todo o caso, a vida continuou para a maioria das pessoas mais ou menos como até então, tendo havido violência e destruição apenas nos períodos em que os exércitos devastadores por lá passaram.

A vida urbana decerto continuou em cidades como St. Albans, Silchester, Londres e Caerwent, entre outras, onde foram descobertas provas incontestáveis de ocupação contínua. Wroxeter, a Shropshire dos tempos modernos, chegou a passar por uma fase de reconstrução, embora se admita que os novos edifícios de madeira do período pós-romano não teriam um aspecto tão glorioso como as construções romanas em alvenaria. Por volta de finais do século V, as cidades eram ainda o ponto a partir do qual os reis britânicos governavam, e isto pode até reflectir-se no nome de pelo menos um reino: Gwent parece ser uma corruptela da designação latina para Caerwent: Venta Silurum. A vida nas cidades poderia ser uma versão ténue dos centros urbanos que haviam florescido nos dois séculos anteriores, e algumas das cidades podem ter-se transformado em verdadeiras cidades-fantasmas, mas o quadro ainda é muitíssimo mais feliz do que o que Gildas pintou.

Apesar de o período de meados e finais do século V na Grã-Bretanha não ter sido provavelmente tão violento como em tempos se pensou, ainda havia guerras, e os Bretões estavam ainda prontos a cortar as gargantas uns aos outros e aos inimigos vindos do exterior. Foi neste período difícil que chegou um salvador. Não, não se trata de Artur, mas de Ambrosius Aurelianus (noutras fontes designado por Aurelius Ambrosius), filho dos últimos governadores romanos da Grã-Bretanha, que venceu os inimigos dos Bretões. Para além da breve mas importante referência de Gildas a Ambrosius, que, muito curiosamente, o amargo Gildas considerou, sem dúvida, um dos bons da História, podemos agora virar-nos novamente para a perspectiva tradicional da história britânica, de modo a preenchermos as lacunas.

Ambrosius lembrou aos Bretões como se lutava e conseguiu rechaçar os Saxões até ao lado oriental da Grã-Bretanha durante uma campanha militar, presumivelmente no Sul da Grã-Bretanha. Ambrosius pode também ter sofrido oposição por parte do filho (ou filhos) de Vortigern, e também os derrotou. A rivalidade entre a família de Ambrosius e a família de Vortigern fora frequentemente encarada como uma guerra civil entre as facções pró e anti-romanas no seio da nobreza britânica, apesar de, na realidade, existirem poucas provas que sustentem o facto.

Tal como acontece com outras perspectivas tradicionais mostradas neste capítulo, já não podemos saber até que ponto a história é verdadeira, e até que ponto foi construída a partir de nomes e datas escassamente lembrados. De um modo geral, Gildas parece ter alguns conhecimentos sobre o século anterior à sua existência, e é razoável acreditar que Ambrosius, de certa forma um sucessor da autoridade romana, recuperou por algum tempo a iniciativa britânica. Este renascimento está normalmente associado a datas que rondam aproximadamente 460-480, datas que não se ajustam muito bem caso a mãe e o pai de Ambrosius tivessem sido governadores romanos antes de 410, a menos que Ambrosius já tivesse mais de 60 anos quando alcançou proeminência. Parece mais provável, contudo, que os seus pais fossem Britânicos romanizados que tivessem alguma autoridade nos anos do governo da independência pós-romana.

A liderança de Ambrosius parece ter permitido aos Bretões recuperarem o domínio de regiões que tinham caído por algum tempo sob a influência dos senhores da guerra saxónicos. É bem possível que a vida na cidade, que se supõe ter entrado em decadência, tenha sido revigorada, e os Bretões – talvez com uma vitória de Ambrosius sobre a dinastia Vortigern – tenham concentrado os seus esforços na expulsão dos invasores estrangeiros em vez de se atacarem uns aos outros. Gildas, a nossa principal fonte, embora potencialmente parcial, parece acreditar ter advindo algum bem do desempenho de Ambrosius.

A Era de Artur

E com Ambrosius, vem Artur. Embora alguns escritores discordem, existe um consenso geral em como o final do século V ou o princípio do século VI foram os anos em que Artur teria vivido, se é verdade que alguma vez tenha existido. Não existem referências sólidas a Artur fora das datas mencionadas no capítulo IV – é bastante frustrante, mas este é o período da História conhecido pela Idade das Trevas, e sobre o qual existe menos informação. Os acontecimentos desta época foram registados por escrito posteriormente, e muitos são claramente do domínio do fantástico.

A história tradicional reza assim.

Ambrosius foi brilhantemente apoiado pelo seu talentoso chefe de cavalaria. O nome deste comandante era Artur. Quando Ambrosius morreu, Artur continuou o trabalho do seu anterior comandante, unindo o resto dos Bretões e conduzindo-os a uma série de 12 grandes vitórias contra os Saxões, que culminaram na famosa vitória em Mount Badon, vitória que remonta às décadas que rondam o ano 500. Artur era cristão, e atribuía o seu sucesso contra os pagãos saxónicos à sua religião; no escudo ostentava a imagem da Virgem Maria.

A vitória de Mount Badon levou a uma geração de paz entre Bretões e Saxões. Os Saxões lambiam as suas grandes feridas em East Anglia, Kent e outras regiões da costa oriental, enquanto Artur começou a recuperar as virtudes romanas, por esta altura há muito esquecidas. Infelizmente, o seu sucesso provocou a inveja no seio de outros nobres britânicos, e Artur viria a ser assassinado numa guerra civil, na batalha de Camlann, cuja data é frequentemente associada ao ano de 542 (existem datas alternativas – os registos sobre a ocorrência da batalha de Badon remetem-na muitas vezes para o ano de 490, situando a de Camlann em 515). Artur pode ter sido morto em Camlann por um nobre britânico chamado Medraut, um familiar seu. Com a morte do seu último grande líder, os Bretões capitularam ao domínio dos Saxões.

É uma bonita história, e uma explicação plausível para o facto de a Grã-Bretanha romana se tornar na Inglaterra saxónica no espaço de um par de séculos mal documentados. Infelizmente, esta história tradicional desenvolveu-se a custo a partir do trabalho de um escritor do século XII, Geoffrey de Monmouth. E o trabalho de Geoffrey também inclui histórias de dragões, gigantes e um mundo alternativo que colocava a antiga Grã-Bretanha no centro da alta cultura europeia. Tendo referido este problema, o texto apresenta ainda assim uns escassos vislumbres de factos históricos e é possível que *A História dos Reis da Grã-Bretanha*, de Geoffrey, inclua alguns episódios factuais verdadeiros do período arturiano.

Temos a lista de batalhas em que, segundo a afirmação de Nennius, Artur participou – à excepção de Badon, nenhuma delas pode ser seguramente identificada em outra fonte que não seja o folclore arturiano. Então, o que aconteceu nesta "Era de Artur" que ainda nos leva a crer que este grande homem possa ter de facto existido?

Para ser sincero, não muito. Temos as datas dos *Anais Galeses*, que sugerem que a vitória de Artur em Badon se deu no ano 518 e que ele morreu no ano 539. Alguns académicos questionaram estas datas, situando os acontecimentos uma década ou duas mais cedo ou mais tarde; como foi previamente referido, uma outra data comummente citada para Badon é 490. Nenhuma destas datas pode ser confirmada como fidedigna em qualquer outra fonte, embora também não se possa provar que sejam falsas.

A maioria dos debates acerca dos feitos do Artur histórico baseia-se na lista das 12 batalhas fornecida no século IX por Nennius, que afirmava ser Artur o vencedor de todas elas. Não sabemos se é verdade, mas muitos investigadores passaram muito tempo a tentar identificar o local onde estas batalhas poderiam ter ocorrido. A lista de batalhas, com alguns dos seus possíveis locais de ocorrência (muitos outros locais podem em tempos ter tido as mesmas designações, mas estas designações mudaram, tornando a pesquisa uma tarefa ainda mais penosa), é como se segue, embora nenhuma das hipóteses possa ser seguramente confirmada:

Batalhas tal como Nennius as nomeou	**Outras informações**	**Locais possíveis**
Rio Glein	*Nennius*: Situada a oriente	Rio Glen (Lincoln-shire), rio Glen (Northumbria), rio Glen (Ayr-shire), Llanidloes The Glen (Tweedale).
Rio Dubglas	*Nennius*: Situada na região de Linnuis; Ocorreram quatro batalhas junto a este rio.	Rio Douglas (vários candidatos, incluindo o lago Lomond e Ilchester), Dawlish, Linnius: Lincoln-shire, Lago Lomond, Ilchester
Rio Bassas		Baschurch (Shropshire)Basingwerk (perto de Newport), Dunniplace (Firth de Forth).
Cat Coed Celyddon	*Nennius*: situada no bosque da caledónia	Sul da Escócia, Floresta Attrick, Carlisle, Muralha de Adriano

Forte Guinnion		Montes Berwyn; Muralha de Adriano, Gala Water (Tweedale)
Cidade da Legião	*Nennius*: travada na própria cidade	Caerleon, Chester, York, Lincoln, Dumbarton
Rio Tribruit		Terras baixas da Escócia, Northumbria
Monte Agned	Alguns manuscritos substituem esta vitória por uma outra em Breguoin (ou com variante desta grafia)	Agned: Edimburgo, Maiden's Castle (Cheshire), Agners (França). Breguoin, High Rochester (Northumbria), Leitwardine (Heredfordshire); montes Berwyn
Monte Badon	*Anais Galeses*: a batalha que durou três dias e três noites. *Nennius*: Artur matou 960 inimigos.	Bath. Solsbury Hill (perto de Bath), The Breidden (perto de Welshpool), Buttington (perto de Welshpool), Bouden Hill (Linlithgow); Badbury (há cinco Badburys possíveis, todas situadas nos Midlands e no Sul).

Alguns destes possíveis locais serão tratados mais detalhadamente no capítulo VII. À excepção da possibilidade de a Cidade da Legião ser Chester, onde, segundo um registo histórico, foi travada em 616 uma batalha entre Bretões e Saxões, não temos confirmação independente nem datas credíveis para nenhuma destas batalhas. As fontes britânicas não nos ajudam a ir mais além, e a *Crónica Anglo-Saxónia* não faculta qualquer esclarecimento sobre as derrotas saxónias. Mesmo no que se refere a Chester, os historiadores acreditam que esta batalha teria ocorrido demasiado tarde para se tratar de uma batalha arturiana; também temos outras fontes sobre a batalha em Chester que não mencionam Artur, e que confirmam que foi uma derrota britânica catastrófica.

Mesmo admitindo que esta fonte relevante de Nennius é uma fonte fidedigna, não sabemos ao certo quem foram os adversários de Artur nas 12 batalhas – alguns observadores sugerem que foram todas contra os Saxões, outros incluem os Bretões, os Irlandeses e os Pictos entre os seus inimigos. A tradição sugere que, no tempo de Artur, a ameaça dos Irlandeses e dos Pictos desaparecera temporariamente (graças aos esforços dos Saxões como mercenários contratados), e que o próprio Artur poderá ter unido os Bretões. Isto deixaria os Saxões como os principais inimigos do senhor da guerra britânico numa campanha que tipificaria tanto a situação de guerra como a situação política das terras baixas da Grã-Bretanha nos séculos imediatos.

Há tão pouco nos registos dignos de crédito referentes a este período da História, do ponto de vista dos Bretões, Saxões, Pictos e Irlandeses, que pouco mais podemos acrescentar. Talvez isto justifique o facto de a reputação de Artur ter crescido tanto nos séculos entretanto passados, já que as pessoas podiam inventar a sua própria história. Na verdade, estas provas são bastante escassas para que a partir delas possamos reconstruir alguma coisa da história dos finais do século V e princípios do século VI.

A batalha de Badon é importante, tanto para o estudo de Artur como para a pesquisa da história da Alta Idade Média. A razão da sua importância é dupla: Gildas descreve a batalha independentemente da lenda arturiana, conferindo-lhe assim maior credibilidade, e, de um modo geral, considera-se que de todas as vitórias britânicas que conhecemos, atribuídas a Artur ou a qualquer outro, teria sido esta a que maior e mais vasto impacto teria provocado. Tendo ocorrido entre 480 e 520 d.C. e provavelmente no ano do nascimento de Gildas, Badon é mencionada pelo clérigo como o apogeu da luta inspirada de Ambrosius contra os invasores saxões. Gildas insiste na descrição deste acontecimento como a última acção nesta guerra para repelir os invasores (não necessariamente o último, mas provavelmente o último confronto decisivo), e diz-nos que a paz que esta batalha trouxe durou até à época em que escrevia, 44 anos após a batalha. Mas Gildas não faz qualquer espécie de referência a Artur. Se não fossem *Os Anais Galeses* e Nennius, não haveria razão para se relacionar Badon a Artur, mas estas fontes são ambas consensuais em como foi o próprio Artur o vencedor de Badon. Nennius diz-nos que Artur matou 960 inimigos, e os *Anais* informam-nos que a batalha durou três dias e três noites. Não existe confirmação para nenhuma destas afirmações, mas o capítulo VII discute mais detalhadamente alguns dos possíveis cenários que envolvem a batalha de Badon.

Fosse quem fosse o vencedor em Badon, e quer esta batalha tenha terminado numa vitória tão retumbante como é agora assinalado, ou tenha sido apenas mais uma entre uma série de batalhas semelhantes, parece ter produzido os resultados que Gildas descreveu. Dir-se-ia que a ameaça saxónia prevalecente desde a revolta e o estabelecimento dos enclaves saxónicos tinham sido derrotados, e que por ora não passavam de uma ameaça temporária para os Bretões. A informação arqueológica revela a possibilidade de os Saxões na Grã-Bretanha terem emigrado de regresso às suas pátrias, e um escritor do século IX, Rudolf de Fulda, deixou um testemunho do regresso dos Saxões às suas terras, vindos da Grã-Bretanha, por volta do ano 530. Regiões como o vale do Tamisa, que parecem ter estado sob domínio dos Saxões durante a maior parte do século V, ao que parece voltaram subitamente para as mãos dos Britânicos. Não podemos ter a certeza se esta vantagem se estendia a todo o país ou se realmente afectou apenas o Sudeste. Como acontece relativamente a tantos outros factos parciais que nos chegaram, não existe indicação sobre até onde se estendeu o resultado destas acções. Mas é possível que a campanha britânica, que culminou na vitória em Badon, tenha resultado no ressurgimento do poder britânico e que os postos avançados saxónicos tenham sido rechaçados. Se Artur foi de facto o herói de Badon, a importância da sua vitória serve de algum modo para explicar o porquê de o seu nome ter sido lembrado tão vividamente no folclore britânico.

Como não há bem que sempre dure, até na história, a tradição britânica lembra que a era dourada de Artur terminou num combate mortal em Camlann. Não temos outras provas reais para sustentar a data que consta dos *Anais Galeses* para a batalha de Camlann, senão a que ficou registada no folclore celta.

Isto é talvez surpreendente dada a obsessão dos Bretões e Galeses, que teimam em recitar os longos lamentos sobre a derrota dos seus líderes – Cynddylan, Urien, os guerreiros de *The Gododdin*, e até o último príncipe medieval Llywelyn, *o Derradeiro* se encontra nesta lista dos respeitáveis. O local onde se teria travado a batalha de Camlann tem sido muito debatido, e são avançadas várias possibilidades no capítulo VII; o forte Birdoswald na Muralha de Adriano, e o vale de Camlan no Norte do País da Gales são habitualmente citados como possíveis localizações. Tão interessante quanto a localização é a tradição que sustenta que Medraut (cujo nome se tornou Modred na lenda) lutou contra Artur, constando apenas dos *Anais* que Artur e Medraut ambos tombaram na batalha. É possível que possa existir mais informação sobre Camlann, talvez um lamento por ora esquecido, mas, sem ele, pouco mais podemos acrescentar – nem sequer nos é possível calcular onde a batalha possa ter ocorrido, nem se, de facto, ela chegou a ocorrer. Contudo, se em tempos Artur viveu e respirou, deve ter morrido em algum lugar, e é bem possível que a carreira do grande guerreiro tenha terminado com um sangrento golpe final num local conhecido como Camlann em 539 ou 515.

Quer as campanhas de Artur – fictícias ou reais – tivessem sido ou não tão significativas como a tradição sugere, e quer tivessem sido concentradas numa área geográfica específica ou por todo o país, ele não foi o único senhor da guerra que em finais do século V e princípios do século VI se rebelou. Alguns senhores da guerra saxónicos estavam a construir aos poucos e em seu proveito os seus próprios postos avançados, tanto antes, como durante, como logo imediatamente a seguir à campanha de Badon. Entre eles encontrava-se Aelle, que desembarcara no Sussex em finais do século V, e Cerdic, que desembarcara no Hampshire na mesma época. Ambos representavam ameaças militares significativas para os Bretões do Sul, e parece que ambos registaram desde logo vitórias militares importantes, criando rapidamente os seus próprios reinos. Pensa-se que os Bretões tiveram no Norte um melhor desempenho contra a invasão estrangeira, embora os Irlandeses tivessem expulso os seus adversários pictos da região Sudoeste da actual Escócia, estabelecendo o poder para os séculos vindouros. É difícil saber como as possíveis campanhas de Artur, e anteriormente de Ambrosius, afectaram esses senhores da guerra estrangeiros ou até mesmo os seus rivais e aliados, naturais da Grã-Bretanha. Já não existe forma de averiguar até onde se estendeu, por todo o país, a influência de Artur e de Ambrosius – nem de verificar se o seu efeito foi secundário; os documentos que nos poderiam fornecer informação sobre isso pura e simplesmente já não existem, se é que alguma vez existiram.

Algumas considerações sugerem que Artur pode ter lutado em batalhas no território continental; temos conhecimento de aí terem combatido outros líderes britânicos em finais do século V e princípios do século VI, portanto, é possível. Mais ou menos por esta época – talvez como resultado directo da revolta saxónia, ou talvez pura e simplesmente porque os rivais britânicos ou saxónicos conquistavam as suas terras –, alguns Bretões fugiram para a região ocidental de França. Na Bretanha (ao invés do que a designação moderna sugere), os Bretões criaram o seu próprio reino e combateram o crescente poder dos Francos, e também o dos Visigodos e dos Saxões continentais. É possível que algumas ou todas as campanhas militares de Artur tenham ocorrido nesta nova frente, como devem ter ocorrido também algumas fortes vitórias militares quando os Bretões estabeleceram a sua supremacia sobre o território. Existe um possível candidato bretão que será considerado mais detalhadamente no capítulo VII.

Poder-se-ia preencher uma grande quantidade de lacunas no que respeita ao provável reino de Artur, se ao menos conhecêssemos o mínimo detalhe biográfico sobre ele. Para além do facto de ter chefiado os Bretões (ou pelo menos alguns deles), e de, segundo parece, ter combatido e ganho uma série de batalhas, temos muito pouco por onde prosseguir. E isto, admitindo, é claro, que ele tenha alguma vez existido. Para mais esclarecimento sobre este intrincado obstáculo, veja-se o capítulo VII.

A queda dos Bretões e a ascensão dos Saxões

A morte do nosso potencial Artur e o período de uma geração de paz que se seguiu viriam a abrir caminho, em meados do século VI, a novos ataques dos Saxões. Após a morte de Artur, Nennius diz-nos que os Saxões foram buscar reforços e novos reis à

Alemanha e, por fim, governaram a Grã-Bretanha. Investindo com um poder feroz a partir das suas propriedades nos territórios orientais, os reis saxões conquistaram vitórias estrategicamente importantes contra os Bretões, em locais como Bedford (571), Dyrham (577), Catterick (600) e Chester (616), e em meados do século VII apoderaram-se da maior parte das terras baixas férteis, localizadas em regiões da actual Inglaterra. Os Saxões ainda tinham tempo para lutar entre si. Alguns líderes britânicos foram razoavelmente bem sucedidos na sua luta contra os Saxões, sendo os mais famosos Urien de Rheged, no Norte de Inglaterra, em finais do século VI, e Cadwallon de Gywnedd em meados do século VII. Mas, esses líderes britânicos icónicos são poucos e vagos.

Os triunfos eram uma raridade, e assistiu-se, no princípio do século VII, ao rápido declínio dos Bretões; qualquer unidade política que os líderes britânicos pudessem ter parecia ter-se agora dividido, e a sua habilidade para expulsarem os Saxões e outros invasores parecia ter-se desvanecido. Este período, que testemunhou o declínio do poder político britânico, também assistiu à formação gradual de sete grandes reinos anglo-saxónicos, nas terras baixas da Inglaterra, localizados na proximidade dos territórios mais antigos: Kent, Sussex, Wessex, Mercia, Northumbria, Essex e East Anglia.

Os reinos britânicos que se tinham formado no século V começaram rapidamente a perder as suas terras, face ao crescimento de novos reinos saxónicos. Testemunhos dos séculos VI e VII sugerem uma mudança dos reinos britânicos romanizados em direcção a uma cultura heróica que viria a ser reconhecida como "celta". Os senhores da guerra importantes deixaram de se estabelecer nas cidades, passando a fazê-lo em fortes nos cumes das montanhas ou em residências rurais, e por esta altura (muito mais tarde do que nas datas que muitos historiadores julgavam), a vida urbana parece ter sido em grande parte substituída exclusivamente por um estilo de vida rural. Segundo os pontos de vista tradicionais, a vida nas antigas cidades terminou no século V, mas as escavações cada vez nos apresentam mais provas que levam a crer que isso é raro. Dito isto, a peste atingiu a Grã-Bretanha em 540, provavelmente não pela primeira vez. Por vezes, o ano de Camlann é descrito como o Ano da Peste e isso pode ter contribuído para o declínio da vida na cidade.

A derrota britânica em Dyrham, em 557, separou o Sudoeste da região central e do Norte da Inglaterra, e a derrota em Chester em 616 separou a região central e Gales dos reinos britânicos a Norte. Quer o declínio dos Bretões tivesse sido o resultado de uma série de derrotas militares esmagadoras, quer as derrotas tivessem ocorrido em resultado do declínio económico, ou quer a queda do histórico reino unido de Artur tenha empurrado os Bretões para uma guerra civil, da qual seria praticamente impossível recuperarem, a força dinâmica do poder político rapidamente se deslocou para os reinos saxónicos. Os reis e tiranos referidos por Gildas como coevos do século VI são apresentados como corruptos, arrogantes e ineficazes; é bem possível que Gildas tivesse os seus próprios motivos para descrever os seus reis britânicos daquela maneira, mas esses atributos pessoais apenas teriam alimentado a ruína dos Bretões. Contudo, há que reconhecer que os dois séculos entre 400 e 600 tinham visto os Britânicos pós-romanos a controlar a maior parte da Grã-Bretanha, o que, não sendo coisa de pouca monta (muitos outros reinos pós-romanos tiveram uma duração mais curta), tem vindo a ser frequentemente subestimado pelos historiadores.

O próprio sucesso da resistência britânica, fosse por influência de Artur, Ambrosius ou qualquer outro guerreiro igualmente destemido e sedento de sangue, acabou por contribuir para o declínio da sua dilecta cultura. Ao limitar severamente os avanços dos Saxões durante tanto tempo, os enclaves estabelecidos pelos primeiros invasores saxões tornaram-se muito "saxonizados" (ou, se se preferir, "anglicizados"), criando uma presença cultural saxónica mais forte do que no caso das invasões bárbaras no território continental. Ali, os invasores tendiam a dominar as cidades e os campos bastante rapidamente, misturando a antiga cultura romana com uma forma diluída das culturas franca, gótica e muitas, muitas outras culturas provenientes de outras sociedades. Foi às regiões saxónicas da Grã-Bretanha que chegou a cultura estrangeira e foi aí que ela se tornou geograficamente restrita e se enraizou. A maioria das tribos saxónicas que chegou à Grã-Bretanha tivera pouco contacto com o mundo romano antes de ali ter chegado e por isso a sua cultura seria inteiramente "diferente". Os Francos e os Godos que se estabeleceram nas actuais França, Espanha e outras partes da Europa continental estavam mais familiarizados com a sociedade romana, e foi mais fácil adaptarem-se ao que encontraram. Em consequência, muita da moderna Grã-Bretanha haveria de se tornar irremediavelmente na Inglaterra saxónica. O tempo, o contacto e as trocas entre os Saxões e os seus vizinhos britânicos começaram a influenciar a maneira de pensar dos Bretões, e isto aumentou em finais dos séculos VI e VII (por volta desta época, os reis britânicos e saxónicos podiam ser vistos como aliados e iguais, algo talvez impensável numa data anterior). Decerto, por volta do século VIII, muitos dos elementos "heróicos" da cultura saxónica tinham-se infiltrado na cultura dos Bretões, pondo de uma vez para sempre fim às suas memórias da vida britânico-romana.

As regiões ainda governadas pelos Bretões nas áreas fronteiriças do Sudoeste, Gales, Cumbria, e terras baixas da Escócia foram dominadas pelos Anglo-Saxões depois destes terem alcançado o domínio das terras baixas da Inglaterra. Uma fonte posterior observou que os Galeses eram mantidos sob a pressão dos raides punitivos dos Anglo-Saxões, de tal modo que nem podiam "dar um passo" sem incorrerem na sua cólera; as coisas iam de mal a pior para os descendentes de Artur. Os Anglo-Saxões continuaram a combater as invasões dos Vikings noruegueses e dinamarqueses nos séculos IX e X, e, pela primeira vez na história, estabeleceram aquilo que poderíamos hoje reconhecer como Inglaterra. Eles perderam este reino para o exército normando de Guilherme na data mais famosa da história britânica: 1066. Um legado duradouro da Inglaterra anglo-saxónica tem sido o esforço levado a cabo pelo seus académicos para produzirem um registo histórico escrito adequado, demonstrando que a "Idade das Trevas" britânica ficou relegada para os séculos V, VI e VII, não tendo continuado muito para além destas épocas.

Como teria vivido Artur

Até aqui, neste capítulo debruçámo-nos sobre a história provável da Grã-Bretanha no início da época medieval, e abordámos como e onde viviam os Bretões. Ao longo de séculos têm-nos sido transmitidos os nomes de várias figuras históricas, mas, para além da referência ocasional a uma batalha vencida ou perdida, ou a uma importante conversão ao cristianismo, os registos históricos disseram-nos muito pouco sobre a forma como viviam esses povos. O que fazia um senhor da guerra na Alta Idade Média nos dias em que não ia combater?

Talvez, acima de tudo, um rei britânico estivesse atento à sua linhagem: esta era a verdadeira razão pela qual ele tinha o direito a governar. Muitas listas de nomes de reis do princípio da época medieval dão-se a grandes trabalhos para referir todos os antepassados; tanto reais como imaginários (muitos reis fizeram remontar a sua genealogia tanto às primitivas divindades britânicas como aos imperadores romanos, ambas intrinsecamente improváveis). Os reis teriam nascido numa família real, destinados a governarem o seu povo, e conseguirem estabelecer uma linhagem directa que remontasse a alguém de grande reputação teria conferido credibilidade instantânea a qualquer sangue real. Já não sabemos se os reis que alegavam ser aparentados com essas figuras acreditavam de facto nas árvores genealógicas ou se elas eram apenas uma forma de afirmarem a sua autoridade perante os outros. O Pilar de Eliseg, em Clwyd, foi erigido no século IX em honra do príncipe de Gales, Eliseg, e listava uma longa linhagem dos seus antepassados, incluído Vortigern, mas não há testemunho directo que possa defender a sua existência a não ser através do folclore. No pilar também está registado que Vortigern era genro de Magnus Maximus, afirmação que, uma vez mais, não pode ser confirmada por falta de provas fiáveis.

O papel de um rei na sociedade jamais seria questionado nos séculos V e VI da forma que o seria hoje. O rei e a sua família mais próxima encontravam-se no topo de uma pirâmide social, que integrava também, por ordem decrescente, a restante família do rei, os outros nobres do reino, os homens livres e os escravos. Não havia funcionários eleitos – as pessoas tinham uma de duas alternativas: ou exercerem um cargo oficial nomeado por um governante ou ficarem afastadas dos poderes de decisão. Parece que a sociedade nos começos da era medieval britânica obedecia a um sistema de classes estrito, um sistema comparável ao da lei irlandesa dos séculos VII e VIII, preservada em documentos posteriores, que até determinava as cores que cada classe devia usar.

Temos menos certezas quanto à estrutura social dos princípios do século V e nem sequer podemos estar certos quanto à segmentação e tamanho das áreas do governo formadas após o declínio romano. É possível que a estrutura social de Roma tivesse continuado no princípio do período pós-romano e é até concebível que alguns reis britânicos dessa época (ou *tiranos*, como Gildas se refere a eles) tivessem sido magnatas locais sob o derradeiro domínio da governação romana, talvez provenientes da classe dos mercadores da Grã-Bretanha e do continente, do que de genuíno sangue real britânico. Várias gerações depois, em finais do século VI, era improvável que alguém se lembrasse das origens mais humildes de alguns reis britânicos. A maior parte das regiões das terras baixas britânicas governadas pelas famílias dos antigos magnatas caíra neste período tardio, sob domínio dos reis saxões. É possível que a realeza britânica desterrada tivesse ficado exilada em reinos amigos, se tivesse casado no seio da nobreza saxónica (a vida não era só matar, matar, matar), ou partisse para o continente.

Os laços políticos e comerciais com os territórios ultramarinos continuaram após a retirada da autoridade romana. São Germano visitou decerto a Grã-Bretanha, assim como fizeram também, ao que parece, elementos do exército e do governo romano, entre o princípio e meados do século V. Depois disso, o contacto continental é evidente pela presença de bens importados, que vão desde a cerâmica à joalharia, encontrada em locais de estatuto elevado (realeza e nobreza) na Grã-Bretanha meridional. O comércio regular sugere que entre os governantes britânicos e os seus homólogos continentais também haveria emissários políticos, para manterem boas relações; constam, em fontes europeias, referências ocasionais a Saxões e Bretões no estrangeiro, o que sustenta esta ideia.

Para além de tomar decisões políticas e de chefiar o seu exército em batalha, um governante da Alta Idade Média teria investido uma quantidade considerável de tempo nas coisas mais requintadas da vida. A poesia sugere que a caça era popular, e outras referências, nomeadamente o conto medieval *O Sonho de Rhonabwy,* mostra que a nobreza se entretinha com jogos de tabuleiro à base de estratégia. Os bardos e os poetas eram empregados contratados para recitarem histórias e canções profundamente enraizadas na tradição britânica, e os governantes ricos também arranjavam forma de lhes serem feitas canções enaltecendo os seus feitos. Os governantes do reino britânico de Reghed, no Norte, foram particularmente abençoados neste sentido. As festividades eram outro passatempo popular, e uma forma reconhecida de entretenimento para os convidados – *The Gododdin* faz referência a um evento com a duração de um ano, antes de os guerreiros irem cumprir o seu triste destino.

A religião também tinha o seu papel na vida do dia-a-dia. As tradições cristãs e pagãs estavam disseminadas por todo o país, apesar do anterior Império Romano ter sido cristianizado. Embora alguns governantes tivessem explicitamente declarado a sua crença individual num ou noutro credo, também é possível que muitos se precavessm tanto com as velhas como com as novas religiões – os túmulos reais saxónicos em locais como Sutton Hoo e num local recentemente descoberto em Southend, no Essex, mostram que os Saxões estavam habituados a práticas fúnebres que revelavam vetígios de ambas. Não há prova conclusiva de que a cristianização tenha forçosamente acabado com as tradições pagãs em finais do período romano, mas havia divisões entre os seguidores da cristianização romana e os rivais que seguiam o modo de vida dos Pelagianos na Grã Bretanha dos princípios do século V, ou a igreja cristã irlandesa numa data um pouco posterior. A ideia de Artur e de outros valorosos reis britânicos como cristãos foi provavelmente introduzida numa data posterior, e há poucas provas que sustentem a ideia de que um Artur histórico e os seus aliados cristãos levaram a cabo cruzadas somente contra inimigos pagãos.

A um nível mais mundano, o que vestiam os Bretões e de que se alimentavam? Tratando em primeiro lugar os assuntos do estômago, os arqueólogos encontraram nas suas escavações resíduos de cevada, trigo, aveia e avelãs, conjuntamente com conchas de ostras e ossos de porcos, ovelhas e gado bovino. Também sabemos que os Bretões bebiam hidromel (um vinho doce, à base de mel) e na literatura britânica há referências a queijo, leite de porca, leite de vaca, pão, vinho, manteiga, vegetais, ovos e "cerveja celta" – uma cerveja que havia agradado aos primeiros soldados romanos. Descobertas adicionais durante as escavações mostram-nos que à mesa festiva da Alta Idade Média britânica haveria pratos, copos de vinho, facas, colheres e foram encontrados outros utensílios de cozinha. O vestuário consistia de túnicas, acompanhadas de calças, para os homens. Os Bretões do século V foram acusados por um comentador continental de "ostentarem a sua riqueza com vestes deslumbrantes", portanto, pelo menos alguns Bretões devem ter andado particularmente bem vestidos e calçados. Alguns Bretões que viviam na cidade devem ter seguido mais atentamente a última moda romana, e o nível de contacto entre os últimos nobres britânicos e o continente pode querer dizer que eles continuaram a seguir esta tendência. A roupa das classes mais baixas era geralmente feita de lã, enquanto as classes mais altas usavam mais a seda no seu vestuário. Padrões aos quadrados, riscas e bolas eram populares, bem como a variedade de cores, embora o púrpura e o encarnado fossem provavelmente cores reservadas para a nobreza e realeza. A joalharia permitia uma ornamentação adicional, e eram usados anéis, alfinetes e broches; a poesia sugere que os guerreiros podiam ainda ter usado um colar dourado, de metal torcido, na moda na era pré-romana.

As guerras na época de Artur

A diplomacia política não era, é claro, o pão-nosso de cada dia de todos os reis (ou a sua taça de hidromel, que era o que bebiam os guerreiros antes de irem combater). Nas crónicas, a maioria das abordagens aos séculos V e VI concentra-se na destituição de reis e na expansão dos reinos através do conflito armado. Mesmo que o rei ou os seus conselheiros pudessem ser grandes estadistas, a presença de um grupo de guerreiros veteranos endurecidos pelas muitas batalhas, e prontos a defender o seu rei, era o factor decisivo em muitas disputas.

A concepção popular dos guerreiros arturianos é a de soldados a cavalo munidos de pesadas armaduras: para todos os efeitos, cavaleiros. Esta teoria supõe que a concepção medieval de Artur como cavaleiro se baseie em memórias mais remotas dele como um guerreiro bem equipado e vestido com uma armadura, a lutar montado a cavalo. De facto, não há provas nos primórdios do folclore galês que sugiram que assim fosse, por isso, devemos admitir que os escritores medievais representaram o seu herói à imagem de um rei guerreiro, no contexto da sua própria era. Mesmo assim, os cavaleiros parecem ter desempenhado um papel importante nas guerras da era de Artur. A cavalaria tornou-se cada vez mais importante em finais do período romano, e a maioria das tribos que lutaram contra os Romanos nos séculos IV e V recorreu à cavalaria. Nos exércitos tribais e nos exércitos da maioria dos Estados que sucederam ao Império Romano, tanto os guerreiros profissionais como a nobreza iam a cavalo para as batalhas, e estavam preparados para combater a cavalo ou a pé, conforme a situação o exigisse. É quase certo que assim tenha sucedido, tanto no caso dos Bretões como no dos seus inimigos pictos e irlandeses. Muitos historiadores militares sugeriram que os Saxões lutavam exclusivamente a pé, mas são quase tantas as provas que negam isto como as que o confirmam. Temos uma razoável certeza de que os reinos saxónicos fizeram tanto uso da cavalaria como os seus adversários.

De uma maneira geral, os exércitos que combateram nos anos da Grã-Bretanha independente, e desde então até ao século VI, ter-se-iam baseado nos modelos militares romanos da fase final do Império. Gildas assinalou que os Romanos forneciam moldes aos Bretões para estes fabricarem armas e armaduras. As unidades militares teriam sido constituídas por tropas de cavalaria móvel e por unidades de infantaria, recrutadas localmente para a defesa das cidades e regiões vizinhas. À medida que a sociedade britânica se distanciava do seu passado romano, tornando-se mais "heróica", os guerreiros recebiam recompensas e ofertas pelos seus serviços, em vez de se recorrer a um sistema de pagamento mais formal. Isto deu origem à formação de exércitos mais pequenos, mas mais profissionais. Uma das formas como um senhor da guerra recompensaria os guerreiros ao seu serviço seria garantindo-lhes terra e uma doação em ouro, armas, uma armadura e cavalos. Como os guerreiros desta época eram pagos com bens, à margem do sistema monetário corrente, é plausível pressupor que deviam estar bastante bem equipados e armados, preparados para combater a pé ou a cavalo.

As armas básicas que todos os guerreiros usavam para lutar nesta época eram a lança (ou o dardo, se o soubessem lançar). Para sua defesa, os guerreiros poderia levar também um escudo, de forma circular ou oval e com cerca de um metro de largura. Alguns guerreiros também levavam consigo machados de arremesso, arcos e flechas, fundas e facas longas, e só os guerreiros mais ricos teriam usado resistentes cotas de malha encadeada e capacetes de metal e teriam tido dinheiro para comprar uma espada, que, em comparação com uma lança, era *grosso modo* o correspondente a um Rolls Royce comparado com um Mini.

No que respeita à dimensão dos exércitos do período arturiano, surgiu um vastíssimo leque de estimativas por parte de muitos académicos. Um ponto de referência frequentemente citado são as

Leis do [Rei] Ine, leis anglo-saxónicas do século VII, que declaram que qualquer grupo superior a 35 homens constituía um exército. Este número era ditado pela prudência em assuntos militares, já que as *Leis* eram um texto legal, e para o demonstrar apenas temos que apontar o Código Civil de 1986, na 1ª secção, onde se define um "distúrbio" como um aglomerado de 12 ou mais pessoas; para nós, esse número é tão insignificante como uma gota de água num oceano, mas, segundo esta lei, trata-se de um "distúrbio". As *Leis de Ine* deviam assentar num critério semelhante.

Assim, se descartarmos os números fornecidos nas *Leis de Ine*, de que outra informação histórica dispomos? Não podemos confiar inteiramente nos registos das crónicas ou da poesia. A *Crónica Anglo-Saxónica* sugere que o número de baixas britânicas em campo de batalha contra os Saxões vitoriosos chegava a atingir os milhares (a *Crónica* raramente refere derrotas saxónicas), contudo, a propaganda não foi uma invenção dos tempos modernos, por isso, é possível que esses números sejam exagerados. Do mesmo modo, a poesia heróica britânica e saxónica costumava referir guerreiros envolvidos na batalha, mas esses números soavam muito a convenção ou liberdade poética: por exemplo, o *The Gododdin* menciona uma força britânica de 300 ou 363 homens (ambos múltiplos da popular convenção de uma tríade (*), usada por essa cultura). A tradição lembra-nos que os Saxões chegaram em três navios, que não deviam aguentar com mais do que uma escassa vintena de guerreiros; isto soa de novo a artifício poético. É antes necessário olharmos para fontes mais fiáveis. Supõe-se que o último exército romano instalado na Grã-Bretanha tivesse cerca de 6000 soldados, portanto, é altamente improvável que qualquer reino britânico posterior – quer governasse a maior parte da antiga província ou um reino independente menor – tivesse conseguido reunir um número de homens superior a este. Leslie Alcock, autor de *Arthur's Britain* supõe que os reinos sucessores teriam provavelmente reunido exércitos com cerca de 1000 homens. Registos irlandeses do século VIII apresentam exércitos com cerca de 700 homens, o que está de acordo com a estimativa de Alcock.

(*) Forma galesa de composição literária, ordenada em grupos de três (*N. R.*)

Os exércitos também teriam variado de tamanho segundo as respectivas tarefas. Um rei ou um senhor da guerra teriam o seu séquito de homens, atingindo talvez os 200, dependendo de factores como o tamanho exigido, riqueza e reputação militar do reino. Esses guerreiros estariam sempre dispostos a servir o seu líder, vivendo nas suas propriedades e ganhando, nos princípios dessa época, um salário, ou sendo pagos através de doações, quando, no século V, a economia da Grã-Bretanha romanizada se desintegrou. Para alguns ataques e campanhas menores, o rei teria provavelmente reunido apenas os seus próprios guerreiros. Para campanhas maiores – talvez contra uma grande invasão por parte de um rei rival com a intenção de derrubar o trono – um senhor da guerra da Alta Idade Média teria reunido os séquitos dos seus aliados e da pequena nobreza, engrossando talvez as fileiras do seu exército até aos 1000 homens calculados por Alcock.

Tacticamente, sabemos muito pouco acerca de como eram os combates nas batalhas entre os reis britânicos, os seus rivais e os seus inimigos. Fontes poéticas sugerem que os cavaleiros avançavam em direcção aos inimigos e lançavam violentamente os dardos, pondo mais ênfase na intrepidez e heroísmo individuais do que numa abordagem atenta e coesa. Não carregavam de lança em riste. Os guerreiros a pé deviam combater em magotes de lutadores individuais, ou como uma unidade coesa, numa formatura unida, protegendo-se mutuamente com os escudos – uma formação conhecida como muralha de escudos. A estratégia das unidades pequenas devia depender provavelmente mais da situação táctica do que dos estilos de cultura individual (por exemplo, os Saxões nem sempre teriam lutado numa muralha de escudos, e os Irlandeses nem sempre teriam carregado selvaticamente sobre os seus inimigos mais próximos, como sugerem alguns comentadores).

A maioria das batalhas teria provavelmente ocorrido ao longo das fronteiras dos reinos rivais. Algumas das batalhas conhecidas da Alta Idade Média ocorreram junto a rios, provavelmente em vaus estratégicos. Também sabemos que o ataque ao amanhecer era por vezes uma táctica vantajosa se se tratasse de um adversário mal preparado. Algumas batalhas são descritas como tendo ocorrido em fortalezas; se estas batalhas eram verdadeiros cercos ou batalhas travadas dentro da região controlada por esses fortes, não sabemos. Existem algumas provas, como a afirmação de Nennius, que refere a ocorrência de uma batalha dentro da Cidade da Legião e o registo da queda do forte costeiro de Pevensey, devido a um ataque saxão, o que indicia que havia cercos. Também sabemos que os exércitos da Alta Idade Média eram capazes de permanecer em campanha muito longe das suas casas – por exemplo, o exército de Cadwallon de Gwynedd conquistou a Northumbria em meados do século VII.

Por fim, como já se referiu noutras partes deste capítulo, a guerra na época de Artur não era apenas um simples conflito conceptual entre diferentes grupos étnicos – os Bretões não combatiam apenas os Saxões, ou os Irlandeses ou os Pictos. Parece que a guerra civil no seio dos Bretões foi frequente – endémica, talvez – e, uma vez estabelecidos, os reinos saxónicos também combateram uns contra os outros, tal como os Irlandeses e os Pictos. Os senhores da guerra faziam alianças mais baseadas nas conveniências do que na etnia. Quando Cadwallon invadiu a Northumbria, as fileiras dos seus exércitos engrossaram com os guerreiros do seu aliado, Penda, o rei saxónico de Mercia: quando Cadwallon foi assassinado dois anos depois por Osvaldo da Northumbria, Osvaldo tinha o apoio de um exército irlandês. Em consequência, uma campanha hoje inimiga podia ser amanhã uma campanha aliada; um traço comum às várias hipóteses sobre o Artur histórico é que ele uniu os Bretões indómitos para combaterem a maior de todas as ameaças – a invasão saxónica. Se isto é verdade, Artur foi de facto um líder muito especial, possivelmente único, da Alta Idade Média.

CAPÍTULO III

OS BIÓGRAFOS MEDIEVAIS DE ARTUR

Não existe uma versão única e definitiva da lenda de Artur. Muitos escritores diferentes, em muitas épocas diferentes, e originários de muitos países acrescentaram os seus próprios floreados à história. As partes mais famosas da lenda de Artur foram estabelecidas na sua forma corrente no período medieval (aproximadamente entre 1100 e 1500 – cerca de 600 a 1000 anos depois da data em que se pensa que terá vivido o "verdadeiro" Artur). O contributo mais famoso para a lenda de Artur é, sem dúvida, de Thomas Malory, cujas histórias do século V muitos consideram um marco da literatura da lenda de Artur, tanto a nível da imprensa como da indústria livreira; o trabalho de Malory influenciou quase todos os autores da literatura arturiana que se seguiram.

Não obstante, Thomas Malory não foi o primeiro escritor medieval a basear-se nesses contos maravilhosos sobre um misterioso rei. Ele seguiu uma tradição rica, a do conto arturiano, que se desenvolvera ao longo dos séculos anteriores e cujo pai se considera ter sido Geoffrey de Monmouth.

Geoffrey de Monmouth

Se Geoffrey de Monmouth tivesse vivido no mundo moderno, contar-se-ia entre os maiores nomes da ficção do século XXI. Geoffrey, um clérigo, foi quem idealizou o Artur que conhecemos hoje na sua forma mais popular – um antigo rei da Inglaterra, cujas façanhas são incomparáveis – e a sua recriação literária da vida de Artur foi uma das obras mais vendidas na época medieval.

A narrativa de Geoffrey sobre a vida de Artur no seu livro *História dos Reis da Grã-Bretanha* é a mais antiga narrativa detalhada sobre Artur que chegou até nós. Escritor do século XII (tendo a obra sido completada por volta de 1138), Gaufridus Monemutensis, pseudónimo escolhido pelo próprio Geoffrey, sugere que este nasceu e foi criado em Monmouthshire, na fronteira sudeste de Gales. De 1129 a 1151, estabeleceu-se em Oxford e parece ter exercido o cargo de cónego no colégio de São George; em 1151 tornou-se Bispo Eleito de St. Asaph, no Norte de Gales (contudo, é improvável que Geoffrey tivesse sequer visitado o local, por causa dos conflitos nessa altura entre Ingleses e Galeses). Geoffrey continuou a ascender nos círculos eclesiásticos, e foi ordenado abade em Westminster, em Fevereiro de 1152 e consagrado pouco depois em Lambeth. Segundo as crónicas galesas, morreu por volta de 1155, mas é impossível determinar a data exacta.

Durante a época em que Geoffrey viveu, a Grã-Bretanha foi inundada pela intriga política e pela guerra civil; o próprio Geoffrey foi um dos bispos que assistiram ao Tratado de Westminster entre o rei Estêvão e a imperatriz Matilde. Apesar da agitação que envolveu este período da história britânica, somos levados a crer que Geoffrey era muito patriota, e que ao escrever a sua *História* desejava celebrar as glórias passadas da Grã-Bretanha. Diz-se frequentemente que Geoffrey também escreveu por motivos políticos: a sua *História* propunha uma legítima chamada de atenção para os reis anglo-normandos contemporâneos da linhagem dos antigos reis anteriores aos Saxões, que, segundo Geoffrey esclarece, fugiram para a Bretanha e para França, séculos antes, tornando a linhagem dos Normandos tão válida como a dos nativos galeses e saxões. Um motivo secundário, igualmente forte, por detrás da escrita de Geoffrey, seriam os favores que receberia de nobres importantes. A maioria dos exemplares da *História* de Geoffrey que chegaram até nós começa com uma dedicatória a Roberto, conde de Gloucester, filho bastardo de Henrique I.

A história de Artur contada por Geoffrey incorporou muitas das histórias e ideias que tinham sido desde sempre a estrutura da lenda arturiana; contudo, o seu Artur não é exactamente o campeão de cavalaria do último período da era medieval. Ao invés, ele reflecte uma estranha combinação entre um senhor da guerra da Alta Idade Média e um rei contemporâneo (século XII). É até possível que o

Artur de Geoffrey recrie de facto uma história meio esquecida de um rei cuja reputação se assemelhasse à de Artur. Esta ideia é fortalecida pelas datas facultadas por Geoffrey, dos acontecimentos arturianos que refere: situou o seu Artur no século VI, tendo morrido em 542. Isto ajusta-se amplamente ao que é referido por outras fontes históricas quanto às datas ligadas a Artur – mais cem menos cem anos, o que não é tanto tempo quanto parece, dado que a *História* de Geoffrey começa 1700 anos antes da morte da Artur. É necessário prestar aqui atenção ao pormenor, uma vez que a narrativa de Geoffrey constitui a primeira história popular de Artur, mas também difere em muitos aspectos das histórias posteriores, mais conhecidas.

A *História dos Reis da Grã-Bretanha* foi concebida, como o título sugere, como um texto histórico: nos tempos de Geoffrey, o conceito de "ficção" e "não ficção" não interessava, e a linha entre o que um autor julgava ser real ou inventava era extremamente indefinida. Por isso não seria de admirar que a narrativa de Geoffrey começasse com a Albion como território isolado e mágico habitado por gigantes. Por volta de 1200 a. C., Brutus de Tróia chegou às costas de Albion; Brutus era bisneto de Eneias, um príncipe que fugiu da queda de Tróia. Brutus e os seus seguidores combateram os gigantes e conquistaram a ilha, mudando-lhe o nome para Bretanha, em honra do seu líder; a partir daí os habitantes passaram a ser conhecidos como Bretões.

A *História dos Reis da Grã-Bretanha* estava na forja e Geoffrey já tinha, bastante generosamente, associado os antigos Bretões ao mais respeitado período clássico no mediterrâneo, colocando-os ao nível das grandes civilizações da Grécia e Roma, muito acima das outras tribos "bárbaras" daquela época. Vale a pena considerar alguns pormenores da *História* de Geoffrey, dado que fornecem as pedras basilares da lenda arturiana do futuro.

Brutus foi nomeado rei e fundou a sua capital nas margens do Tamisa, chamando-lhe Nova Tróia (mais tarde viria a chamar-se Londres).

Geoffrey descreve então os reinos de cerca de outros 75 reis, a maior parte vinda aparentemente mais das profundezas da sua imaginação do que de qualquer fonte histórica. Um dos reis de Geoffrey é Lear, que inspirou o rei Lear de Shakespeare; como Geoffrey situa Lear no século VIII a. C., não temos meios de corroborar através de outras fontes a existência de Lear – na verdade, um verdadeiro problema no que respeita a todos os reis e acontecimentos mais antigos referidos por Geoffrey.

Geoffrey prossegue, abordando o período romano à luz de uma perspectiva favorável aos Bretões. Afinal, os Bretões não eram meros bárbaros despojados, mas os descendentes de Tróia! Que os Romanos tinham estado na Grã-Bretanha, era inegável – na época de Geoffrey, as ruínas dos seus edifícios, estradas e muralhas, permaneciam à vista de todos. Mas, para tentar defender ao máximo a dignidade dos Bretões, em vez de reconhecer uma conquista total por parte do poder de Roma, Geoffrey afirmou que os Bretões continuaram a governar as suas terras depois de terem feito um acordo com o Império Romano, que lhes permitia permanecer como governantes tributários, com um estatuto quase igual ao do próprio Imperador.

Contudo, a parte da *História* de Geoffrey que mais atrai a nossa atenção é a que destaca a história da Grã-Bretanha após a queda do domínio romano, acontecimento que, na *História* de Geoffrey, ocorre *grosso modo* desde os meados do século V a meados do século VI A.D. A enorme desproporção de espaço dedicado a este curto período de tempo sugere que esta seria a parte da História da qual Geoffrey mais se orgulharia – e a parte para a qual queria chamar a atenção dos leitores. Não é possível saber por que razão Geoffrey se interessou tanto por este período e lhe concedeu tanta importância; o que é evidente, não obstante, é que ele era um grande admirador do protagonista: Artur.

Depois de os exércitos da Grã-Bretanha terem ficado enfraquecidos quando o romano Maximinianus os levou para uma campanha continental no século IV, a Grã-Bretanha enfrentou muitas invasões bárbaras – Pictos, Hunos, Escoceses e uma hoste de outras raças desprezíveis e incivilizadas. Estes bárbaros arrasaram a ilha de lés a lés, e esta só foi salva por uma legião romana que voltou para os derrotar a todos. Os Romanos construíram então uma grande muralha, separando os Bretões dos seus inimigos do Norte (aqui, Geoffrey associa erradamente a Muralha de Adriano a um determinado período da História, embora o seu erro assente no testemunho de uma fonte britânica anterior), e depois disseram aos Bretões para se defenderem. Geoffrey diz-nos que, assim que os exércitos romanos viraram costas, os bárbaros retomaram os seus ataques, e os Bretões, em decadência, incapazes de se defenderem tão bem como o teriam feito os seus antepassados pré-romanos, viraram-se para o reino britânico da Bretanha (em França) em busca de ajuda. Veio o Bretão Constantino, irmão do rei, e derrotou os inimigos dos Bretões; revigorados pelo seu novo líder e pelo sucesso militar que este trouxera, os Bretões coroaram Constantino como seu rei na cidade de Silchester. Constantino reinou em paz durante dez anos, criando e educando três filhos cujos nomes eram Constans, Aurelius Ambrosius e Uther (o futuro pai de Artur).

Constantino morreu às mãos de um assassino picto e os nobres britânicos debateram quem sucederia ao Bretão. Um nobre ambicioso, Vortigern, sugeriu que Constans, o filho mais velho de Constantino, deveria reinar, embora fosse monge. Constans concordou com a sugestão de Vortigern, para se ver transformado num fantoche nas mãos deste. Vortigern assumiu rapidamente o controlo de todo o reino da Grã-Bretanha, rodeado por uma guarda pessoal de Pictos, e depressa arranjou maneira de ver Constans assassinado às mãos desses guerreiros; para encobrir as suas pistas, Vortigern ordenou então que os assassinos de Constans fossem decapitados pelo seu crime. Rodeados por tanta intriga e instabilidade, os outros dois filhos de Constantino, Aurelius Ambrosius e Uther, foram rapidamente afastados pelos seus guardas, para o reino de seu pai, a Bretanha.

Revoltados com a morte dos seus compatriotas, os Pictos voltaram ao ataque, e, desesperado, Vortigern recorreu aos dois irmãos saxões – Hengest e Horsa – e contratou-os como mercenários. Desembarcando em Kent, os irmãos saxões trouxeram consigo três navios carregados de guerreiros ferozes; de Kent, foram imediatamente enviados para a batalha contra os Pictos; seguiu-se a vitória e Vortigern garantiu mais terras aos Saxões, desta vez no Lincolnshire. Aliviado pelo respeito imposto pela presença dos guerreiros saxões, Vortigern acordou prontamente com Hengest e Horsa chamarem outros compatriotas dos Saxões para que viessem combater; nova vaga de guerreiros provenientes das suas pátrias na Europa Setentrional inundou a Grã-Bretanha.

Vortigern estabeleceu uma relação estreita com Hengest e Horsa, comparecendo com eles em banquetes. Numa dessas reuniões, Vortigern conheceu e apaixonou-se pela filha de Hengest, Rowena, e o astuto senhor da guerra saxão deu-lhe a mão de

Rowena em casamento, a troco da posse de Kent. Vortigern concordou, o que desagradou bastante aos outros Bretões, inclusive aos seus filhos. À medida que a força dos Saxões aumentava na Grã-Bretanha, os nativos apelavam a Vortigern, mas os seus protestos caíam em orelhas moucas. Os Bretões voltaram-se então para o filho mais velho de Vortigern, o príncipe Vortimer e proclamaram-no rei. Vortimer travou quatro batalhas contra os Saxões, e de todas saiu vitorioso; muitos Saxões fugiram, regressando às suas pátrias no continente e Horsa foi morto em combate contra o príncipe britânico. Mas o sucesso dos Bretões foi breve – Rowena, *a Saxónia*, mulher de Vortigern, envenenou Vortimer, e Vortigern voltou a ocupar o trono.

Vortigern organizou uma cimeira entre os mais nobres líderes bretões e saxões, para firmarem um tratado de paz. Neste acontecimento – que viria a tornar-se conhecido pela "Noite das Facas Longas" – a um sinal de Hengest os Saxões traiçoeiros puxaram de punhais e assassinaram todos os Bretões desarmados. Todos, excepto Vortigern, que Hengest esperava transformar, em seu proveito, num rei fantoche. Hengest deve ter ficado decepcionado, pois Vortigern tratou de fugir para as montanhas de Gales.

Em Gales, Vortigern tentou construir uma nova fortaleza, enquanto os Saxões saqueavam Londres. Optou por um local em Snowdonia, mas sempre que os seus homens começavam a construir as paredes, estas caíam. Vortigern foi alertado para a única solução, que seria encontrar um rapaz sem pai, sacrificá-lo, e derramar o seu sangue no solo. Vortigern descobriu o seu rapaz no Sul de Gales – mais precisamente, em Carmarthen – e Merlin, o rapaz, foi levado para Snowdonia. A mãe de Merlin concebera o seu filho com um espírito e o rapaz era dotado de poderes mágicos: antes de Vortigern mandar matar Merlin, o rapaz revelou ao rei a verdadeira razão pela qual as paredes da fortaleza ruíam. As paredes assentavam sobre uma lagoa subterrânea nas montanhas, e quando a lagoa foi drenada encontraram lá dois dragões a lutar um contra o outro. Um dos dragões era vermelho, o outro branco, e, a princípio, o dragão branco levava vantagem. Então, quando foi empurrado à força para a margem da lagoa, o dragão vermelho combateu com renovado vigor e matou o seu adversário branco. Merlin explicou que o dragão vermelho representava os Bretões e o dragão branco, os Saxões – apesar de os Saxões estarem na altura em vantagem (com a ajuda de Vortigern, é preciso notar) no fim os Bretões haveriam de sair vencedores.

Merlin avisou Vortigern de que o seu fim estava próximo, e as suas palavras revelaram-se verdadeiras, já que os dois filhos exilados de Constantino, Aurelius Ambrosius e Uther, voltaram para depor Vortigern e condenar Hengest à morte. Aurelius Ambrosius, o mais velho, foi coroado rei e meteu mãos à obra para devolver a Grã-Bretanha à sua antiga glória.

Neste ponto, Geoffrey explica que Merlin e Aurelius Ambrosius construíram um monumento aos nobres britânicos assassinados na traiçoeira Noite Das Facas Longas. Enviaram Uther à Irlanda, para que de lá trouxesse pedras gigantescas, com as quais Merlin construiu um círculo mágico. Ainda era possível ver este círculo nos tempos de Geoffrey, tal como pode também ser visto ainda nos nossos dias, pois trata-se do círculo de pedra em Stonehenge (este é um grande exemplo do contra-senso histórico de Geoffrey, dado que Stonehenge data, de facto, de uma época muito mais remota, com várias fases de construção, desde 2900 a 1650 a. C.).

Uther governou com o título de "Pendragon", e combateu contra os Bretões rebeldes e contra os restantes Saxões. Uma das campanhas foi contra Gorlois, duque da Cornualha, que levou à concepção de Artur, como se explica no capítulo V. Uther reinou durante 15 anos após a concepção de Artur, até ter sido envenenado pelos Saxões; foi nesta altura que Artur sucedeu ao seu pai como rei.

Até aqui, a *História* de Geoffrey referente à era pós-romana é uma leitura interessante à luz das histórias tradicionais e mais plausíveis, tratadas no capítulo II. Não obstante, o único rei que se destaca, de entre o incontável número de reis que enumera, foi Artur. Artur provavelmente já era conhecido por alguns, decerto assim era no mundo celta, mas Geoffrey assegurou que ele se destacaria face a todos os outros monarcas que refere, governando o mais espectacular e glorioso dos reinos.

O Artur de Geoffrey, ao contrário do rei da lenda posterior, não cresceu em segredo; Geoffrey declara simplesmente que Artur sucedeu ao pai, Uther. Este também tinha uma filha chamada Ana, mas, sendo descendente feminina, não seria elegível para assumir o trono.

Artur foi coroado em Silchester, e, apesar da tenra idade, iniciou imediatamente uma campanha militar contra os odiados

Saxões. Estes, auxiliado por aliados pictos e escoceses, deram forte réplica, mas Artur derrotou-os em três batalhas sangrentas consecutivas (três batalhas, deve dizer-se, também atribuídas, segundo anteriores fontes britânicas, ao poderoso senhor da guerra que consta na lista das 12 vitórias arturianas). A vitória de Artur foi completa quando os Saxões se renderam, prometendo deixar a Grã-Bretanha.

Na batalha, Artur usou uma espada chamada Caliburn, forjada na ilha mística e encantada de Avalon; também levava um escudo ornado com a imagem da Virgem Maria. Isto constitui uma mistura curiosa entre uma antiga religião celta (as espadas mágicas baptizadas com um nome são comuns no folclore pagão) e a imagética cristã, que se repete na lenda de Artur.

É claro que ao longo da *História* de Geoffrey não há muito de abonatório sobre os Saxões – promessas quebradas e reis britânicos envenenados a torto e a direito. Por isso, não deveria constituir surpresa que os Saxões desrespeitassem o seu tratado com Artur e tivessem navegado para a costa ocidental, desembarcando em Devon. O exército de Artur enfrentou os aguerridos Saxões em Bath, e obteve uma vitória decisiva. Esta vitória pode identificar-se com a famosa batalha de Mount Badon, uma façanha bastante presente na história da vida de Artur (como se referiu no capítulo II). Após a batalha de Bath, o exército saxónico dispersou, e depois de o aliado de Artur, Cador da Cornualha, ter terminado a sua perseguição, os Saxões deixaram de representar uma ameaça durante o reinado de Artur. Depois de se ter libertado do espinho saxão, Artur virou a sua atenção para as outras ameaças permanentes para os Bretões: os Pictos e os Escoceses. Rechaçando-os até ao lago Lomond, Artur não teve muito trabalho a destruir uma Aliança entre Pictos, Escoceses e Irlandeses, após um cerco de 15 dias, e só não aniquilou todos os guerreiros inimigos porque foi impedido pela intervenção dos seus bispos. Completada a vitória contra todos os inimigos dos Bretões na sua pátria, Artur começou a restaurar a estabilidade do governo e das igrejas da Grã-Bretanha.

Artur governou com justiça e generosidade, e casou-se com uma mulher de sangue romano, chamada Guinevere. Pouco acostumados a um governante tão benevolente nas recententes décadas turbulentas, os Bretões começaram rapidamente a simpatizar com Artur, que conquistara uma reputação de força em combate e de rectidão no julgamento de questões civis. Após ter devolvido a ilha da Grã-Bretanha à sua santa paz, Artur apontou a mira para território estrangeiro. Invadiu e conquistou a Irlanda (lembremos que os Irlandeses tinham auxiliado os Pictos e os Saxões numa anterior campanha de Artur) e terminou com a conquista da Islândia.

Artur teve depois 12 anos de paz, durante os quais atraiu a nata da nobreza de territórios longínquos para se juntar à sua corte, exigindo que agissem de modo condicente com o seu nobre nascimento. Esses cavaleiros nobres usavam o brasão da casa de Artur, e pelas suas acções e pelas próprias façanhas de Artur a sua fama espalhou-se pelo mundo inteiro. Os governantes estrangeiros temiam aborrecer Artur, com medo de que este invadisse as suas terras, e os mais nobres cavaleiros ansiavam juntar-se à sua corte. Como é evidente, esta é a génese da Távola Redonda, embora o próprio Geoffrey não se tenha referido a esta peça de mobiliário, hoje em dia tão famosa. Alguns reis estrangeiros tinham razão para temer o poder de Artur, pois este alargou a sua esfera de influência, invadindo e conquistando a Noruega e a Dinamarca.

Artur procurou então desafiar o poder do Império Romano (ainda contemporâneo do Artur de Geoffrey, apesar de este falar sobre cavaleiros e valores da corte medieval), enviando um exército para a Gália Romana (a actual França). A Gália era governada por um funcionário romano chamado Frollo, ao serviço do Imperador. Quando os Bretões de Artur e o exército romano se confrontaram na batalha, Frollo conseguiu trespassar o cavalo de Artur com uma lança, antes de o herói britânico rachar a cabeça do Romano em duas com um poderoso golpe da sua espada Caliburn. O exército romano rendeu-se imediatamente, e nove anos se passaram, durante ao quais Artur dominou o resto da Gália, chegando mesmo a ter corte em Paris. À semelhança do que fazia em todos os outros reinos sob o seu controlo, Artur aplicava o mesmo sentido de justiça e governava com a mesma lealdade os seus súbditos gauleses. Para o seu serviço nomeou também, para governarem regiões da Gália, alguns dos seus nobres mais competentes. Entre outros nomeados constam o seu cavaleiro de confiança, Bedever (noutros trabalhos escrito Bedivere), encarregado de governar da Normandia, e o seu senescal, Kay, que dominava Anjou.

Tendo regressado à Grã-Bretanha, Artur montou corte na Cidade da Legião, em tempos cidade de grande esplendor romano, identificada por Geoffrey como Caerleon, nas margens do rio Usk, no Sul de Gales. Artur organizou um torneio para que os cavaleiros demonstrassem o seu talento para a guerra, e convidou os muitos líderes que lhe deviam agora vassalagem. Geoffrey fez uma lista dos reis e chefes militares que frequentavam esta importante corte, e vale a pena reproduzi-la aqui, para dar uma ideia clara do número de líderes, que, segundo a convicção de Geoffrey, teriam respondido a Artur:

Gilmaurius, rei da Irlanda; Malvasius, rei da Islândia, Doldavius, rei da Gotlândia, Gunhpar, rei das Órcades; Loth, rei da Noruega, Aschil, rei da Dinamarca; Auguselus, rei da Escócia, Urian, rei da Morávia, Cadwallo Laurh, rei da Gales do Norte; Stater, rei da Gales do Sul; Cador, rei da Cornualha; Holdin, chefe dos Ruténios; Leodegarius, conde da Holanda; Bedevere, duque da Normandia; Borellus de Cenomania; Kay, duque de Anjou, Guitard de Poiters; Hoel, chefe dos Bretões armoricanos; o arcebispo de York; o arcebispo de Londres; o arcebispo da Cidade da Legião (tão pio, dizem, que era capaz de curar doenças com uma simples oração), os doze Pares da Gália, chefiados por Gerin e Chartres; Morvid, conde de Artgualchar, conde de Warwick; Jugein de Leicester; Cursalem de Caistor; Kynniarc, duque de Durobernia; Urbgennius de Bath: Jonathel de Dorchester; Boso de Oxford; Cheneus map Coil; Peredur map Peridur; Grifud map Nogord; Regin map Claut; Eddeliui map Oledauc; Kynar map Bangan; Kynmroc; Gorbonian map Goit; Worloit; Run map Neton; Kymbelin; Edelnauth map Trunat; Cathleus map Kathel; Kynlit map Tieton; e muitos outros grandes nobres que – Geoffrey refere com satisfação – seria demasiado entediante listar!

Geoffrey assinalou que não havia príncipe importante neste canto do mundo que não tivesse frequentado a corte de Artur e participado no torneio em Caerleon. Alguns destes nomes podem ser identificados com figuras históricas, mas nem todos teriam vivido na mesma época, como acontece no reino de Artur proposto por Geoffrey. Mesmo assim, a lista de Geoffrey revela uma intenção: que Artur seja visto como o mais poderoso rei jamais conhecido na Grã-Bretanha – talvez até mesmo na Europa. É interessante notar que alguns destes reis e nobres continuam a figurar na lenda arturiana mais elaborada, do último período medieval, enquanto que outros simplesmente se extinguiram na obscuridade, à medida que as histórias foram sendo recontadas.

No entender de Geoffrey, Artur restituira a Grã-Bretanha ao seu verdadeiro lugar na ordem do mundo, como o país mais sofisticado, cortês e rico de todos. Em apenas pouco mais de uma década, a Grã-Bretanha passara de uma terra de caos e rebelião a um reino que servia agora como modelo de inspiração a todos os outros. Para Geoffrey, não há dúvida, Artur foi o maior rei de sempre.

Não eram apenas o rei e o seu governo os responsáveis pela vida gloriosa na Inglaterra de Artur: os nobres, tantos homens como mulheres, também desempenhavam os seus papéis. Os cavaleiros de Artur eram instigados a proezas cada vez mais temerárias pelas suas mulheres, para quem se tinha tornado moda darem o seu amor apenas a um guerreiro que já tivesse prestado provas em combate três vezes.

Infelizmente, os bons tempos não durariam, nem mesmo na utopia arturiana de Geoffrey. Chegou um enviado à corte de Artur, levando uma mensagem do Procurador romano, Lucius Hiberius. Este condenava o comportamento do rei, declarando que Artur não pagara o tributo que ele costumava receber dos Bretões. Como se não bastasse, Artur apoderara-se de território romano, na Gália, e caso o rei britânico não se submetesse a Lucius Hiberius, seguir-se--ia um estado de guerra e a reconquista pelos Romanos das terras de Artur. Esforçando-se ao longo da sua *História* por mostrar patrioticamente que os reis britânicos eram tão bons como qualquer imperador que os Romanos pudessem apresentar, naturalmente Geoffrey não poria o seu Artur a virar as costas a uma ameaça desta natureza. Depois de ter conferenciado com os seus nobres, Artur desafiou Lucius Hiberius, declarando (exactamente como consta na descrição dos acontecimentos, por Geoffrey) que ele próprio podia, justamente, exigir governar Roma. Com esta, o exército de Artur marchou de Southampton para uma campanha contra Roma, chefiada pelo próprio Artur, que decidiu deixar o seu sobrinho Modred (mais frequentemente descrito como filho do rei Lot do que como filho de Artur, dependendo do autor) a governar a Grã-Bretanha na sua ausência, conjuntamente com a rainha Guinevere.

Desembarcando no território continental da Gália, em Barfleur, Artur marchou até Paris. Durante a breve viagem por mar, Artur teve uma visão num sonho com um dragão a lutar contra um urso; o dragão triunfara, e os homens de Artur interpretaram-lhe o sonho. Acreditavam ser Artur o dragão, e o urso, ou era o imperador romano ou um animal fabuloso que ele derrotaria na batalha. É interessante notar aqui – especialmente dadas as muitas teorias que defendem que o nome de Artur era de facto um "nome de guerra", cujo significado é urso, (comentado no capítulo VII) – que a versão dos acontecimentos, segundo Geoffrey, apresenta Artur como o dragão e o adversário como o urso. Se Artur estivesse associado ao urso na época de Geoffrey, decerto este teria optado por um animal diferente para o sonho de Artur.

Enquanto Artur esperava que outros reis aliados se lhe juntassem na Gália, gentes locais relataram que um gigante imenso andava a aterrorizar a região, vindo de Espanha. Helena, sobrinha de Hoel, um duque local, fora apanhada pelo gigante e levada para o cume do monte Saint Michel. Artur foi informado de que cavaleiros gauleses tinham em vão tentado lutar contra o gigante, mas todos tinham morrido rapidamente ou sido capturados e devorados ainda vivos. Sem nada para fazer enquanto esperava pelos restantes aliados, e desejoso de inspirar confiança aos seus homens face ao conflito contra Roma, que se seguiria, Artur decidiu levar consigo Bedivere e Kay para desafiarem o gigante. Os três heróis não chegaram a tempo de salvar Helena, mas Artur conseguiu matar o gigante, e Bedevere voltou com a cabeça do gigante para o acampamento, para que todos pudessem ver o tamanho intimidante do adversário vencido por Artur.

Com este pormenor secundário da matança do gigante para trás das costas, Artur continuou em marcha para enfrentar o exército de Lucius Tiberius. O sobrinho de Artur, Gawain, com 6000 guerreiros, travou um primeiro combate contra uma força romana de 10 000, chefiados pelo senador Petreius Cocta. Seguiram-se outras escaramuças preambulares e, em Saussy, os dois exércitos principais enfrentaram-se.

Geoffrey cita alguns nobres importantes que combateram contra os Romanos sob o estandarta do dragão dourado:

Augusselus, rei da Escócia; Cador, duque da Cornualha; Gerin de Chartres; Boso de Oxford, Aschil, rei da Dinamarca; Loth, rei da Noruega; Hoel, rei dos Bretões armoricanos; Gawain; Kay; Bedevere; Holdin, dos Ruténios; Guitard, duque de Poitevins; Jugein de Leicester; Jonathel de Dorchester; Cursalem de Caistor; e Urbgennius de Bath.

Todos estes homens tinham frequentado a corte de Artur no seu início, e Artur ainda era tão poderoso que estes trouxeram os seus próprios exércitos para lutarem ao lado do seu. Na verdade, Geoffrey não nos deixa margem para dúvida quanto à extensão do exército romano que Artur teve que enfrentar; o exército de Lucius Hiberius era tão cosmopolita quanto o de Artur, incluindo guerreiros espanhóis, partos, medos e líbios juntamente com exércitos de Iturei, Egipto, Bitínia, Frígia e, é claro, as próprias legiões romanas.

A batalha começou mal para os Bretões, que tombaram em grande número antes de se recomporem, fazendo depois os Romanos recuar. Gawain combateu corpo-a-corpo com Lucius Hiberius, antes de um contra-ataque romano obrigar Gawain a recuar. Artur estava no meio da batalha, uma vez mais brandindo a sua espada Caliburn com grande mestria. Seguiu-se um terrífico combate, até que a hoste romana quebrou e fugiu dos guerreiros de Artur. Lucius Hiberius foi derribado de um golpe em pleno combate, por um guerreiro desconhecido que advogava a causa de Artur.

O corpo de Lucius Hiberius foi devolvido ao Senado, com o recado de que nunca mais deveriam esperar tributo da Grã-Bretanha. O exército de Artur permaneceu no continente durante o Inverno, subjugando uma tribo hostil chamada Alóbrogos. Quando chegou o Verão, Artur preparou o seu exército para atravessar os Alpes e dirigir-se directamente a Roma e ao imperador Leão. Artur derrotara o maior exército do Império e tencionava agora reivindicar a cidade como parte de seu reino; ao fazê-lo, toda a Europa seria governada pelo rei dos Bretões. Já se tinha embrenhado nos desfiladeiros das montanhas quando chegaram novas de que Modred – o sobrinho que deixara a governar a Grã-Bretanha na sua ausência – tinha usurpado a coroa. Mais ainda, a sua mulher Guinevere, estava agora a viver em adultério com Modred, comportando-se como rainha do traidor. Artur deu meia volta às tropas e voltou para a Grã-Bretanha, deixando um exército de Bretões Armoricanos a governar as suas terras recentemente conquistadas.

Modred fizera um pacto com Chelric, o chefe dos Saxões. A troco das terras a norte do rio Humber e a sul da Escócia, e ainda do território anteriormente governado por Hengest e Horsa, Modred exigia que Chelric o ajudasse, reunindo mais guerreiros da Germânia pagã. Para lutar ao lado dos homens de Modred e dos Saxões, o usurpador convocou guerreiros escoceses, irlandeses e pictos, procurando ainda juntar-lhes todos os que pudessem lutar e odiassem Artur. Este regressou à Grã-Bretanha para ser confrontado por um exército de cerca de 80 000 homens armados, que ele escorraçou do forte de Richborough, onde tinha desembarcado. Gawain, o leal sobrinho de Artur, morreu nessa batalha.

A campanha para devolver o trono a Artur continuou, tendo entretanto Guinevere fugido para York, onde viria a tornar-se freira. Artur encurralou o exército de Modred na Cornualha, no rio Camblamh, habitualmente identificado no trabalho de Geoffrey, pelo rio Camel (a sua ortografia viria a mudar para "Camlann"), onde os dois exércitos se enfrentaram uma vez mais. Modred foi morto e o seu exército completamente destruído; Geoffey não diz que Artur matou Modred em combate singular, embora seja assim que, mais tarde, a lenda evocará o fim da batalha. O próprio Artur foi ferido de morte em Camblam e levado para a ilha de Avalon para tratar as feridas, a ilha encantada onde a sua espada, Caliburn, fora forjada. Quando partiu, entregou a coroa ao seu primo Constantino, filho de Cador da Cornualha. Isto aconteceu em 542 do ano do Senhor, e Artur nunca mais voltaria.

No seu poema *A Vida de Merlin*, Geoffrey volta a mencionar Avalon, descrevendo-a como a "ilha das maçãs" e explicando que Artur ficou lá retido pela fada Morgen. A *História* de Geoffrey não termina com a jornada de Artur a Avalon, antes continua a descrever os domínios dos reis que lhe sucederam. Os sucessores de Artur combateram contra os Saxões, e um rei britânico chamado Keredic combateu contra o aliado dos Saxões, Gormund, rei de África.

Na parte final da *História*, Geoffrey menciona o rei britânico Cadwallon, juntamente com os líderes saxões Penda e Osvaldo. Ele cita correctamente alguns acontecimentos históricos associados às suas vidas, o que leva a crer que deve ter tido acesso a alguma informação consideravelmente fiável para escrever esta parte da sua *História*, pois é uma das únicas partes que podem ser devidamente corroboradas por outras fontes. Os registos de Geoffrey terminam com a morte do último cavaleiro britânico, Cadwallader, em 689, época em que os Bretões foram empurrados para Gales e para a Cornualha (e Bretanha, no continente), e os Saxões dominaram a maior parte da actual Inglaterra.

Apesar da visão de Geoffrey – romântica e patriótica, embora muito imprecisa – da antiga grandeza da Grã-Bretanha e do óbvio exagero em que incorre a sua narrativa, é possível, até mesmo provável, que os seus escritos contivessem elementos verídicos.

Algumas partes da sua *História*, no que se refere ao início do período pré-romano e romano, têm alguma relação com os registos dos próprios Romanos, embora isto não tenha qualquer consistência. Parte da *História* após Artur assemelha-se bastante ao que se consideram ser histórias relativamente mais contemporâneas e correctas em termos históricos; mas, no caso das histórias de Artur e dos seus antepassados imediatos, não temos outras fontes que permitam correlacionar a *História* de Geoffrey. Geoffrey afirma que Walter, o arcediago de Oxford, lhe oferecera um livro antigo, escrito em língua britânica, que descrevia tudo o que ele incluira no seu próprio trabalho. Se Geoffrey de facto possuiu essa fonte extraordinária, há muito que esta se perdeu. Não obstante, isto não que dizer que nunca tenha existido: há muitos exemplos de trabalhos que se sabe terem sido escritos e que já não existem actualmente, e deve haver centenas de bibliotecas com livros preciosos, de cuja existência não fazemos ideia no mundo moderno.

Infelizmente, o outro trabalho de Geoffrey sugere ao leitor moderno que ele não estava livre da tentação de criar as suas próprias histórias e de fazê-las passar por factos históricos. As *Profecias de Merlin*, incluídas na sua *História*, mas inicialmente planeadas como um volume à parte, falam de dragões, de crias de leão transformadas em peixes e de ouriços-cacheiros a reconstruírem cidades. Tudo bom material, mas dificilmente com algum fundamento histórico; ele continuou a escrever sobre Merlin, por fim num volume separado, e uma vez mais o seu trabalho parecia ter pouca identificação com o mundo real. Contudo, muito do que Geoffrey escreve poderá ser, até certo ponto, verdade, e decerto algumas partes da sua *História* sugerem um certo nível de pesquisa e conhecimento. Algumas teorias modernas, como a que se refere à identidade de Artur e à concepção popular da história britânica da Alta Idade Média, devem muito ao trabalho de Geoffrey, como se poderá ver noutros capítulos deste livro. E, apesar das suas referências a gigantes e artes mágicas, os reis de Geoffrey, incluindo Artur, estão mais associados aos senhores da guerra da Alta Idade Média do que aos reis medievais, o que sugere uma vez mais que ele pode, de facto, ter recorrido a alguma fonte histórica para base do seu trabalho.

Apesar disto, a *História* de Geoffrey tem sido desacreditada quanto ao seu valor histórico, por muitos cépticos e por uma série de comentadores, tanto modernos como contemporâneos, que questionam as suas fontes. Já na época de Geoffrey, Guilherme de Newburgh foi ao ponto de dizer que a sua *História* era, toda ela, um produto da imaginação. Mas, apesar dos cépticos, Geoffrey criara uma narrativa que se prendera à imaginação daqueles que realmente importavam – os seus leitores cativos incluíam os bardos, poetas e reis por toda a Europa.

O assunto estava na berra: as histórias de Artur eram a última moda nos círculos da corte pelos finais do século XII. Geoffrey recuperara (ou talvez inventara) uma personagem das obscuras margens da história europeia, e colocara-a num pedestal para que fosse adorada por todos, descrevendo acontecimentos do seu reinado completamente desproporcionados – talvez até inteiramente inventados. Uma vez completo o trabalho de Geoffrey, houve outros escritores medievais que aproveitaram esta voga.

A história de Artur a. G.: antes de Geoffrey

Embora Geoffrey de Monmouth tivesse sido o primeiro escritor medieval a desenvolver a temática de Artur ao pormenor, numa época mais remota houve dois escritores anglo-normandos que o mencionaram de passagem. William de Malmesbury incluiu uma nota sobre Artur na sua obra *Feitos dos Reis Ingleses,* completada em 1125. Sem entrar em grandes detalhes quanto aos feitos de Artur, William refere simplesmente que os Bretões contavam histórias sobre Artur extraídas da tradição oral, interpretando-as como sendo absurdas – encaravam-nas mais como fábulas do que como material histórico respeitável. As tradições britânicas a que William se refere serão descritas detalhadamente no próximo capítulo.

Quatro anos depois de William ter completado a sua obra *Feitos dos Reis Ingleses*, e cerca de uma década antes de Geoffrey de Monmouth ter escrito o seu *best seller* sobre os reis da Grã-Bretanha, na sua *História dos Ingleses* Henry de Huntingdon enumerou 12 batalhas nas quais Artur tinha combatido e vencido. A lista de Henry foi retirada de uma narrativa britânica sobre Artur, mais antiga, escrita cerca de 200 anos antes, chamada *História dos Bretões*. Esta *História* foi escrita por um monge chamado Nennius, já mencionado, e será abordada mais detalhadamente no próximo capítulo.

Wace

Quase imediatamente a seguir a Geoffrey de Monmouth, apareceu o poeta normando Wace. Natural da ilha de Jersey, era um escritor prolífico. Em 1155, publicou uma versão do trabalho de Geoffrey, adaptada em verso em francês, e dedicou-a a Eleanor, rainha de Henrique II de Inglaterra. Mais tarde viria a escrever para o próprio Henrique II uma história sobre os duques da Normandia.

Wace intitulou o seu trabalho arturiano *Romance de Brutus*. A base deste romance era a *História* de Geoffrey, a partir do reino de Constantino, embora Wace não tivesse conseguido resistir à tentação de modificar à sua maneira, aqui e ali, o trabalho de Geoffrey.

Wace procedeu a duas alterações importantes no trabalho de Geoffrey. Inseriu na história a famosa Távola Redonda de Artur, durante os 12 anos de paz do seu reinado. Geoffrey nunca aludiu a nenhuma Távola. A intenção na origem da Távola era que, sendo redonda, não haveria ninguém que pudesse, nem sequer com uma "cunha", sentar-se à cabeceira da mesa: todos os que se sentavam à mesa seriam iguais. O simbolismo evocado pela Távola Redonda estava inteiramente de acordo com a descrição de Geoffrey no que respeita à nobreza e cavalaria do reinado de Artur. Se a história do conceito da Távola Redonda pudesse remontar a uma era pré-cristã, é possível que pudesse considerar-se que esta tivesse poderes semelhantes aos dos círculos de pedra encontrados nas terras altas britânicas; infelizmente, ainda não foi possível descobrir essa ligação. Na época de Malory, que escreveu mais de 300 anos depois de Wace, a Távola Redonda tinha-se transformado numa história com identidade própria. Malory acreditava que Uther Pendragon oferecera a Távola Redonda ao rei Leodegrance (pai de Guinevere), e que Leodegrance, por sua vez, a ofereceu, juntamente com 100 cavaleiros, a Artur quando o rei desposou a sua filha. Malory também descreveu a mesa como sendo suficientemente larga para que a ela se pudessem sentar 150 cavaleiros. É claro que, na altura em que Malory escreveu sobre a Távola Redonda, ela se tinha tornado num ingrediente vital para toda a história, e a Sédia Perigosa (um lugar famoso à mesa, no qual apenas Galaaz podia sentar-se) tinha-se estabelecido segura e confortavelmente como parte da lenda arturiana. Foi construída uma versão medieval da

Távola Redonda, como se poderá ler no capítulo VI, que ainda pode ser vista actualmente em Winchester.

A segunda alteração importante feita por Wace ao trabalho de Geoffrey diz respeito ao fim do reinado de Artur. Após a calamitosa batalha de Camlann (ou Camblam, como Geoffrey lhe chama), Geoffrey viu Artur partir numa embarcação, rumo à ilha de Avalon, para curar os seus ferimentos. Wace saiu-se com uma melhor: augurou que Artur haveria de voltar de Avalon na altura certa, dizendo que o rei e os seus cavaleiros não estavam mortos, mas adormecidos. Wace popularizou a ideia de Artur como O Rei do Passado e do Futuro, embora esta inclusão se possa ter baseado no folclore tradicional britânico ou bretão. O tema iria decerto manter-se na lenda arturiana, desde a época de Wace em diante.

Nas suas alterações, Wace também foi influenciado pelo folclore em torno de Artur vindo de fora das Ilhas Britânicas. Havia uma forte tradição bretã de histórias de Artur e dos seus outros cavaleiros, e Wace aprofundou-a. Afirmava que a história da Távola Redonda vinha dos Bretões e identificou a floresta arturiana encantada de Brocéliande com uma região da Bretanha. A tradição bretã referente a Artur é explicada mais à frente, no capítulo IV, e encaixa convenientemente na estreita ligação entre a Bretanha e a Grã-Bretanha da Alta Idade Média.

Pensa-se que Wace tinha consciência de que, tanto o seu trabalho como o de Geoffrey, bem como o de outros escritores anteriores, não eram historicamente rigorosos. Ele descreveu as aventuras de Artur como se se tivessem transformado em fábulas, e observou que as histórias não eram inteiramente verdadeiras, mas também não eram completamente falsas. Wace decerto reconheceu que a história que narrou como sendo baseada em factos reais (e também os outros que escreveram sobre Artur) não reconstituía fielmente os factos no seu contexto histórico puro.

Na sua adaptação do trabalho de Geoffrey de Monmouth, Wace aproxima Artur do romance de escritores franceses posteriores, criando-o a partir do herói, que, segundo a convicção de Geoffrey, possuiria uma génese histórica plausível. Neste sentido, o *Romance* de Wace deve ter tido uma grande influência no trabalho dos escritores que deram continuidade à tradição romântica, e não deve ser desmerecido como uma mera tradução da *História* de Geoffrey.

Chrétien de Troyes

Chrétien de Troyes é o mais conhecido e provavelmente o mais importante membro da escola francesa de literatura na origem do Artur romanesco que tantos escritores influenciou depois dele. Como toda a literatura romanesca, estas histórias centram-se mais no amor e na aventura de cavalaria do que nos valores heróicos, embora sanguinários, descritos por escritores como Geoffrey de Monmouth e pelo escritor inglês posterior, Layamon. O artefício romanesco mais característico de um romance medieval é o facto de se concentrar nos feitos de um cavaleiro. Este é afastado da sua corte e deve enfrentar várias aventuras (muitas vezes sobrenaturais), de modo a fazer um regresso triunfal à corte, muitas vezes desposando, após o regresso, a sua prometida. Os próprios contributos de Chrétien para este tipo de literatura foram um marco importante para a compreensão da forma como a cavalaria deveria ser definida e encarada na época medieval. Do mesmo modo, a sua influência foi de longe mais importante do que o seu excelente contributo para as lendas de Artur.

Pouco se sabe da vida de Chrétien. Supõe-se que seja natural da cidade de Troyes, localizada no coração da região de Champagne, na França actual, ou que lá tenha vivido grande parte da sua vida. Chrétien viveu na última metade do século XII, e escreveu cinco romances arturianos, escritos em verso rimado. O último dos cinco romances ficou incompleto, mas normalmente associam-se todos ao período entre 1170-1190.

O primeiro romance de Chrétien foi *Erec e Enide*. Esta história é bastante parecida com o conto popular galês *Geraint e Enid*, e, aparentemente, os trabalhos de Chrétien (tanto os romances como outros) terão possivelmente inspirado os escritores galeses do início do século XIII. Por influência de Chrétien, os escritores galeses de *The Mabinogion* e outras histórias podem perfeitamente ter adaptado outros contos tradicionais celtas para o seu público moderno, ávido de romances. O conto admonitório de *Erec e Enide* demonstra a fricção causada pelo amor e a cavalaria, tema que teria constituído matéria para um debate muito em voga na altura. Erec era um cavaleiro da corte de Artur, e na presença de Guinevere foi atacado por um duende perverso (os duendes figuram frequentemente na lenda arturiana – o apêndice B fornece detalhes sobre estes pequenos seres e sobre várias outras criaturas arturianas). Muito justamente, do ponto de vista de Chrétien, Erec iniciou uma aventura para se vingar da sua humilhação no senhor do duende; em determinada altura da sua jornada, chegou à casa de um cavaleiro idoso, cuja filha se chamava Enide. Erec agiu como paladino de Enide num torneio, e venceu – derrotando o cavaleiro que, na narrativa, era o senhor do duende. Erec regressou à corte de Artur com Enide, tencionando casar-se com ela. O casal feliz chegou a casar-se, mas, num estado de beatitude conjugal, Erec começou a negligenciar os seus deveres como cavaleiro do reino de Artur. Era ridicularizado pelos membros do seu próprio séquito, cujos comentários Enide ouvia, mas o próprio Erec não se dava conta de nada. Percebendo que a mulher era infeliz, Erec instou-lhe que lhe contasse a razão da sua tristeza, e descobriu o que andavam a dizer de si. Furioso por causa desses rumores, Erec iniciou uma viagem arriscada, obrigando Enide a acompanhá-lo e a dar-lhe provas do seu amor numa série de batalhas árduas, que enfrentaram juntos. Por fim, com Erec convencido da devoção de Enide por ele, e com Enide rendida aos seus talentos como cavaleiro, o casal apaixonado reconciliou-se.

O título do segundo romance de Chrétien tem o nome do seu herói, Cligés.

Cligés desenrola-se em Constantinopla e começa com a história do pai do herói epónimo, um príncipe grego chamado Alexandre. Alexandre era um homem tão orgulhoso que se recusava a ser armado cavaleiro em Constantinola, na certeza de que apenas a reputada corte de Artur, na Grã-Bretanha, seria o local adequado para esse acontecimento. Também expressou o seu amor pela irmã de Gawain, Soredamors. A parte da história centrada no próprio Cligés assemelha-se mais à história de Tristão e Isolda, uma outra história popular, na época medieval. Cligés estava enamorado da sua tia Fénice; Fénice decidiu escapar ao seu casamento infeliz, de maneira a poder ficar com Cligés, e fingiu envenenar-se. Este desfecho foi bem sucedido e os dois amantes conquistaram a liberdade de ficar juntos. Sobretudo, esta história é a mais perfeita homenagem de Chrétien ao amor cortês.

O Cavaleiro da Carroço é o terceiro romance de Chrétien, e é também o seu romance mais conhecido, introduzindo Lancelot no mundo da lenda arturiana. Por vezes, este poema aparece intitulado simplesmente *Lancelot*, e centra-se na relação adúltera entre um dos maiores cavaleiros e Guinevere. É também uma das primeiras narrativas a descrever a famosa corte de Camelot em todos os seus aspectos. É possível que a história de amor entre Lancelot e Guinevere tenha sido referida pela primeira vez por Marie, condessa de Champagne, em finais do século XII, e é possível que a sua narrativa tenha fornecido a Chrétien a base para a sua história. Nesta história, Guinevere é raptada por um cavaleiro malvado chamado Meleagant, e Artur e Kay são incitados por um cavaleiro anónimo (Lancelot, como mais tarde viria a saber-se) a irem salvá-la. O título do romance é uma referência directa a Lancelot, que persegue Meleagant e a rainha raptada tão vigorosamente que o seu cavalo morre, tendo ele que completar a jornada subindo para a carroça de um criminoso. Há rumores de que Lancelot já era amante da rainha, e que, por este ter hesitado antes de subir para a carroça, Guinevere duvida do seu amor por ela e insinua que ele coloca a honra acima do amor. Lancelot prova-lhe o seu amor e a relação ilícita continua.

O Cavaleiro com o Leão, ou *Yvain*, como é por vezes conhecido, é muitas vezes aclamado como a maior realização literária de Chrétien. Yvain desposa uma mulher chamada Laudine, depois de ter assassinado o marido. Pouco depois, Yvain é persuadido a iniciar uma demanda; Laudine apenas autoriza o seu novo marido a partir na condição de ele voltar dentro de um ano. Apanhado nas andanças cavalheirescas, Yvain esquece-se de voltar dentro do período de tempo acordado, quebrando assim a promessa feita à sua esposa. Ao fazê-lo, perde o seu amor. Yvain inicia então uma série de aventuras para se retractar do seu procedimento para com Laudine, e numa dessas aventuras salva a vida a um leão, que doravante passa a acompanhá-lo como um amigo. O leão simboliza o retorno da devoção de Laudine por Yvain e o par reconcilia-se, feliz no amor.

O quinto livro de Chrétien não chegou a ser completado; provavelmente, morreu quando o estava a escrever. *A História do Graal,* ou *Percival*, como é mais conhecido, começa com os primeiros anos de vida de Percival. Este vivia em tão grande isolamento que nunca tinha conhecido um cavaleiro. Quando finalmente isso aconteceu, Percival percebeu que o seu destino era a vida de cavaleiro. Alcançar o estatuto de cavaleiro não é tão fácil, como se pode imaginar, e Percival descobre-o logo desde o início, através de uma série de aventuras cómicas. O enredo desloca-se, então, para a demanda do Santo Graal (assunto sobre o qual se poderão conhecer mais detalhes na secção sobre o Ciclo da Vulgata, adiante). O próprio Percival falhou a demanda, pois a sua falta de entendimento da vida palaciana (o seu isolamento na infância, foi, evidentemente, uma desvantagem no que se refere a esta questão) impediu-o de conseguir levar o Graal a Artur; contudo, chega a assistir a uma procissão mística que exibe o Graal. Chrétien vira-se então para a história da Demanda do Graal de Gauvain (Gauvain é a ortografia usada por Chrétien para Gawain) que depois termina, incompleta.

A obra de Chrétien viria a influenciar outros escritores franceses e os seus cinco poemas iriam a formar a estrutura da lenda de Artur até à época de Thomas Malory, influenciando grandemente a sua obra magnífica, A *Morte de Artur.*

Layamon

Layamon foi um padre do vale do rio Severn, que a dada altura, por volta dos finais do século XII ou princípios do século XIII, traduziu para inglês o *Romance de Brutus*, de Wace. Tal como Wace tinha adaptado a obra de Geoffrey de Monmouth, *História dos Reis da Grã-Bretanha*, Layamon adaptou a obra de Wace. Influenciado por Wace, Layamon manteve o texto em verso – verso aliterativo, de facto. A poesia de Layamon tinha também praticamente o dobro da extensão do *Romance* de Wace, o que indica que, tal como o próprio trabalho de Wace, a obra do padre inglês não se tratava da mera tradução de um trabalho mais antigo. Em vez disso, Layamon retomara a história mais antiga, desenvolvendo-a e expandindo-a. Geoffrey escrevera em latim e Wace em francês, e Layamon ficaria conhecido como o autor das primeiras histórias arturianas da literatura inglesa.

Contudo, o verdadeiro contributo de Layamon para a lenda arturiana foi a sua interpretação da mesma. Em vez de ter seguido a preferência de Wace, dando ênfase à cavalaria e ao amor, Layamon atribuiu maior importância à história heróica. O Artur de Layamon foi um homem de acção – a violência reinava na narrativa de Layamon (o que, diriam alguns, faz dela um romance caracteristicamente inglês).

A par do tratamento da lenda de Artur como história heróica, Layamon também enfatizou o facto de retroceder até ao Artur celta (como sublinhado no capítulo IV) introduzindo mais conceitos celtas na sua obra. Na obra de Layamon, Artur é abençoado à nascença pelos duendes do folclore, e, como no *Romance* de Wace, no texto de Layamon as feridas de Artur também são tratadas por artes mágicas na ilha de Avalon. Mas uma outra variação introduzida por Layamon foi a rainha de Artur, Guinevere, ter conspirado com o traidor, Modred, para conseguir o trono do rei.

Tem-se atribuído até aqui demasiada importância à ideia de Layamon ser essencialmente um escritor anglo-saxão de língua inglesa que elevou um antigo inimigo dos Saxões a um patamar quase messiânico. Alguns comentadores sugeriram que a derrota dos Saxões por Artur foi narrada entusiasticamente para anunciar que o domínio anglo-normando da Grã-Bretanha tinha substituído um domínio dos Saxões, que começara com a crueldade pagã: os Saxões, que tinham primeiramente punido os pecados dos Bretões, eram agora punidos.

Também é algo rebuscado fingir surpresa perante o facto de Layamon ter retratado os seus "antepassados" saxões como uma ameaça para o rei da Grã-Bretanha. Sabemos tão pouco sobre a própria vida de Layamon que desconhecemos também se ele tinha sangue britânico, galês ou escandinavo. Não há razão para se supor que, apenas pelo facto de ter escrito em inglês, Layamon estaria a projectar uma história nobre da cultura anglo-saxónica.

De facto, Layamon teria sido mais provavelmente arrastado pela histeria em torno da lenda de Artur, que começara com a *História* de Geoffrey de Monmouth, e estaria simplesmente a adaptar as histórias para que estas pudessem ser apreciadas pelo público que falava inglês.

O Ciclo da Vulgata

É verdade, esta compilação medieval conhecida como um ciclo definiu em muito as ligações de Artur ao Cristianismo e ao Santo Graal. O Ciclo da Vulgata é uma enorme e extensa compilação de romances em prosa, escritos nos princípios do século XIII por um grupo de monges do Norte de França. Este ciclo é constituído por cinco partes principais, cujos títulos indicam os assuntos ambiciosos e abrangentes desenvolvidos em cada uma delas: *A História do Santo Graal, Merlin, Lancelot, A Demanda do Santo Graal* e *A Morte de Artur.* Estas histórias exerceram uma enorme influência em todos os autores arturianos posteriores, mais notavelmente em Thomas Malory, e o Ciclo da Vulgata apresentava igualmente alguns dos temas que agora consideramos cruciais para a literatura arturiana, e esses estão incluídos no capítulo V deste livro.

As histórias do Ciclo da Vulgata retratam Artur e a sua corte inseridos num mundo curioso onde a cavalaria parece condenada ao fracasso. Apesar da mais nobre das intenções, o reinado de Artur está condenado desde o início: sem saber, ele engendra incestuosamente uma criança chamada Mordred (uma variante da ortografia de Modred) com a sua irmã Morgana, a Fada (identificada com a Anna de Geoffrey de Monmouth, personagem muitíssimo insignificante na sua *História*, contudo muito mais proeminente, embora menos simpática, no Ciclo da Vulgata). Quando em Camelot aparece uma visão do Santo Graal, trazendo sentimentos indescritíveis de alegria e adulação, Artur decide que os seus cavaleiros devem encontrar este cálice, para devolverem a antiga glória ao seu reino. As histórias que destacam as demandas ao Santo Graal pelos cavaleiros de Artur são por vezes despropositadas e nunca fecundas. Mesmo os maiores cavaleiros da sua corte fracassam: Lancelot é superado pelo seu filho Galaaz como o maior dos cavaleiros de Artur, e a relação amorosa de Lancelot com Guinevere provoca a derrocada da corte de Artur. A demanda de Gawain ao Graal é fútil, enquanto que Galaaz, Bors e Percival chegam angustiosamente perto, mas, por fim, nenhum deles consegue levá-lo para Camelot. A minha própria versão no capítulo V dá pouca importância ao aspecto cristão da Demanda do Graal, numa tentativa de actualizar a história, adaptando-a a um público moderno.

O Ciclo da Vulgata não é a primeira história arturiana a mencionar o Santo Graal – o último poema de Chrétien de Troyes, e incompleto, fá-lo numa data mais remota; mas as histórias do Ciclo da Vulgata são as primeiras a entrar em grandes detalhes sobre o mais precioso dos artefactos religiosos. Mas, o que era exactamente o Graal?

O Santo Graal nunca foi inteiramente descrito nas primeiras histórias de que fez parte. Alguns investigadores descreveram o Graal como um grande prato ou escudela, e o escritor medieval Wolfram von Eschenbach acreditava tratar-se de uma grande pedra verde caída do céu. Mas a maior parte dos autores modernos acredita tratar-se do cálice de prata usado por José de Arimateia para recolher o sangue das chagas de Cristo crucificado. Mais tarde, este sangue curou milagrosamente José, quando este foi preso na Judeia. Posteriormente, José e o seu filho, Josefes transportaram o Graal através do mundo ocidental, rezando missa; dizia-se que o Graal chegara à Grã-Bretanha e fora guardado durante gerações pelo Rei-Pescador, que aparece precisamente nesse papel na lenda arturiana. Artur desejava que o Graal fosse descoberto e levado para Camelot, para curar as enfermidades do reino. A Demanda do Graal tem também muito em comum com folclore celta antigo sobre caldeirões mágicos, e é possível que o Graal se tivesse tornado parte da lenda arturiana pela sua semelhança com a história celta *Os Despojos de Annwn* (pormenorizada no capítulo IV).

Se já as teorias sobre a lenda do Santo Graal e a verdade das suas origens são suficientemente complexas para com elas se poder escrever um livro bastante grande, é escusado trazê-las a uma discussão sobre um rei britânico, guerreiro, potencialmente pseudo-histórico. As conclusões que a maioria das pessoas retira sobre o Graal dependem das crenças religiosas de cada um. E se o Graal existiu, o que lhe aconteceu depois da crucificação de Jesus? Alguns investigadores sugerem que as origens das histórias do Santo Graal estão de facto ligadas a Espanha ou a Portugal, e que o castelo do Graal pode ainda hoje localizar-se aí; outros ligaram a derradeira morada do Graal a Glastonbury, no Somerset. Existem histórias que sugerem que três cavaleiros cruzados trouxeram o Graal de Jerusalém, e que os Templários (uma ordem religiosa de cavaleiros) o guardaram e ocultaram numa capela – por vezes identificada com a Capela de Rosslyn, perto de Edimburgo.

Ao incluir o Santo Graal, o Ciclo da Vulgata inclui uma nova linha no tecido da literatura arturiana. O Artur de Geoffrey de Monmouth foi simplesmente um grande rei, forte na batalha; as histórias arturianas de Chrétien de Troyes enfatizaram o comportamento cortês e o romance; no entanto, o Ciclo da Vulgata introduziu ideias de Cristianismo e religião no mundo de Artur e muito rapidamente a Demanda do Graal se tornou o tema central da lenda.

Sir Thomas Malory

Se Geoffrey de Monmouth é o avô da literatura arturiana, então Sir Thomas Malory é quase de certeza o "papá". A maioria das adaptações da lenda arturiana que podem ser lidas hoje em dia é baseada nos textos de Malory, datados do século XV; a minha própria versão, apresentada no capítulo V, deve-lhe bastante, embora Malory tivesse incluído muitas mais histórias na sua famosa obra *A Morte de Artur* do que aquelas que narro no capítulo citado. Em muitos aspectos, é legítimo que a obra de Malory continue a merecer tanto reconhecimento, já que se trata de um compêndio da literatura arturiana, reunindo o trabalho de muitos escritores medievais anteriores a ele.

Malory completou o seu contributo para a literatura arturiana em 1469 ou 1470, mas a data geralmente associada a *A Morte de Artur* é 1485, quando Caxton imprimiu o texto em livro. A partir daqui, o trabalho de Malory conseguiu uma difusão mais alargada do que quaisquer outras histórias arturianas anteriores, e revelou-se uma sólida fundação para o trabalho de muitos autores modernos. O trabalho de Malory deveria ser considerado o apogeu da tradição medieval arturiana, uma compilação definitiva e a consolidação de trabalhos anteriores num ciclo unificado.

Então, quem foi Sir Thomas Malory? Na verdade, não podemos saber exactamente qual dos "Sir Thomas Malory" se identifica com este, já que existem outros possíveis candidatos no século XV. A identificação geralmente aceite é a de G. L. Kitteredge, um investigador americano que localizou com precisão um certo Sir Thomas Malory (ou Maleore) de Newbold Revell, no Warwickshire. Nascido na primeira metade do século XV, este Sir Thomas era um indivíduo corrécio, que passou quase 20 anos na prisão. A sua lista de crimes incluía violação, tentativa de homicídio e assalto à mão armada, e consta que levou a cabo umas quantas fugas espectaculares dos seus carcereiros quando estava na prisão. Quando não estava no lado errado da lei, Sir Thomas fez carreira como soldado, combatendo ao serviço de Richard Beauchamp, conde de Warwick.

O século XV foi uma época em que não faltava serviço a um soldado e em 1436 Sir Thomas lutou pelos Ingleses contra a França no cerco de Calais, como parte da disputa quanto ao direito de propriedade de regiões da França.

Não surpreendentemente, para muitos comentadores era difícil acreditar que um cavaleiro preso por crimes do género dos cometidos por este Sir Thomas, de Warwickshire, fosse capaz de escrever histórias com tão elevado conteúdo moral e cavalheiresco. Alguns peritos em linguística também acreditam que a obra *A Morte de Artur* foi escrita num estilo que sugere um dialecto da Inglaterra Setentrional (um ponto contra o candidato de Warwickshire), e foi referido um outro Thomas Malory, de Studley e Hutton, no Yorkshire, como possível autor. Fosse quem fosse o Thomas Malory que escreveu o livro, parece provável que o tenha feito na prisão – ele descreve-se a si próprio como o "cavaleiro--prisioneiro" – e morrido por volta de 1471.

Apesar do trabalho de Malory se aproximar bastante das histórias escritas por autores mais antigos, o seu trabalho é significativamente diferente em termos de estrutura. Enquanto que os escritores de romance franceses, e até mesmo Geoffrey de Monmouth, escreveram as lendas arturianas como um só acontecimento encadeado, Malory dividiu as partes individuais em livros e capítulos distintos. Do ponto de vista do leitor, isto deve considerar-se uma das particularidades marcantes da literatura arturiana, na medida em que permitiu estabelecer um princípio e um fim definidos para as histórias individuais que tinham sido gradualmente congregadas para produzirem o ciclo arturiano. Deveria dizer-se que Malory era perito tanto na desconstrução das histórias de Artur como na sua construção.

Ao fazê-lo, Malory tornou possível aos académicos modernos voltarem às raízes da literatura medieval. A sua "divisão em capítulos" da lenda significa que aqueles que decidiram ler e estudar o seu trabalho podem considerar a lenda uma série de histórias individuais, recolhidas de várias fontes e compiladas para incluir todas as histórias de Artur, em vez de uma narrativa continuada mas que nunca se desenvolve de forma a resultar num enredo singular e linear.

O editor de Malory, William Caxton, no seu prefácio para a edição de A *Morte de Artur,* em 1485, aludiu às fontes de investigação para o trabalho de Malory. Ele diz que Malory recorreu a "alguns livros em língua francesa, e condensou-os na língua inglesa". Apesar de algumas dessas fontes continentais serem hoje desconhecidas para nós, parece certo que Malory incluiu o Ciclo da Vulgata e outros romances franceses. Também parece que teria sido influenciado por contributos ingleses, como um poema aliterativo do século XIV que partilhava o título com o seu trabalho.

A versão da lenda, por Malory, constitui o texto mais extenso da literatura medieval arturiana, não obstante, é também o mais conhecido e mais apreciado pelos leitores modernos. Contrariamente ao título da obra, *A Morte de Artur* narra o reinado de Artur na íntegra e não apenas o seu fim brutal. A história de Malory também abarca um período de tempo mais curto e diferente do da grande *História* de Geoffrey de Monmouth: *A Morte de Artur* começa com a concepção de Artur, filho de Uther Pendragon, e termina com a morte de Launcelot do Lago (como Malory lhe chama) e a coroação de Constantino, filho de Cador, como sucessor de Artur. Malory inclui as primeiras proezas de Artur com a ajuda de Merlin, antes de deslocar a trama para a narrativa dos feitos dos cavaleiros de Artur: Balin, Pellinore, Gawaine e Ywaine (usando a grafia de Malory), Gareth, Tristam, Launcelot, Lamorak e Palomides estão todos incluídos. Malory prossegue com a história do Santo Graal, adaptada do ciclo da Vulgata, dando ênfase às proezas do Graal por Galaaz, Bors e Percival. Ao longo desta secção central de *A Morte de Artur*, o próprio rei assume um lugar secundário, aparecendo muitas vezes apenas no princípio e no fim de cada história. Os feitos de *Launcelot* são tratados pormenorizadamente, e a batalha épica entre Artur e Modred é o ponto alto próximo do final do livro, final bastante sombrio, em que parece que nenhuma figura proeminente escapa à morte. Bedevere devolveu Excalibur à Dama do Lago, em nome de Artur, e o rei foi transportado para Avalon e sepultado num túmulo logo no dia seguinte – talvez adormecido, talvez morto.

Outros escritores que deram o seu contributo

Nunca subestimemos os mais prolíficos autores de todos os tempos: Anónimos & Companhia. Na realidade, temos os nomes de algumas outras pessoas que acrescentaram mais umas peripécias à lenda de Artur, mas também devemos lembrar que muitas das histórias provinham da tradição oral, recitadas perante multidões. Como tal, muitos bardos teriam adaptado as versões medievais do mundo de Artur para satisfazer tanto as suas próprias preferências, como as do público. E os nomes que chegaram até nós como sendo o do autor de partes específicas da lenda arturiana podem não ser os dos originais contadores da história, mas apenas os das primeiras pessoas a registá-las por escrito em pergaminho. Também devemos ter em mente que os autores medievais da lenda arturiana escreveram em latim, francês ou formas arcaicas da língua inglesa que não seriam facilmente identificáveis hoje em dia; assim, além do nosso reconhecimento para com os contadores das histórias da tradição oral, também devemos confiar e agradecer aos tradutores dos textos originais pelo seu contributo para a literatura arturiana.

Apesar de aparentemente obscuras, muitas das histórias menos comuns sobre Artur e os seus cavaleiros foram recuperadas por Sir Thomas Malory quando iniciou a escrita da sua famosa obra *A Morte de Artur*. Robert de Boron, um poeta da Borgonha, foi o primeiro a descrever explicitamente o Santo Graal como uma relíquia sagrada mais associada à crucificação do que a um objecto mágico. Robert escreveu três romances arturianos em finais do século XII ou princípios do século XIII: *A Crónica da História do Graal* (por vezes conhecida como *José de Arimateia*), *Merlin* e *Percival*. *Merlin* foi a primeira história que incluía referências a Artur a arrancar uma espada de uma pedra para provar o seu direito a reinar. Os romances ingleses, tanto em verso como em prosa, surgiram a partir da segunda metade do século XIII, incluindo *Sir Launfal* (escrito por volta de 1350 por Thomas Chestre) *Ywain e Gawain* (também escrito em meados do século XIV), e duas histórias de finais do século XIV: *Sir Gawain e o Cavaleiro Verde* e *As Aventuras de Artur* (intitulado, de forma encantadora, *The Awntyrs of Arthure,* no original). Esses textos em inglês são típicas versões reduzidas de textos franceses mais antigos, resumidos a partir das histórias originais que circulavam para resultarem em histórias de aventuras bem definidas e repletas de acção.

Não foram apenas os Ingleses, Franceses e Galeses que escreveram aventuras sobre Artur e os seus cavaleiros. Assim que as histórias narradas por Geoffrey de Monmouth, Chrétien de Troyes e os outros colaboradores mais antigos se espalharam pela Europa, também os poetas e escritores nesses países elaboraram as suas próprias versões da lenda arturiana, imprimindo-lhe muitas vezes um toque pessoal e regional. Dois escritores alemães, Hartmann von Aue e Wolfram von Eschenbach, contribuíram com *Iwein* e *Parzival,* respectivamente (adaptações das histórias francesas de *Yvain* e *Percival*). Houve outros escritores alemães que também contaram a sua versão das histórias de Gawain e Tristão. No século XIV ou século XV, foi escrita na Irlanda uma tradução da obra *Demanda do Santo Graal*, do Ciclo da Vulgata, e os poetas escoceses adaptaram as histórias de Lancelot e Gawain para o seu próprio público. A lenda arturiana também ganhou popularidade em locais tão distantes quanto a Grécia (onde um poema do início do século XIV fala de um velho cavaleiro que nem Lancelot, nem Gawain nem Tristão são capazes de vencer); Escandinávia, Islândia (onde as tradições de Tristão e Percival se tornaram populares); Itália; e até Chipre, onde cavaleiros cruzados levaram a cabo um torneio arturiano em 1286.

Uma interessante nota de rodapé na literatura medieval arturiana refere que Eduardo I, talvez o maior rei da Inglaterra medieval, justificou a sua invasão da Escócia ao papa Bonifácio VIII, em 1301, citando excertos da *História dos Reis da Grã-Bretanha* de Geoffrey de Monmouth. Para um público medieval, as histórias não eram apenas contos admonitórios do domínio do romance ou até do mero entretenimento – eram histórias suficientemente sólidas para poderem ser usadas para fundamentar exigências políticas. É bem possível que Geoffrey de Monmouth tivesse percebido, enquanto construía a sua *História*, que estava a criar uma figura de proa e um antepassado dos seus reis anglo-normandos.

Magnetismo de Artur: outros heróis medievais absorvidos pela lenda popular

À medida que as histórias que envolviam a corte real de Artur ganhavam popularidade, os heróis populares e os guerreiros semi-‑históricos nunca antes relacionados com a lenda de Artur também foram inseridos na sua corte. Alguns dos mais famosos heróis arturianos figuravam independentemente na literatura medieval antes de serem absorvidos pela corte de Artur. Outros tornaram-se protagonistas das suas próprias histórias, à sombra da popularidade de Artur.

Gawain, por exemplo, é uma das primeiras personagens associadas a Artur, na lenda e no folclore; o seu nome original era Gwalchmai, que significa "Falcão de Maio". Gawain desempenha um papel crucial em muitas das primeiras histórias arturianas, provenientes de Gales, Inglaterra e, em menor grau, de França. Foi citado por este nome no conto antigo *Culhwch e Olwen*, como sobrinho de Artur, e é mencionado numa tríade galesa (pode ler mais sobre o assunto no capítulo IV) como um dos "Três Bem-Dotados de Ynys Prydein". Grande sortudo, o velho Gawain (não, não é isso – o ser dotado significava que ele era um homem poderoso). Em algumas das primeiras histórias, o nome e o papel de Gawain parecem confundir-se com os do próprio Artur, e as suas proezas constam da tradição inglesa independente – *Sir Gawain e o Cavaleiro Verde* – transcrita para pergaminho por volta do ano de 1400, e narrada no capítulo V. *Sir Gawain e o Cavaleiro Verde* é uma das mais acessíveis e agradáveis compilações de versos que sobreviveram do período medieval, e presenteia o leitor com mensagens mistas, tanto da imagética cristã como pré-cristã. Examinando o conto *Sir Gawain e o Cavaleiro Verde* e outros contos populares, deveria considerar-se que este herói tinha direito a existir por mérito próprio, independentemente da lenda arturiana.

As origens do famoso feiticeiro ou vidente Merlin, que, na maioria das lendas, tanto contribuiu para a subida de Artur ao poder, também são alheias aos contos arturianos. Ao que parece, Merlin baseia-se num bardo chamado Myrddin, bem conhecido historicamente. Myrddin estava associado à corte de Rhydderch de Strathclyde, no Norte da Inglaterra e no Sudoeste da Escócia, em finais do século VI. A par do facto de existirem vários poemas que lhe são atribuídos, Myrddin é lembrado como O Selvagem dos Bosques, que enlouqueceu após a sangrenta Batalha de Arderydd, em 573, o que o obrigou a viver nos bosques da Caledónia, afastado do resto da humanidade.

De forma significativa, dado o papel que viria a desempenhar como profeta, dizia-se que Myrddin (como O Selvagem dos Bosques) fazia profecias e protegia os animais dos bosques (Geoffrey de Monmouth estava provavelmente a par destas histórias populares quando começou a escrever a sua própria versão das profecias de Merlin). Este Myrddin pode também ser evocado como Lailoken, um outro Selvagem dos Bosques da literatura escocesa, e como Sweeney, o Selvagem dos Bosques da Irlanda. No século IX, a lenda galesa evocou um outro profeta britânico, mais tarde incorporado na *História* de Geoffrey de Monmouth como o "rapaz sem pai" que dita profecias a Vortigern; por vezes a criança tem o nome de Ambrosius, mas também lhe chamam muitas vezes Merlin. É provável que estas duas personagens dos contos celtas se tivessem fundido num único Merlin: o famoso Merlin da literatura arturiana.

Outras personagens, como Lancelot, Percival (ou Peredur, como era conhecido na lenda Galesa) e Tristão também existiram independentemente da lenda arturiana.

CAPÍTULO IV

O ARTUR DOS CELTAS

Geoffrey de Monmouth e Thomas Malory não foram os primeiros autores medievais a escrever sobre Artur; as histórias que Geoffrey escreveu foram, segundo afirmou, registadas originalmente num livro antigo que lhe foi dado pelo arcediago de Oxford. A ser verdade, este livro antigo seria composto quase de certeza por textos de autores anteriores, galeses, bretões da Bretanha e britânicos. Isto porque antes da época de Geoffrey Artur tinha de facto deixado a sua marca na imaginação dos seus conterrâneos celtas, tanto na história como na literatura (e o mesmo continuaria a acontecer durante o período medieval.)

Gales, a Cornualha e o mundo celta são famosos pela sua rica tradição oral. Dada a proeminência de Artur na lenda e no folclore celtas, não é surpreendente que o seu nome surja regularmente nessas histórias. Mas será que o Artur do folclore tem algumas semelhanças com um rei da história, ou será que o seu nome é apenas sinónimo da atitude e do poder da Alta Idade Média e da realeza medieval?

O Artur dos Galeses, Irlandeses, Bretões e dos povos da Cornualha era um homem muito diferente do soberano correcto e cavalheiresco da Inglaterra e da França medieval em que se tornara nos tempos de Malory. De facto, o conjunto das referências ao rei Artur dos contos celtas provavelmente situa-nos mais perto da verdade do Artur histórico, se é que, na verdade, este alguma vez existiu.

Mas quem foram os Celtas? A palavra é muito usada nos tempos modernos, referindo-se normalmente à herança escocesa e irlandesa, mas a verdadeira definição do legado celta é muito mais complicada do que isso. Originalmente, a cultura celta espalhou-se da Europa Central para ocidente durante o primeiro milénio a.C. Em meados do século XX, talvez influenciados pela natureza turbulenta da sua própria era, a maioria dos historiadores acreditava que a chegada dos Celtas a uma nova região significaria que eles tinham invadido a área. Actualmente, em décadas mais pacíficas, a maior parte dos académicos acredita que foi a sua cultura – não os seus povos – que se espalhou, e que os povos da antiga Grã-Bretanha não eram celtas por linhagem consanguínea, mas pelos padrões culturais. Essencialmente, pensamos agora que os Celtas estão entre os primeiros exponentes da globalização. No período que antecedeu a invasão romana da Grã-Bretanha e ao longo do período romano, a cultura celta floresceu na Grã-Bretanha e misturou-se também com a cultura romana. Na Alta Idade Média, a Grã-Bretanha era um dos poucos locais da Europa que continuavam a ser fortemente influenciados pelos ideais celtas mais antigos. À medida que as ideias de nacionalismo se foram difundindo até ao final da Alta Idade Média e início do período medieval, os povos de Gales, Cornualha, Escócia, Bretanha e Irlanda acreditavam partilhar um passado "celta", e esta ideia vingou, transitando para a era moderna.

Tão forte sentido de identidade cultural significava que a arte da Alta Idade Média e a arte celta medieval – tanto do ponto de vista literário como da imagética – se tinham desenvolvido à margem dos principais movimentos europeus, e os trabalhos dos Celtas conservaram um forte sentido de independência, mesmo para os leitores modernos. Os ideais e conceitos importantes da literatura e lendas celtas eram diferentes dos dos escritores anglo-saxões, normandos, e, mais tarde, ingleses e franceses. Os temas e conteúdos transmitiam por vezes sentimentos mais bárbaros dos que os dos seus contemporâneos europeus, e remontavam a um período associado a uma cultura heróica e a um estado de guerra endémico. E a partir deste cenário, assistia-se ao aparecimento dos primeiros escritos das histórias de Artur – tanto como ícone lendário como teoricamente histórico.

A natureza das fontes de informação

Muitas das histórias que envolvem Artur existiram muito antes de terem sido registadas por escrito. As lendas celtas – não só em

Gales, mas também na Escócia e na Irlanda – tinham uma longa e orgulhosa tradição histórica oral muito antes de os documentos escritos se terem tornado comuns. Portanto, muitas das histórias sobre Artur, embora escritas no período medieval, provavelmente representam contos muito mais antigos. E é claro que isto constitui um problema quando se trata de proceder à datação de material antigo, proveniente das nossas primeiras fontes de informação.

A data em que uma história foi escrita não significa que date realmente desse período. A maioria das nossas primeiras fontes arturianas sobreviveu nos manuscritos dos séculos XII e XIII – uma época em que outros escritores europeus tinham feito de Artur uma "estrela" e em que a sua fama se espalhara. Contudo, a maior parte das histórias celtas e contos populares escritos regista essencialmente a antiga tradição oral, já existente muito antes de os Celtas terem começado a escrever as suas histórias em manuscritos. Isto significa que estas histórias estavam sujeitas a alterações, interpolação e interpretações erradas entre a data inicial e a sua versão final na página do livro. Em trabalhos como o poema bélico *The Gododdin*, pode ter decorrido um período de mais de 600 anos entre a sua origem e a sua apresentação em texto escrito – e isso deixa muitíssima margem para a acumulação de erros.

Isto coloca-nos perante um dilema – quanto do que sobreviveu reflecte rigorosamente o Artur dos Celtas na sua expressão anterior a Geoffrey de Monmouth? Geoffrey afirmava ter recorrido a um "livro antigo" como fonte de informação para o estudo de Artur e dos restantes assuntos abordados na sua *História*, por isso, a não ser que estivesse a mentir, podemos estar certos de que Artur existiu, antes do *best seller* de Geoffrey. De facto, o estudo da língua usada nas fontes arturianas celtas mostra que algumas das histórias escritas no período medieval tiveram as suas origens na Alta Idade Média. Muitas outras histórias celtas sobre Artur, apesar de a língua em que foram escritas não constituir prova de facto, evidenciam ideias e fragmentos de histórias "perdidas", o que uma vez mais sugere que o seu aparecimento é muito anterior à data da sua versão escrita.

Assim, podemos estar certos de que o conceito de Artur como guerreiro e/ou rei predominava nas histórias dos povos celtas nos séculos anteriores a Geoffrey de Monmouth espalhar a fama de Artur por toda a Europa.

O outro problema importante, quando se tenta recorrer a fontes primitivas como testemunho histórico, é a forma como os escritores desses textos claramente intercalaram a realidade histórica com a pura fantasia. Disto fazem parte os actos mágicos, as personagens da história antiga (ou mais recente), e outros casos que nunca passariam por "história" no mundo moderno. Até mesmo os autores destes textos mais antigos podem ser semilendários: por exemplo, o famoso Taliesin, um bardo do reino de Reghed, no Norte da Grã-Bretanha, assumiu qualidades mágicas em histórias posteriores sobre a sua vida e foi-lhe atribuída a autoria de muitos poemas, com poucas provas que sustentem o facto. Embora se admitam como "históricas", na actualidade existem poucas fontes contemporâneas ao nosso dispor que possam ser consideradas suficientemente fiáveis para passarem por documentos em que um historiador moderno pudesse confiar. Não obstante, estas fontes contêm provavelmente acontecimentos semi-históricos e verdades parciais, e, mais que não seja, servem para nos mostrar como os Celtas se viam a si próprios e ao seu passado. E, é claro, se decidíssemos ignorar completamente tais documentos baseados no facto de serem potencialmente deficientes, não nos restaria nenhuma fonte de informação escrita que nos esclarecesse sobre como os Galeses e os seus parceiros culturais registaram o seu passado.

Gildas

Gildas é considerado uma das nossas principais fontes para a interpretação da história da Grã-Bretanha no início do período pós-romano; não obstante, a sua obra não foi escrita com a intenção de apresentar uma história linear no verdadeiro sentido da palavra. Ao invés, Gildas foi um homem com uma missão – lembrar aos Bretões a sua insensatez e apatia. O seu trabalho é conhecido pelo título apelativo *Sobre a Ruína da Grã-Bretanha*. Pela informação veiculada por Gildas, sabemos que ele escreveu a sua obra aos 44 anos, e que nasceu no ano da Batalha de Badon. As estimativas no que respeita às datas em que de facto estes acontecimentos ocorreram variam entre aproximadamente os anos 450 e 540, embora *Os Anais Galeses* registem que Gildas morreu em 572 (contudo, o rigor desta informação continua a ser questionável).

O texto de Gildas é a única fonte quase coeva da época do Artur histórico, apesar de o seu conteúdo ser de tal forma duvidoso que, caso existissem ainda outras fontes, seria improvável que os historiadores continuassem a recorrer a este autor para recolha de informação. Como justificação para o seu castigo com os tormentos do inferno, Gildas invoca os antecedentes históricos e os problemas comuns dos Bretões, embora não saibamos até que ponto o seu comentário se afasta da verdade por zelo religioso. Sabemos que ele confundiu as datas respeitantes aos locais, mas, no que se refere ao último período da Grã-Bretanha romana e décadas seguintes, é bem possível que tivesse lançado luz sobre acontecimentos que de outro modo teriam sido esquecidos. Seja qual for a verdade, Gildas é o único Bretão cujo testemunho histórico escrito sobreviveu desde essa época. As histórias de São Patrício (um Bretão forçado à escravatura pelos invasores irlandeses) são quase contemporâneas, mas pouco explicam sobre a história desse período.

Sobre a Ruína da Grã-Bretanha é constituído por três partes: um prelúdio histórico, uma queixa contra os reis britânicos contemporâneos e uma queixa contra a Igreja Britânica da época. Para o propósito do estudo de Artur, a secção histórica é a mais importante, embora a descrição de Gildas sobre os seus reis coevos seja também esclarecedora.

O capítulo histórico de Gildas não apresenta uma narrativa histórica detalhada e fluente, do género daquelas a que estamos hoje em dia habituados; ao invés, ele parece ter seleccionado várias calamidades, que pôde descrever como resultantes do comportamento pecaminoso e malvado dos Bretões. Segundo ele, quando os Romanos partiram, os Pictos e os Escoceses (Irlandeses) invadiram a Grã-Bretanha, e os Bretões, fracos e debilitados, pediram ajuda ao romano Aëtius. Este tinha mais com que se preocupar (como tentar defender o seu império continental), e, por isso, os Bretões, chefiados por um "tirano orgulhoso" – presumivelmente Vortigern –, contrataram mercenários saxões. Isto resultou, mas depois os Saxões revoltaram-se e afastaram os Bretões para as regiões ocidentais da Grã-Bretanha, destruindo as cidades e a vida civilizada à medida que avançavam. Os Bretões ficaram encurralados entre os avanços dos Saxões e o mar da Irlanda, e depois veio a sua salvação, na forma de Ambrosius Aurelianus, um descendente dos últimos Romanos da Grã-Bretanha. Ambrosius reorganizou os Bretões e Gildas descreve os fracassos e os êxitos da campanha, que culminou na vitória britânica de Badon Hill – uma batalha que mais tarde viria a tornar-se sinónimo do nome de Artur. No entanto, Gildas não refere Artur, insinuando (mas sem o declarar abertamente) que Ambrosius triunfou. Gildas descreveu a Grã-Bretanha como uma região minada pela peste, corrupta e em rápido declínio, com as cidades destruídas e dilacerada pela guerra e pela fome. Isto soa particularmente apocalíptico e tende a enfatizar as suas queixas posteriores. Mesmo até às décadas mais recentes, a visão de Gildas ilustrava os primeiros tempos da história da Grã-Bretanha pós-romana. A narrativa do segundo capítulo tenta rectificar esta ideia popular, embora se note que alguma informação contida no texto de Gildas se afigura verídica (como por exemplo um período de declínio saxónico, que sugere que a vitória dos Britânicos em Badon foi deveras tão importante quanto este nos sugere).

Depois de apresentar a devastação, Gildas prossegue, queixando-se então dos reis britânicos do seu tempo, cujos pecados teriam sido a causa directa da ruína da Grã-Bretanha. Gildas assinala que os reis Britânicos não passavam de tiranos (um debate recente sugeriu que o significado do termo "tirano" não deve ser interpretado à luz dos tempos modernos, porquanto naquela época o termo significava simplesmente que os "tiranos" eram governantes locais com pouca influência fora das suas regiões). Ele prossegue então citando cinco desses tiranos: Constantinus, "tirano parido da imunda leoa de Dumnonia"; Aurelius Canius, uma "cria de leão"; Vortipor, o "tirano de Demetae"; Cuneglasus, que, segundo Gildas, significava "carniceiro moreno", sendo, contudo, o seu significado mais provavelmente "Cão de Caça Azul"; e Maglocunus, o "dragão da ilha". Em termos geográficos, a maioria destes governantes pode estar ligada a Gales ou ao Sudoeste de Inglaterra, e Maglocunus pode ser identificado com alguma exactidão como Maelgwn de Gwynedd (que morreu provavelmente em 549, vítima da peste). Os governantes de Gildas são homens insignificantes, e, provavelmente, não eram opositores à altura dos seus adversários saxões. Desde a unificação da Grã-Bretanha que as referências de Gildas a um "tirano orgulhoso" sugerem que, entre o tempo que medeia os cerca de cem anos entretanto passados e o tempo da sua escrita, a base do poder na Grã-Bretanha se tinha fragmentado num punhado de reinos mais pequenos e mais fracos.

Tendo criticado esses governantes pelos seus governos indolentes, Gildas vira então a sua cólera para a Igreja Britânica, destilando o seu fel e insinuando que os padres não passavam de estúpidos traidores e "ladrões sem vergonha". Gildas volta a criticar violentamente os Bretões pela sua atitude apática e pelo seu estilo de vida vergonhoso.

Não entanto, por entre o palavreado oco e a censura frívola, Gildas não menciona Artur uma única vez, o que é realmente surpreendente caso o senhor da guerra tenha realmente existido. Isto principalmente porque Gildas menciona a batalha que mais tarde se viria a tornar sinónimo da maior vitória desse senhor da guerra chamado Artur: Badon.

Gildas também escreveu outros textos (na sua maioria fragmentos de cartas) mas evita tecer nesses documentos outros comentários históricos. O famoso historiador anglo-saxão Beda recorreu profusamente ao trabalho de Gildas quando escreveu a sua *História Eclesiástica dos Povos Ingleses,* no século VIII, e podem notar-se algumas semelhanças entre a narrativa de Gildas e a posterior *Crónica Anglo-Saxónia*. Tal como Gildas, nenhuma destas duas fontes menciona Artur, mas estas histórias foram escritas pelos descendentes dos inimigos de Artur.

Os Anais Galeses

Preservada num livro medieval datado do século XII, existe uma compilação de textos galeses com uma origem muito mais antiga. Entre os cerca de 40 documentos que fazem parte do livro, um deles destaca-se da restante informação de interesse para a nossa pesquisa sobre Artur: *Os Anais Galeses*. Os anais eram usados no mundo antigo para registar o curso dos tempos e para nos lembrarem os acontecimentos importantes: os anais da Alta Idade Média eram usados principalmente para registo do nascimento e morte dos santos e dos reis e de acontecimentos históricos de grande significado. Em termos gerais, este documento é mais como um equivalente britânico da *Crónica Anglo-Saxónia*, e lê-se como uma sequência histórica. Nos *Anais Galeses* há duas referências cruciais:

> Ano 72: a Batalha de Badon, na qual Artur transportou às costas a cruz de Nosso Senhor Jesus Cristo durante três dias e três noites, que os Britânicos venceram.

Ano 93: o conflito em Camlann, no qual Artur e Medraut (Modred) sucumbiram; e houve pestilência na Grã-Bretanha e na Irlanda.

Os anos referidos em *Os Anais* não se referem às datas dos nossos calendários modernos, mas parecem começar com o Ano 1 como AD 445 (embora alguns associem a data inicial a 443 ou 448). Isto significaria que a data atribuída ao Ano 72 corresponderia a 518 AD (por vezes 521, por vezes 616), e o Ano 93 corresponderia ao Ano 539 (por vezes 542, como consta registado na *História* de Geoffrey de Monmouth, e por vezes 537). Excelente – prova testemunhal de Artur... com datas incluídas, com a diferença de um ano ou dois a mais ou a menos. No entanto...

A versão de *Os Anais* que ainda pode ser consultada (faz parte da colecção Harleian, do Museu Britânico) foi escrita por volta do ano 1100, e como a última entrada na sequência de *Os Anais* é a morte do rei galês Rhodri ap Hywel Dda no ano ou por volta do ano 957, esta versão só pode ter sido escrita depois de 957. Isto significa que *Os Anais* que chegaram até nós foram escritos cerca de 400 anos depois das datas avançadas para a Batalha de Badon e para a morte de Artur em Camlann. Isto dificilmente constitui uma prova contemporânea – seria como eu escrever a história da Conspiração da Pólvora (que ocorreu em 1605).

Por volta do século X, quando foi completada a versão de *Os Anais Galeses* que conhecemos, Artur era conhecido como uma personagem do folclore celta – vejam-se alguns outros textos incluídos neste capítulo. É possível que as datas de *Os Anais Galeses* tivessem sido "trabalhadas" para "provarem" a existência de Artur, de modo a que este não ficasse condenado a uma existência lendária e imemorial. Sem quaisquer fontes mais antigas que provassem a existência de Artur, o autor de *Os Anais* deve ter tirado as suas ponderadas ilações no que se refere às datas associadas à sua existência concreta, baseando-se na tradição oral remanescente.

Dito isto, é possível que *Os Anais* tivessem começado a ser escritos numa data anterior, e que tenha sobrevivido apenas uma cópia posterior actualizada em meados do século X. *Os Anais* mostram a influência das primeiras fontes irlandesas (e possivelmente até de outros anais do Norte da Grã-Bretanha), especialmente nalgumas primeiras entradas, por isso, é possível que este documento reconstitua tradições mais antigas. A sustentar esta teoria está o facto de as datas de *Os Anais* não corresponderem de facto à cronologia de Gildas (Gildas situa Badon provavelmente mais perto do ano 500, uns bons 20 anos antes daquilo que vem descrito em *Os Anais Galeses*). Se o autor de *Os Anais Galeses* estava simplesmente a conceber uma história para Artur, porquê remar contra a maré que nos traz o testemunho do que foi escrito mais perto dessa época?

A questão do papel de Modred (Medraut, n'*Os Anais*) é importante. *Os Anais* não afirmam que ele pelejou contra Artur, embora isto se tenha tornado num ingrediente essencial da lenda arturiana posterior. A *História* de Geoffrey de Monmouth apresenta provas de que ele conhecia *Os Anais Galeses* e o trabalho de Nennius, pois conseguiu incorporar no seu trabalho temas originários dessas fontes. No entanto, pouco mais sabemos sobre Modred ou sobre o seu homólogo histórico Medraut, através de qualquer fonte credível, mais antiga. Será possível que tenham existido na época de Geoffrey outros documentos, actualmente perdidos, que nos fornecessem mais informação sobre Modred, Camlann e Artur? Uma vez mais, isto reforça a sugestão de que *Os Anais* se baseiam na mais antiga história da tradição oral britânica, ou poderá levar-nos a crer que Geoffrey pode simplesmente ter preenchido as lacunas como bem lhe apeteceu, fazendo de Modred e Artur inimigos.

Apesar da informação que fornece, em sentido literal, *Os Anais Galeses* não nos facultam testemunhos sólidos da existência de Artur. Foram escritos numa data excessivamente distante para que lhe possamos atribuir valor real, e não se pode provar que o seu conteúdo tenha origem numa época mais remota. O que este documento revela ao investigador moderno é que as proezas de Artur foram consideradas suficientemente significativas pelo autor de *Os Anais*, porquanto este as inclui numa lista constituída principalmente por datas associadas aos santos e reis. É impossível sabermos agora se o autor realmente acreditava que Artur foi uma pessoa com existência real ou se ele criou apenas um contexto histórico para uma figura claramente lendária. Não sabemos sequer se este Artur era considerado um rei ou apenas um guerreiro. Contudo, o que podemos perceber é que Artur constava do documento, conjuntamente com os reis e os heróis religiosos dos Bretões e Galeses do último período da Alta Idade Média.

Nennius e *A História dos Bretões*

Outra parte do manuscrito sobrevivente que se baseia em *Os Anais Galeses* é a *História dos Bretões*. No prólogo deste texto, o autor identifica-se como Nennius, um monge britânico do século IX que viveu provavelmente em Gales e poderá ter escrito a sua *História* em 829 ou 830. A cópia mais antiga que sobreviveu até aos dias de hoje foi coligida por volta do ano 1100 – que é ainda uma data bem antiga (anterior a Geoffrey de Monmouth) para o material referente a Artur.

Tem havido um debate intenso ao longo das últimas décadas, numa tentativa de confirmar ou negar se Nennius teria sido o autor (ou, mais correctamente, o organizador) da *História dos Bretões*. O professor Leslie Alcock decidiu intitular o manuscrito que inclui este trabalho *The British Historical Miscellany* [*A Miscelânea Histórica Britânica*], e outros referiram-se-lhe pelo seu código de consulta de biblioteca: *British Museum Harleian MS 3859*, para evitar qualquer suspeita no que se refere à identidade do autor. O consenso geral é que ele provavelmente não foi o autor, mas ninguém pode ter a certeza absoluta; estes debates apenas nos vêm mostrar quão pouco se sabe de facto sobre as primeiras fontes arturianas que sobreviveram através dos tempos. Como a questão ainda está em aberto eu preferiria dar a Nennius o benefício da dúvida, e por isso continuarei a referir-me à *História dos Bretões* como sendo a síntese do próprio Nennius.

Nennius (ou o organizador ainda por identificar) afirmava ter reunido o maior número possível de excertos da mais antiga história britânica, tratando de redigi-los numa narrativa mais coesa. Ao fazê-lo, o organizador sugeriu que talvez os Bretões pudessem retirar uma lição da estupidez e da insensatez dos seus antepassados. A sua narrativa contém claramente elementos mágicos e do domínio da ficção, que ele possivelmente interpretava como verdadeiros; contudo, dir-se-ia que na *História dos Bretões* haveria história ainda bem presente ou quase. É discutível até que ponto as reminiscências incluídas na *História dos Bretões* são rigorosas; as teorias modernas sugerem que o documento é útil como fonte de informação no que respeita ao século IX, mas menos útil quando trata do período mais antigo (arturiano).

Artur figura no compêndio de Nennius com um pé em cada campo, o histórico e o lendário. A *História* diz que os Saxões eram uma praga infligida aos Bretões devido aos pecados que estes haviam cometido anteriormente (o que se aproxima muito do que Gildas escreveu), e que o líder bretão, Vortigern, foi traído pelo seu aliado saxão, Hengest. Com a traição de Hengest, o domínio dos Saxões aumentou na Grã-Bretanha, e o filho de Hengest, Octha, estabeleceu o reino saxónico de Kent. Depois, os Saxões foram sustidos pelas vitórias de um senhor da guerra chamado Artur, que combateu pelos reis britânicos. Nennius não refere Artur propriamente como um rei, mas antes como um "Líder das Batalhas" – *dux bellorum*, em latim.

Nennius fornece uma lista das batalhas de Artur, abaixo indicada, e diz-nos que todas constituíram vitórias para o seu exército; podemos inferir pelo contexto em que lista foi elaborada que os seus inimigos eram Saxões, mas não podemos ter a certeza. A primeira batalha ocorreu no rio Glein (que Nennius descreve como sendo a leste). Depois seguiram-se mais quatro batalhas, todas junto a um rio chamado Dubglas, localizado, segundo a *História*, na região de Linnuis. A batalha seguinte, a sexta de Artur, ocorreu ainda noutro rio, desta vez o Bassas. A sétima batalha deslocou-se dos rios para as florestas da Caledónia, em Cat Coed Calyddon. A fortificação de Guinnion foi o local da oitava batalha, e a *História* informa-nos que, nesta batalha, Artur transportou aos ombros (ou no escudo, dependendo da interpretação), a imagem da Virgem Maria. Guinnion foi palco de uma grande matança dos inimigos pagãos de Artur. A seguir a esta batalha, ocorreu uma outra, na Cidade da Legião, e a décima voltou a ocorrer na margem de um rio, desta vez o rio Tribruit. A décima primeira batalha de Artur ocorreu numa montanha conhecida por Agned, mas a batalha final onde Artur pelejou, e de todas a mais famosa, foi, segundo a *História*, a de Mount Badon. Neste ponto, a *História* diz que Artur matou 960 inimigos. Badon é, obviamente, mencionada por Gildas, mas na obra antiga do monge Artur não é mencionado pelo nome. Nennius informa-nos que, depois da época de Artur, os Saxões pediram reforços e novos reis à Germânia e por fim governaram a Grã-Bretanha. A *História* não diz o que sucedeu a Artur, nem menciona a sua outra famosa batalha – a de Camlann, onde, segundo a tradição (e *Os Anais Galeses*), este encontrou a morte.

Parece que a *História dos Bretões* poderá ter ido buscar a lista das vitórias de Artur a um poema bélico britânico, hoje esquecido, que lembra os grandes triunfos de Artur (todos os nomes dos locais rimam, como por exemplo Badon, Celyddon e Guinnion, e isto explicaria também por que é que a sua derrota em Camlann não figura na *História*). Muitos investigadores tentaram identificar com precisão os locais onde estas batalhas ocorreram, na esperança de que a lista apontasse para a perspectiva geográfica das campanhas de Artur. Algumas das melhores teorias são discutidas nos capítulos II e VII. Os únicos dois locais cuja identificação parece apresentar alguma solidez são a floresta da Caledónia (que será provavelmente no Sul da Escócia) e a Cidade da Legião, que, na opinião da maioria dos académicos, devia tratar-se de uma das cidades de Caerleon, York, Chester ou Lincoln. Nenhuma destas cidades (excepto, e isto com boa vontade, a cidade de York) seriam idealmente locais adequados para uma batalha numa campanha que também incluía combates no Sul da Escócia, por isso é difícil avaliar a verdade por detrás da lista, e, na realidade, o período em que a campanha ocorreu. Talvez mais importante seja o facto de a *História dos Bretões* nos mostrar que a tradição de Artur como líder de uma batalha histórica já estava a crescer em popularidade na altura em que esta foi coligida.

Contudo, a *História* diz-nos que as narrativas em torno de Artur eram agora algo mais do que meros contos sobre batalhas. Mais tarde, no mesmo manuscrito – tecnicamente não como parte da *História*, mas antes como trabalho independente, intitulado *As Maravilhas da Grã-Bretanha* –, Artur é de novo referido. *As Maravilhas* é uma compilação do folclore local, e dois excertos nela incluídos mencionam Artur. O primeiro refere um aglomerado de pedras em Buellt (Builth Wells, no Sul de Gales), tendo a pedra que está por cima a marca da pata de um cão. A marca da pata pertencia a Cabal ou Cafall, o cão do "soldado Artur", e o animal gravou a sua pata na rocha aquando de uma caçada de Artur a um javali chamado Trwyth – que também vem mencionado em *Culhwch e Olwen*. A pedra não pode ser retirada do local – se removida, aparecerá magicamente no seu lugar, ao cimo das outras pedras, logo no dia seguinte. A segunda menção a Artur n'*As Maravilhas* está ligada ao túmulo do seu filho, Amr, num local chamado Erging. Diz-se que Artur matou Amr e ali o sepultou, num túmulo encantado que mudava de dimensão de tempos a tempos. O autor d'*As Maravilhas* afirmava ter medido a sepultura em mais do que uma ocasião, tendo verificado a verdade contida nesta história improvável!

É interessante que em *As Maravilhas* Artur seja referido como "o soldado". Esta denominação reforça a ideia contida na *História*, de que Artur combate pelos reis britânicos, não sendo, contudo, ele próprio um rei. Também é interessante a referência ao javali mágico, Trwyh, que confere com a ligação em *Culhwch e Olwen,* porquanto isto aponta quase de certeza para uma outra narrativa anterior sobre Artur, que se difundiu tanto na obra *Culhwch e Olwen* como n'*As Maravilhas*. E a história ligada ao túmulo de Amr é interessante, no aspecto em que Artur aparece associado à morte de um familiar próximo – Amr poderia ser seu filho, mas talvez as histórias mais recentes, em que Artur peleja contra o sobrinho Modred, matando-o, se baseassem nesse conto popular.

Um exemplar da *História dos Bretões*, de finais do século XII ou princípio do séc XIII, tem algumas notas adicionais lançadas à margem, conhecidas por "Anotações Sawley", que referem algumas tradições diferentes a respeito de Artur, não encontradas noutras cópias do manuscrito original de Nennius. As anotações referem também que Artur foi a Jerusalém, tendo aí feito uma cruz com as mesmas dimensões das da Santa Cruz, que consagrou, e junto à qual se manteve de vigília, em oração, durante três dias. Esta cruz garantia-lhe a vitória sobre os seus inimigos pagãos, e (só para garantir melhor a coisa) ele também tinha uma imagem da Virgem Maria. Estas notas marginais voltam a enfatizar os sentimentos cristãos de Artur, e apresentam parte do contexto das afirmações feitas algures na *História*, sobre os ícones religiosos utilizados por Artur em combate. Não podemos ter a certeza se as notas à margem exprimem uma outra tradição, não registada por escrito em qualquer outra fonte que chegou até nós, ou se foram uma invenção medieval originada pela fama recente de Artur no século XII. Não obstante, houve alguém que se deu ao trabalho de incluí-las.

Os problemas relacionados com a *História dos Bretões* como fonte histórica válida são abundantes – a data do trabalho e a possível alteração do texto original que o compõe, a identidade do seu verdadeiro autor e a realidade das "pilhas de material" que serviu de base à composição da *História*, tudo é polémico. Não obstante, comparada com o trabalho de Gildas e com *Os Anais Galeses*, a *História dos Bretões* é a única fonte proveniente de um período tão remoto quanto a época de Artur que os académicos modernos poderiam considerar uma fonte histórica. Todas as outras fontes celtas que nomeiam Artur, ou foram escritas como hagiografia ou como obra literária. E nenhuma outra fonte dedica tanto espaço aos feitos de Artur como a *História*, na sua descrição da lista das 12 batalhas arturianas.

Histórias dos bardos e dos poetas

Os Bretões e os seus homólogos Celtas esforçaram-se por registar a sua própria história – talvez preferencialmente considerada pseudo-história – mas também divulgaram uma das maiores tradições mundiais do folclore e da lenda oral. Naturalmente, como salvador de última hora, Artur figurou em muitos contos celtas, mas nem sempre na pele de um guerreiro e rei heróicos.

Algumas das histórias mais significativas e mais presentes na memória são particularizadas mais à frente neste capítulo (*Os Despojos de Annwn, Culhwch e Olwen, O Gododdin*), mas há muitos mais excertos da literatura celta que referem Artur e os seus seguidores. Para além das histórias em que Artur desempenha um papel principal, existem várias outras que o referem de passagem.

O Sonho de Rhonabwy, provavelmente escrito entre 1149 e 1159, é uma dessas histórias que referem Artur de passagem. Apesar disso, por ser das mais completas, assume por mérito próprio um estatuto independente. A personagem fictícia Rhonabwy lançou-se numa missão em nome de Madog ap Maredudd, governante de Powys em meados do século XII. Rhonabwy adormeceu e numa visão, ou em sonho, deu por si a ser magicamente transportado para o passado, para o mundo de Artur, o senhor da guerra da Alta Idade Média. Era a véspera da batalha de Badon, e Artur estava no seu campo, a jogar xadrez, ou talvez damas, com outro senhor da guerra chamado Owain ab Urien. (Não imagino esse jogo, com o nome extraordinário de *gwyddbwyll*, a substituir na actualidade o *Monopólio*).

Artur não desvia a sua concentração do jogo, apesar do combate entre os *corvos* (*) de Owain e os seus próprios guerreiros, que se matam uns aos outros no campo de batalha. Ambos os líderes estão sentados a jogar placidamente o seu jogo, até que terceiros intervêm, apelando a uma trégua.

O Sonho de Rhonabwy é um texto muito curioso. A menos que a última parte do sonho, na história, fosse retirada de outra fonte, podemos ter a certeza de que a história foi inicialmente escrita em meados do século XI, época em que sabemos ter vivido Madog ap Maredudd. Isto é por si só uma oportunidade rara para datar com exactidão uma história arturiana. A história parece mostrar um mundo invertido – Artur é um líder fraco, é-nos dito que a batalha de Camlann ocorre antes de Badon, e Artur é desleixado no que respeita à morte dos seus homens e é superado por um senhor da guerra inferior, Owain. A inclusão de Owain na peça é por si só interessante – ele era um líder do Norte da Grã-Bretanha, de finais do século VI, afastado das fronteiras galesas. Talvez a história lembre alguma contenda há muito esquecida entre Artur e um outro senhor da guerra com a alta autoridade de Owain, ou talvez, como outros sugeriram, ela não passe de um exemplo bem composto da paródia medieval galesa.

Noutros exemplos da literatura celta, Artur desempenha um papel muito mais familiar. Muitas destas histórias sobreviveram apenas em manuscritos medievais, mas muitas outras remontam provavelmente a uma época mais antiga, e podem facultar-nos partes da verdade sobre a vida real de Artur, Senhor da Guerra muito estimado pelos Celtas.

The Stanzas of the Graves [As Estrofes dos Túmulos] é um trabalho em verso no Livro Negro de Carmarthen, difícil de datar com precisão. Relembra os locais onde se encontram os túmulos de figuras heróicas do passado e, conjuntamente com Gwalchmai (uma palavra arcaica para Gawain), Owain, filho de Urien, e com uma referência a Camlann, diz-se que o túmulo de Artur é "a maravilha do mundo" – querendo isto dizer que já não há memória da sua localização. Em determinada altura, provavelmente no último período medieval ou possivelmente numa data muito ante-

(*) Termo poético da Idade Média para designar os guerreiros (*N.T*)

rior, o folclore galês e a literatura começaram por admitir que Artur voltaria como salvador da nação, tal como se dizia de outros heróis nacionais. Também surgem histórias semelhantes na Cornualha, mas não existem provas concretas que nos digam em que época remota estas histórias circularam em Gales ou na Cornualha.

Um outro poema que aparece conjuntamente com *As Estrofes dos Túmulos no* Livro Negro de Carmarthen é um texto intitulado *Pa Gur* (o poema abre com uma frase cuja tradução é "Que espécie de homem é o guarda?"). Normalmente datado do século XI, *Pa Gur* é um trabalho incompleto, pois falta uma folha ao livro. Mas sabemos que o texto relata uma conversa entre Artur e Glewlwyd, o guarda; depois, apresenta uma lista das façanhas dos homens de Artur. O cerne do enredo parece ser Artur a explicar quem é ao seu próprio guarda, que não o reconhece; ao fazê-lo, Artur descreve quem são os seus seguidores e quais foram as suas maiores façanhas. É possível que este enredo tenha sido comum na Alta Idade Média e na literatura medieval celta – parte da história *Culhwch e Olwen* tinha uma trama semelhante, tal como acontecia também com o texto irlandês *A Batalha de Mag Tuired*. Numa data ligeiramente posterior, o *Macbeth* de Shakespeare pode evocar a literatura celta, pelo facto de incluir um episódio cómico que envolve um guarda. É bem possível que *Pa Gur* tivesse sido transformado num texto humorístico – a ideia de o próprio guarda de Artur (ou qualquer outro guarda) não o ter reconhecido tem aspecto de paródia. Através do rol das façanhas dos seus homens e dos seus próprios feitos, Artur é retratado neste poema como uma figura de acção lendária, envolvendo-se em tarefas sobre-humanas, combatendo inimigos encantados que adoptam feições de gente (o cavaleiro da ordem de Artur, Cei, mata as bruxas e o Gato de Palug, e há no poema várias referências a batalhas). Existem semelhanças entre as várias façanhas relatadas neste poema e os feitos dos homens de Artur noutros trabalhos, e é possível que o poema possa ter sido uma tentativa de reunir as memórias de muitos dos diferentes elementos do mais antigo folclore arturiano, que de outra forme se poderiam ter perdido. Irónico é o facto de faltar pelo menos uma folha ao poema, portanto, não sabemos que preciosidades poderíamos vir a descobrir na página seguinte.

O poema *O Diálogo de Artur e da Águia* sobrevive num manuscrito do século XIV, embora possa remontar ao século XII.

Consiste numa conversa entre Artur, que, neste trabalho, se descreve a si próprio como um bardo, e uma águia de grandes dimensões. O cenário é a Cornualha e há também referências a Artur como "Chefe dos batalhões da Cornualha" e como um "homem urso" (este título é interessante dada a tal questão em que o nome "Artur" possivelmente significaria "urso", como mais adiante se verá). Apesar da data provável deste poema, Artur não é rei na literatura posterior, embora continue a ser, obviamente, um grande senhor da guerra e um líder das batalhas – o seu estatuto na tradição celta, antes do período medieval.

Geraint, Filho de Erbin também mostra Artur no seu papel de senhor da guerra. Pretendendo contar a história da Batalha de Llongborth (provavelmente Portchester, no Hampshire), a obra *Geraint, Filho de Erbin* data pelo menos de uma época tão remota quanto o século IX, sendo talvez ainda anterior. Este facto torna-a num provecto acréscimo à literatura arturiana, e é importante para demonstrar que Artur era considerado um meritório herói das batalhas daquele tempo. Geraint era um príncipe da Dumnonia (um reino localizado na actual Devon, na Cornualha), e o poema regista a derrota do seu exército, provavelmente pelos Saxões da costa sul. O próprio Geraint figura na literatura arturiana posterior como o cavaleiro Erec, e é mencionado neste poema como sendo um grande guerreiro. Lado a lado com este grande senhor da guerra, pelejaram ainda os "bravos" de Artur, traduzidos por vezes no próprio Artur, e este é mencionado como sendo imperador, título que lhe é raramente associado.

O poema *Diálogo de Gwenhwyfar e Artur* passa-se no contexto tradicional galês do rapto de Guinevere por Melwas (como se sublinha neste capítulo em "Gildas"). Apesar das versões que sobreviveram serem datadas de uma época bastante avançada – pelo menos do século XVI – é importante notar que a referência a este acontecimento não consta apenas numa única fonte, sendo, pelo contrário, um conto suficientemente importante para figurar em múltiplas versões do folclore arturiano.

Artur é objecto de referências noutros poemas medievais galeses. Contudo, por volta do período medieval, Artur estava fortemente estabelecido como um rei heróico e cavalheiresco, mesmo na literatura galesa, e a forma como é caracterizado em poemas posteriores dificilmente se distingue do que o caracteriza nas histórias francesas e inglesas que sobre ele se escreveram na mesma era.

Uma tradução galesa da versão latina da *História dos Reis da Grã-Bretanha*, de Geoffrey de Monmouth, difere ligeiramente do trabalho original em vários pontos, provavelmente para dar conta das tradições galesas primitivas, as quais o tradutor não quereria que fossem ignoradas. Isto inclui uma alteração ao final da batalha de Camlann, e a versão galesa observa que Geoffrey não conta a história completa da batalha (embora, infelizmente, o escritor galês não a tenha aprofundado).

À margem da poesia mais rotineira do mundo celta estavam os versos curtos hoje conhecidos como tríades. O folclore celta (e a tradição poética) gostava de apresentar as coisas a três, ou em múltiplos de três – os 300, ou 363, cavaleiros do poema *Gododdin* são um bom exemplo, e a ideia de três elementos (conhecimento da história, arte poética e verso antigo) serem apanágio de um bom poeta será outro. Da mesma forma, as tríades recitavam os seus temas incluindo o número três, e eram provavelmente imaginadas como breves "memorandos" pelos historiadores da tradição oral, poetas e bardos, e aprendidas de cor para permitirem um vasto conhecimento da tradição celta. As mais antigas tríades registadas por escrito que sobreviveram até hoje foram escritas entre o século XIII e o século XV – vários séculos depois de Artur ter "feito furor" na grande tradição oral das histórias medievais; contudo, é quase certo que muitas dessas tríades, imaginadas a partir de factos ocorridos antes de a escrita se ter difundido, sejam muito mais antigas do que isso. Artur aparece ou é referido nas seguintes tríades:

Três tronos tribais da ilha da Grã-Bretanha (Artur é um príncipe da mais alta estirpe em St. Davis´s, Cellwig e Pen Rhionydd)

Três homens generosos da ilha da Grã-Bretanha (refere que Artur é mais generoso do que os três homens mencionados)

Três homens bem-dotados da ilha da Grã-Bretanha (Llachau, filho de Artur, está incluído)

Três chefes militares da corte de Artur

Três bardos frívolos da ilha da Grã-Bretanha (Artur é mencionado como sendo um deles – apesar de raramente ser referido como bardo noutros textos)

Três favoritos da corte de Artur – ou cavaleiros de batalha

Três segadores encarnados da ilha da Grã-Bretanha (Artur é nomeado como o maior dos três)

Três poderosos guardadores de porcos da ilha da Grã-Bretanha (um, chamado Drustan, manteve os seus animais em segurança mesmo quando Artur, Cei e Bedwyr tentaram roubá-los)

Três esconderijos afortunados da ilha da Grã-Bretanha (a cabeça de Bran, *o Abençoado*, sepultado em Londres, protegeu a Grã-Bretanha da invasão dos Saxões, até... veja-se a próxima entrada)

As três afortunadas revelações (Artur desenterrou a cabeça de Bran, afirmando que a sua própria força defenderia a Grã-Bretanha – obviamente, quando Artur morreu, os Saxões puderam então invadir à vontade)

Três prisioneiros exaltados da ilha da Grã-Bretanha (Artur foi encerrado numa prisão encantada, uma prisão maior do que as outras três mencionadas)

Três golpes prejudiciais à ilha da Grã-Bretanha (um deles registado como início do combate em Camlann – a batalha onde Artur perdeu a vida)

Três acções de pilhagem devastadora na ilha da Grã-Bretanha (Modred chegou à corte de Artur, serviu-se lautamente de comida e bebida, e perturbou Gwenhwyfar [Guinevere])

As três grandes rainhas de Artur

As três amantes de Artur

Três convidados sem restrições da corte de Artur

Três nobres pares da corte de Artur

Três que não podiam ser expulsos da corte de Artur

Três esposas infiéis da ilha da Grã-Bretanha (Gwenhwyfar era a mais infiel das três nomeadas, porque envergonhou Artur)

Três batalhas vãs da ilha da Grã-Bretanha (Camlann é nomeada)

Três bardos talentosos da corte de Artur

Três esplêndidas donzelas da corte de Artur

Estas tríades podem conter em si algum eco da história; talvez algumas pessoas mencionadas em relação a Artur fossem de facto suas contemporâneas. Alguns dos feitos atribuídos a Artur – roubar animais aos rivais (o roubo de gado parece ter sido uma actividade ritual e um "desporto" na Alta Idade Média), ser um "grande segador" (um grande guerreiro), e empregar bardos talentosos – possuem uma aura de verdade histórica. O facto de Artur aparecer em tantas tríades prova que ele era, na época em que as tríades começaram a ser escritas, uma personagem importante e essencial na literatura galesa e na tradição barda – os feitos de outros heróis eram muitas vezes comparados aos seus e minimizados. É provável que Artur figurasse nas antigas tríades recitadas oralmente, embora actualmente não possamos saber se ele esteve sempre presente ou se se sobrepôs a outros heróis da literatura galesa apenas durante o período medieval, quando a sua popularidade se espalhou por toda a Europa. Certamente, algumas das tríades parecem reflectir histórias popularizadas através de outras histórias francesas e inglesas, e não galesas. As tríades destinavam-se a auxiliar a memória dos antigos poetas e bardos, e parece provável que os títulos e os feitos atribuídos a Artur reflictam a importância do seu papel nos primórdios da literatura e do folclore galeses, embora sem qualquer fundamento realista quanto à sua veracidade histórica.

O estatuto de Artur neste cadinho onde se misturam o folclore e a tradição é, de certa forma, variado e geralmente fácil de identificar. Podemos supor que Artur era considerado um guerreiro – embora nem sempre o grande vitorioso das histórias medievais de cavalaria – e também um nobre. Não há tantas certezas quanto ao seu estatuto régio no grande conjunto de narrativas celtas, e a sua moral e os seus valores são muitas vezes postos em causa. É possível que isto se devesse ao crescimento da popularidade de Artur na Inglaterra medieval, que pode ter irritado os patriotas galeses, fazendo com que abandonassem e desacreditassem aquele que até então fora o seu herói nacional. Em alternativa, estas histórias galesas podem reflectir a personalidade de um líder dos guerreiros da Alta Idade Média mais realista, mais parecido com um ser de carne e osso, mais complexo do que um rei cavalheiresco unidimensional, vivendo, ao invés, como um nobre ambicioso, do género daqueles que Gildas acusava de "tiranos".

Os Despojos de Annwn

The Spoils of Annwn [*Os Despojos de Annwn*] aparece em "O Livro Taliesin", e é atribuída a este grande poeta do Norte da Grã-Bretanha. A dúvida persiste se Taliesin realmente escreveu todos os poemas que lhe são atribuídos, pois ele próprio se tornou rapidamente numa lenda, tendo-lhe sido atribuídos muitos feitos e uma grande quantidade de textos escritos sem que se tivesse questionado a sua improbabilidade. Taliesin parece ter vivido em finais do século VI, assim, se *Os Despojos de Annwn* foi realmente escrito por este grande bardo e se Artur não foi encaixado na história numa data posterior, teríamos neste documento a mais antiga referência a Artur que teria sobrevivido até aos dias de hoje.

Em *Os Despojos de Annwn,* Artur, o bardo Taliesin e os guerreiros de Artur iniciaram uma expedição ao Outro Mundo, com a intenção de trazer um caldeirão mágico ao qual chamavam "a Cabeça de Annwn". Dizia-se que este caldeirão era o caldeirão dos heróis, e que a comida de um cobarde nunca aqueceria ou ferveria em tal recipiente mágico. A expedição foi um desastre – de três navios repletos que Artur enviou na sua expedição ao Outro Mundo, apenas regressaram sete guerreiros.

A localização desse tal Outro Mundo misterioso tem vindo a ser objecto de debate entre muitos investigadores: tem sido interpretada como o Inferno (o que, é claro, apenas é relevante se a história for lida com o sentimento cristão), a Fortaleza das Fadas (uma fortaleza encantada no mundo fantástico dos gnomos) e a Fortaleza de Vidro (que pode ser interpretada como Avalon – para onde partiu Artur com os seus ferimentos mortais). Contudo, a Irlanda é uma outra possibilidade; Artur necessitaria, é claro, de navegar através do mar da Irlanda para alcançar a ilha com o mesmo nome e *Os Despojos de Annwn* partilha alguns traços comuns com *Culhwch e Olwen,* nomeadamente numa das tarefas de Artur e Culhwch na Irlanda. De forma algo curiosa, a *História dos Bretões,* de Nennius, relata uma história sobre um bando de guerreiros hispânicos que, ao cruzarem o mar para atacar a Irlanda, deparam com uma torre de vidro no meio do mar e perdem 29 dos seus 30 navios ao atacá-la. Esse local poderia tratar-se talvez da Ilha de Man ou das Ilhas Scilly, ou de uma parte da própria Irlanda, podendo haver uma lenda popular comum que identificasse o Outro Mundo com a Fortaleza de Vidro.

Caso *Os Despojos de Annwn* tenha sido escrito por Taliesin, o documento data de finais do século VI, o que o torna numa referência muito antiga a Artur. Este trabalho também situa Artur num ambiente sobrenatural e mostra quão cedo o seu nome começou a destacar-se dos seus feitos históricos. A trama central de *Os Despojos de Annwn* é provavelmente ainda anterior ao século VI, talvez ainda antecedente à invasão romana da Grã-Bretanha. Podemos supô-lo porque a história reflecte o tipo de aventuras evocadas no mais antigo mito celta (e no romance medieval, na sua forma mais sacra da demanda do Graal): a demanda de um caldeirão. Se for o caso, é bem possível que Artur aparecesse como substituto de um herói mais antigo, de quem já não há memória. O conto em a *História dos Bretões*, do bando de guerreiros hispânicos que atacam a torre de vidro, vem, de algum modo, sustentar esta teoria.

Os Despojos de Annwn é um texto curioso na medida em que mostra Artur a ser derrotado como guerreiro; outras histórias mais antigas apresentam-no por vezes como um guerreiro derrotado ou até ridicularizado por um santo, mas raramente ouvimos, na literatura mais antiga, qualquer referência a uma derrota tão esmagadora do seu exército.

Culhwch e Olwen

Culhwch e Olwen foi provavelmente escrito em Gales no início do século XII, pouco depois de Geoffrey de Monmouth ter colocado Artur num pedestal na sua *História dos Reis da Grã-Bretanha.* Mesmo que esta lenda galesa tenha sido inicialmente escrita nesta data, é muito provável que evoque uma ou mais histórias muito mais antigas. *Culhwch e Olwen* sobrevive actualmente em dois manuscritos diferentes: o "White Book of Rhydderch" [O Livro Branco de Rhydderch] (com data aproximada ao ano de 1350), e o "Red Book of Hergest" [O Livro Vermelho de Hergest] (datado aproximadamente entre 1385 e 1410). Como muitas outras narrativas da literatura galesa, *Culhwch e Olwen* é uma das mais completas e extensas histórias dessa época remota, e, como tal, merece ser tratada independentemente das outras histórias contadas pelos bardos e poetas.

Aparentemente, o autor de *Culhwch e Olwen* teria tentado reunir muitas histórias tradicionais galesas, enumerando muitas personagens heróicas e muitos locais e entrelaçando-os numa história consistente. Em algumas partes, a história assemelha-se mais a uma lista de heróis galeses importantes e dos feitos que os tornaram famosos. Não obstante, listas extensas como esta eram comuns na literatura galesa medieval, portanto, o escritor pode apenas ter seguido os padrões convencionais.

Essencialmente, a história original galesa é como se segue: um chefe chamado Cilydd ap Celyddon Ledig e a sua mulher Goleuddydd tiveram um filho, mas Goleuddydd enlouqueceu quando estava grávida e recusava-se a entrar em qualquer casa. Na sua vida errante, deu à luz numa pocilga; como seria de esperar, sendo louca, decidiu chamar ao seu filho recém-nascido Culhwch, cujo significado é "pocilga".

Goleuddydd morreu pouco depois do nascimento do filho, e Culhwch foi criado pelo pai. Culhwch era de sangue azul e primo de Artur, e transformou-se num jovem ilustre, por isso, quando o seu pai voltou a casar e a sua madrasta o convocou para a corte, ele naturalmente fez-lhe a vontade. A razão desta convocação por parte da madrasta era uma tentativa de casar Culhwch com a sua filha, o que Culhwch recusou. Então, a madrasta lançou-lhe uma maldição, afirmando que ele nunca haveria de ter mulher enquanto não conseguisse conquistar o coração de Olwen, a filha do terrível gigante Ysbaddaden. O pai de Culhwch, Cilydd, sugeriu ao rapaz que ele devia visitar a corte do seu primo Artur, e assegurar assim a sua ajuda para conquistar o coração de Olwen. Após ter escutado o pai e reconhecendo que este lhe dava um bom conselho, Culhwch decidiu visitar o seu novo primo.

Após ter chegado à corte de Artur, Culhwch teve que persuadir o guarda a deixá-lo entrar (o diálogo com um guarda difícil figurava frequentemente na literatura britânica da época, e talvez se impusesse para parodiar a atitude e o papel do guarda). Uma vez ultrapassada esta dificuldade, Culhwch conseguiu uma audiência com Artur e explicou a maldição que lhe fora lançada pela madrasta. Culhwch lembrou a Artur que eram primos, e que estava determinado a conquistar o coração de Olwen, a filha do gigante.

Ao fazê-lo, Culhwch lisonjeia Artur mostrando ter conhecimento do seu poder e heroísmo e citando os nomes de todos os seus guerreiros (que, segundo *Culhwch e Olwen* eram mais de 250) e pedindo ajuda para a sua missão.

Artur ouviu a história de Culhwch, e jurou ao primo que o ajudaria a completar a tarefa, pondo ao seu dispor tudo o que podia; tudo, à excepção dos seus bens mais preciosos. Estes bens eram: a sua embarcação (não nomeada nesta história mas conhecida em todas as outras por Prydwen), a sua armadura, a sua espada, Caledfwlch, a sua lança, Rhongomyniad, o seu escudo, Wynebgwrthucher, o seu punhal, Carnwennan, e, por fim, o último, mas presumivelmente não menos importante, a sua mulher Gwenhwyfar (Guinevere)

Como Artur concordara em ajudar o primo, destacou seis dos seus guerreiros para o ajudarem a encontrar Ysbaddaden: enviou Bedwyr (mais tarde tornado famoso como Bedivere), Cai (que, mais tarde se tornaria Kay), Gwalchmai (uma forma arcaica para Gawain), Cynddylig, Gwrhyr e Menw. Durante muitos meses, os companheiros não conseguiram localizar Ysbaddaden, o gigante, pai de Olwen, mas, por fim, encontraram um pastor chamado Custennin. Este conhecia bem Ysbaddaden – o gigante tinha assassinado 23 dos seus filhos. Apesar disso, a mulher de Custennin conhecia Olwen e tinha com ela uma relação amistosa, e convidou a filha do gigante para ir à sua cabana. Quando Olwen chegou, revelando-se espantosamente bela, foi apresentada a Culhwch. Olwen explicou que só podia casar-se com a bênção do seu pai, coisa que jamais conseguiria, porque Ysbaddaden estava destinado a morrer quando a filha se casasse.

Mesmo assim, Culhwch foi ter com Ysbaddaden três vezes, para pedir a bênção do gigante para se casar com Olwen. Em todas as ocasiões o gigante cruel tentou matá-lo, mas Culhwch conseguiu sempre enganar a morte. À terceira ocasião, Ysbaddaden impôs a Culhwch uma série de 40 missões impossíveis, que este seria obrigado a completar antes de o gigante lhe dar a mão da filha em casamento.

Com a ajuda de Artur e dos seus guerreiros, Culhwch levou a cabo as 40 missões impossíveis; *Culhwch e Olwen* fornece apenas os detalhes de cerca de dez. Contudo, Culhwch (ou por vezes Artur ou os seus homens) cumpriram-nas todas. A principal tarefa descrita envolve uma caçada ao javali mágico, Trwyth, uma história associada a Artur numa obra tão remota quanto a *História dos Bretões*, de Nennius, no século IX. Foi sugerido que esta história pode aludir vagamente a um conflito militar entre o Artur histórico e um outro senhor da guerra cujo nome era "The Boar" [O Javali]. Outro dos actos do próprio Artur foi ter morto a Bruxa Muito Negra com a sua faca, depois de uma tentativa falhada por parte de alguns dos seus guerreiros. Outra das tarefas impostas por Ysbaddaden, muito semelhante à narrada em *Os Despojos de Annwn*, estava relacionada com a demanda de um caldeirão mágico na Irlanda, onde seriam cozinhadas as iguarias para a festa de casamento. É bem possível que as histórias *Culhwch e Olwen* e *Os Despojos de Annwn* tivessem sido posteriormente adaptadas para associar a lenda de Artur à lenda independente do Santo Graal. Em *Culhwch e Olwen,* para obter o caldeirão, Artur teve que pelejar com Diwrnach e contra os exércitos da Irlanda; aqui, Artur tem mais sucesso do que na outra missão desastrosa lembrada em *Os Despojos de Annw*. Com a ajuda do seu primo Artur e dos seus guerreiros, entre os quais Cai e Bedwyr, Culhwch conseguiu finalmente cumprir com sucesso os 40 trabalhos. Apesar da sua crueldade, Ysbaddaden foi fiel à sua palavra e permitiu que Culhwch se casasse com a sua filha; Goreu, um dos seguidores de Artur, cortou a cabeça ao gigante e levou-a para o forte, cumprindo a profecia da cabeça do gigante. Uma vez completas as obrigações de Artur para com o seu primo, ele e os seus homens partiram, e Culhwch e Olwen tornaram-se marido e mulher.

Nesta história, o papel de Artur assemelha-se muito mais ao das histórias medievais inglesas e francesas (destacadas no capítulo III): apesar de Artur ter participado nalgumas tarefas, a maior parte da acção recai sobre os seus guerreiros, especialmente Cay e Bedwyr. Isto pode reflectir a recolha das histórias populares inglesas e francesa dos escritores medievais, ou talvez sugira que o autor de *Culhwch e Olwen* reuniu muitas histórias já esquecidas sobre outros heróis (que viriam a tornar-se parte da lendária corte de Artur) e as reorganizou de modo a poderem encaixar na narrativa arturiana. Se a última hipótese estiver correcta, existem três partes integrantes da história exclusivamente relacionadas com Artur: a lista dos seus bens, a lista das fabulosas missões que levou a cabo, e a extensa lista de guerreiros evocados como elementos da sua corte. Ao identificar estas partes, talvez possamos ver nelas parte das primeiras histórias lendárias de Artur, a brilhar através dos séculos.

The Gododdin

Frequentemente descrito como "o mais antigo poema escocês", a verdadeira origem histórica de *The Gododdin* são os reinos decadentes do Norte da Grã-Bretanha do século VII: do ponto de vista geográfico, o poema pode ser escocês, mas culturalmente é muito mais do domínio da literatura britânica.

The Gododdin é um lamento; conta a história de um grupo de guerreiros britânicos que cavalgam para a morte enfrentando os Saxões, seus inimigos. Calculamos que se baseie num acontecimento histórico. Tendo-se preparado no salão nobre do rei Mynyddog Mwynfawr, do reino de Gododdin, no Norte da Grã-Bretanha, nas imediações de Edimburgo, a festejar e a beber hidromel para celebrarem a batalha gloriosa que se avizinha, os cavaleiros, cobertos de jóias e envergando ricas armaduras, cavalgam para enfrentar os seus inimigos saxões. Já não se sabe em que local ocorreu a batalha, mas muitos académicos acreditam ter ocorrido num antigo local romano, em Catterick, a norte do Yorkshire (ainda hoje uma base militar). A batalha terá sido por volta do ano 600, apesar de não existir nenhuma outra fonte a confirmá-lo.

Embora os guerreiros britânicos tivessem sido derrotados – aliás, aniquilados – o poeta conta-nos que pelejaram com valentia, e elogia muitos individualmente pelos seus feitos ilustres. Entre os feitos gloriosos dos britânicos consta um, de um guerreiro com o belo nome de Gwawrddur, que, segundo o poeta, "alimentou abundantemente os corvos negros pousados na muralha do forte, mesmo não sendo nenhum Artur".

Então, o que significa este estranho e breve excerto? Basicamente, apesar do facto de Gwawrddur ter morto muitos inimigos (alimentar os corvos era uma expressão poética da Idade Média para designar uma autêntica matança como a referida), ele não era um cavaleiro tão magnífico quanto Artur. Isto implicava que quando o poema fosse recitado para um público, esta ficaria a conhecer Artur como um grande guerreiro.

Por esse motivo, na época em que o poema se desenvolveu, o seu nome devia ser sinónimo de vitória nas batalhas e Artur devia ser conhecido nos reinos do Norte da Grã-Bretanha (se não também nos do Sul). Doutro modo, não faria sentido comparar os talentos de outro guerreiro aos seus. O que o poema não nos conta é se Artur estava vivo na altura, ou se não passava de uma lembrança vinda de um passado distante.

O problema com esta frase em *The Gododdin*, e com o poema em geral, é que o seu registo escrito chegou até nós em duas versões, ambas inscritas no *Livro de Aneirin*, de finais do século XIII. Uma das versões é mais longa e parece estar mais bem organizada, contudo, a outra parece ser mais antiga. Isto sugere que o texto adicional poderia ter sido intercalado a qualquer altura entre a data da batalha (600) e os finais do século XIII, embora o estilo de linguagem sugira que ele já constava pelo menos no século X ou XI. O poema original é quase de certeza muito anterior a esta data, e provavelmente remonta ao período imediatamente após à batalha que descreve; até ter sido registado por escrito, o poema teria feito parte da rica tradição oral própria da *História dos Bretões*. Apesar de a sua autoria ser frequentemente atribuída ao famoso bardo Aneirin, não podemos saber ao certo se foi ele realmente o autor, mas faz sentido que o poema esteja datado do século VII.

Se interpretarmos *The Gododdin* num sentido literal, o poema diz-nos que os Bretões – pelo menos os Bretões do Norte – consideravam Artur um guerreiro famoso, cujos feitos de batalha deviam servir como termo de comparação para os feitos dos outros guerreiros. Também devemos reconhecer que isto aconteceu numa época suficientemente remota para que tivessem sido registados os feitos de um guerreiro num poema criado pouco depois de uma batalha bastante importante, ocorrida por volta do ano 600, embora isto dependa bastante da altura exacta em que o poema foi registado em manuscrito.

As *Vidas* dos santos

As *Vidas* dos santos não são uma mera compilação de hagiografia; *Vidas* é o termo usado para um estilo de histórias eclesiásticas celtas, transmitidas oralmente, talvez em grande parte baseadas em factos históricos. Muitas das *Vidas* foram inicialmente escritas antes de Geoffrey de Monmouth ter redigido a sua famosa *História* – o livro que lançou as façanhas de Artur na literatura europeia – e apresentam uma imagem ligeiramente distorcida de Artur quando comparadas com os posteriores romances ingleses e franceses mais famosos.

Artur figura nas histórias de muitos dos antigos santos galeses, narrativas com uma amplitude de datas tão abrangente que é impossível que todas elas sejam verdadeiras. Não obstante, os autores de várias *Vidas* de santos consideraram apropriado misturar Artur nas vidas dos santos sobre os quais decidiram escrever.

Em *A Vida de Santo Illtud*, Artur é mencionado como sendo primo de Illtud. O próprio Illtud era um grande guerreiro no seu tempo, e decidiu visitar o seu primo para observar a casa senhorial de um herói tão famoso como Artur. Illtud zarpou da Bretanha, e ficou impressionado com a hoste de guerreiros de Artur e com a generosidade do rei. Também é evocado como um dos guerreiros de Artur.

São Carannog era natural da região galesa de Ceredigion, mas aventurava-se frequentemente para outras paragens. *A Vida de São Carannog* conta-nos como, numa dessas viagens ao estuário do Severn, o santo conheceu Artur, que governava a região (talvez em conjunto com outro rei chamado Cadwy). Artur tentava caçar um dragão que devastara parte do seu reino, e Carannog ajudou o rei a encontrar o dragão. Quando Carannog enfrentou a besta que vomitava chamas, esta curvou docilmente a cabeça, reconhecendo nele o poder de um servo de Deus. Ordenou então ao dragão que partisse, e que no futuro deixasse de causar dano ao reino de Artur. Em troca, este garantiu novas terras a Carannog, nas quais o santo construiu uma igreja e um mosteiro.

A *Vida de Santo Euflamm* apresenta Artur em combate com um dragão e a história é muito semelhante à que descreve os feitos meritórios de São Carannog. Esta história situa-se na Bretanha, onde, segundo nos dizem, Artur foi à caça de monstros para matar. Armado com uma moca e um escudo coberto com uma pele de leão, Artur lutou contra o poderoso dragão durante um dia inteiro, e, embora tivesse vantagem, não conseguia desferir-lhe um golpe mortal. Sendo a matança de dragões um trabalho que provoca alguma sede, Artur foi em busca de água antes de terminar a luta.

Incapaz de encontrar uma gota que fosse, foi ajudado por Euflamm, que orou para que Deus lhe garantisse a água. Milagrosamente, a água brotou de uma rocha e Artur recuperou o ânimo; pediu também ao santo que o abençoasse, o que Euflamm fez. Por fim, o próprio Euflamm derrotou o dragão através do poder da oração, poupando Artur – o herói de Cristo – a esse trabalho. Contudo, nem todas as *Vidas* santas são tão obsequiosas para com Artur. Por exemplo, na *Vida de São Padarn*, o santo está na igreja quando Artur, descrito como um tirano, entra. Como já foi mencionado, é possível que o termo "tirano" descrevesse simplesmente um rei (talvez um rei menor) na Alta Idade Média. Artur aprecia particularmente a túnica que Padarn está a usar – uma peça de vestuário que, ao que parece, tinha sido dada ao santo homem em Jerusalém – e exige que este lha dê. Padarn recusa, e Artur parte furioso. Quando volta, tendo já decidido que a túnica haveria de ser sua custasse o que custasse, Padarn alvitra que a terra devia tragá-lo, e, veja-se o prodígio, a terra traga-o, mesmo até ao queixo. Isto, compreensivelmente, põe Artur a reflectir sobre o assunto, e desculpa-se perante Deus e Padarn, pedindo perdão pela sua cólera e cobiça. O perdão é-lhe concedido e Artur leva Padarn como seu patrono, partindo como melhor homem.

Na *Vida de São Cadog*, Artur intervém numa contenda entre dois reis rivais, mas não é retratado favoravelmente. A filha de um dos reis, o rei Brychan, fora raptada por uma força de 300 homens pertencentes ao seu rival, um rei chamado Gwynllyw. Na fronteira entre os dois reinos, seguiu-se uma batalha, e os homens de Gwynllyw foram bastante maltratados, tendo sofrido 200 baixas. Gwynllyw escapou, mantendo ainda presa a filha de Brychan, e dirigiu-se a Artur, Cei e Bedwyr, que estavam sentados no cume de uma montanha a jogar aos dados. Artur foi tentado a matar Gwynllyw e a violar a rapariga, mas Cei e Bedwyr lembraram-lhe que era seu dever socorrerem os aflitos (provavelmente uma referência à ideia que agora florescia, surgida em França, da cavalaria da corte de Artur). Artur interroga Gwynllyw quanto à natureza da disputa e depois pergunta em que terras se encontram eles naquele momento. Quando Gwynllyw lhe diz que estão no seu reino, Artur, Cei e Bedwyr passam a apoiar a sua causa, derrotando Brychan a permitindo que Gwynllyw roube a filha do seu rival para se casar com ela – sendo Cadog o seu primeiro filho. Esta história é bastante curiosa, pois Artur tenta intervir em nome da justiça, contudo acaba por ajudar a facção errada.

Artur reaparece mais tarde na *Vida de São Cadog*. Um homem chega ao mosteiro de Cadog, pretendendo a imunidade de santuário, pois tinha morto três dos guerreiros de Artur. O fugitivo ficou com Cadog durante sete anos, até que, por fim, Artur o encontra, dizendo a Cadog que o direito de santuário não podia ser concedido por um período tão longo. Numa conferência, ficou decidido que Artur teria direito a cem vacas, como indemnização pela morte dos seus guerreiros; de forma arrogante, Artur decretou que as vacas teriam que ser encarnadas à frente e brancas atrás, caso contrário não as aceitaria; com intervenção divina Cadog conseguiu encontrar uma centena de animais com essas características, e entregou-os a Artur no vau de um rio. Quando os guerreiros de Artur avançaram para reunir o gado, cavalgando à sua volta, os animais transformaram-se em molhos de fetos e desapareceram na água. Artur foi obrigado a admitir que o santo o derrotara e concordou que devia ser cedido santuário por mais sete meses e sete dias.

A *Vida de São Gildas* (é verdade, o fulano mal-humorado que apareceu anteriormente neste capítulo tornou-se santo) também é bastante condenatória para Artur. A sua *Vida* explica que ele foi contemporâneo de Artur, descrito como o rei de toda a Grã-Bretanha. Embora Gildas fosse leal para com o seu rei, os seus irmãos (23, ao todo) pelejaram contra Artur, recusando-se a aceitá-lo como rei. Huail, o irmão mais velho de Gildas, vencia muitas vezes Artur em combate, mas numa ocasião Artur perseguiu-o até à Ilha de Man, onde o assassinou. Depois de ter sabido destas notícias, Gildas viajou de novo da Irlanda (onde estivera a estudar) para a Grã-Bretanha, e perdoou Artur pelo assassínio de Huail. Uma outra tradição galesa evoca o desfecho de a *Vida* de Gildas de modo ligeiramente diferente, sugerindo que o santo nunca perdoou a Artur, tendo, ao invés, deitado fora todas as referências das descrições dos grandes feitos de Artur, o que explicaria a ausência das mesmas em qualquer texto histórico.

Um outro capítulo da *Vida de Gildas* explicava que a cidade de Glastonbury fora sitiada por Artur. Este fizera-o porque um dos seus habitantes, o rei Melwas, violara Gwenhwyfar (Guinevere) e levara-a como refém para Glastonbury. Artur reuniu os exércitos da Cornualha e de Devon, e só quando o abade de Glastonbury interveio (com a ajuda de Gildas) é que a situação se resolveu. Este episódio, juntamente com a morte de Huail, mostra que Artur era considerado uma figura bastante agressiva e belicosa, e na hagiografia de Gildas é retratado desfavoravelmente.

As principais características dos papéis centrais de Artur e aparições em as *Vidas* dos santos são significativas, independentemente da autenticidade histórica dos contos. Em primeiro lugar, Artur é uma personagem complexa, com muito mais dimensões do que a da sua encarnação posterior na cavalaria medieval; em muitas das *Vidas*, Artur vive mais como um nobre ambicioso do que como as personagens históricas que Gildas criticou e tipificou como "tiranos". Talvez Artur seja uma personagem representativa da atitude dos reis britânicos na Alta Idade Média, usando para isso o seu nome e a sua fama, mas sem quaisquer traços pessoais da verdadeira psicologia de Artur, do ponto de vista histórico. Ele entra muitas vezes em desavenças com os santos, e é invariavelmente superado por estes, mais inteligentes – esta encarnação de Artur não é das mais espertas. O Artur que aparece em *Vidas* é um guerreiro e um líder, mas nem sempre parece ser um rei; é certo que ele participa nos passatempos dos nobres, mas o seu verdadeiro estatuto raramente é referido. Talvez os autores das *Vidas* esperassem que o seu público conhecesse de antemão o estatuto de Artur, ou talvez o mantivessem deliberadamente como uma figura indefinida para evitarem que oprimisse os verdadeiros heróis das *Vidas* – os próprios santos. Seja qual for a razão por detrás da descrição de Artur, as *Vidas* dos santos realçam uma vez mais a ideia de que Artur se tornara num ingrediente ansiado por quase toda a tradição oral celta. Apesar das discrepâncias óbvias no que respeita às datas e talvez ao seu verdadeiro papel, havia um público que conhecia o seu nome e reconhecia o seu significado – Artur era o símbolo do poder do guerreiro. Talvez o Artur descrito nas *Vidas* dos santos se aproxime mais da verdadeira personalidade de um Artur histórico do que a personagem que podemos encontrar em quaisquer outros documentos – se Gildas disse a verdade ao tipificar um líder da Alta Idade Média, existem traços semelhantes bem reflectidos nessas histórias hagiográficas.

Histórias dos Bretões da Bretanha

As histórias dos Bretões da Bretanha sobre Artur preenchem uma lacuna literária entre o Artur dos escritores medievais ingleses e franceses e o dos escritores do mundo celta. Nos séculos V e VI, a Bretanha – pequena Grã-Bretanha – acolheu muitos emigrantes bretões (da Grã-Bretanha), que emigraram das suas pátrias para estabelecer uma nova base de poder continental. Levaram consigo a sua história social e cultural – e nesta altura, ou um pouco mais tarde, Artur passou a figurar nas suas histórias populares.

A ideia de Artur como um "Rei do Passado e do Futuro" – a noção de que ele voltaria um dia – pode ter tido origem nas histórias da Bretanha e a *Lenda de São Goeznovius* incluía partes de uma história ainda lembrada para sugerir que Artur libertara faixas de território do domínio dos Saxões, no século V. As primeiras histórias da famosa Távola Redonda de Artur também podem ter tido a sua origem nesses territórios (o escritor medieval Wace afirmava ter ouvido falar pela primeira vez da Távola Redonda nas histórias populares da Bretanha) e vários lais do século XII (um lai era um tipo de canção) narravam algumas das mais fabulosas histórias sobre Artur, sobre os seus feitos e o seu regresso da morte no futuro.

Não sabemos se essas histórias da Bretanha se desenvolveram independentemente das histórias arturianas narradas nas Ilhas Britânicas ou se registam material arturiano adicional, há muito perdido nas Ilhas.

De forma significativa, o Artur da Bretanha tem mais em comum com o Artur do romance medieval do que com o senhor da guerra do folclore celta britânico. Isto pode, em última análise, ter fornecido o trampolim para tornar o herói da cultura celta no herói de toda uma época, permitindo aos poetas anglo-normandos e franceses da era medieval o acesso a essas histórias arturianas. Os poetas e os bardos errantes traduziram as histórias dos Bretões da Bretanha para uma linguagem mais familiar e adequada às cortes anglo-normandas e francesas, e, sem esta intersecção, é bem possível que Artur tivesse acabado como mais um obscuro herói celta, cujo nome raramente consta no mundo moderno.

Figuras históricas que se tornaram parte da lenda

Muitas personagens que se tornaram perfeitamente conhecidas na lenda arturiana romântica tiveram as suas origens nos primórdios da história britânica, e muitas dessas personagens constaram inicialmente lado a lado com Artur nas histórias populares dos Celtas, antes de serem absorvidas pelo ciclo lendário do rei todo-poderoso. Tal como acontece com a figura de Artur, as lendas que surgiram posteriormente em torno do nome de alguém historicamente comprovado não se baseavam necessariamente em histórias factuais – os contadores de histórias podem simplesmente ter ido buscar o nome de uma figura histórica bem conhecida para nela basearem o enredo de uma história popular. Estas figuras ficaram provavelmente associadas a Artur porque este era o "grande nome", o nome do mais querido de todos os heróis celtas pseudo-históricos.

Owain, famoso nas lendas arturianas mais recentes, tal como Ywaine (e Ivan e Iwein), existiram de facto. Era filho e sucessor de Urien, rei do reino de Reghed, no Norte da Grã-Bretanha, e foi glorificado juntamente com seu pai por terem feito recuar os Saxões em finais do século VI. Owain provavelmente morreu em 604, e num dos muitos poemas atribuídos a Taliesin, sobre as campanhas de Rheged, Owain é descrito como o que matou o rei saxónico Fflamddwyn (provavelmente Teodorico). O pai de Owain, Urien, viria também a tornar-se uma personagem da lenda arturiana.

O feiticeiro e conselheiro de Artur, Merlin, parece ter sido inspirado num bardo do século VI, chamado Myrddin, como se referiu neste capítulo.

Tristão e o seu tio, o rei Mark, por si só famosos na sua própria história medieval e depois incluídos na lenda arturiana, podem ser identificados como Drustanus e seu pai, Cunomorus (conhecido também, noutras fontes, como Marcus), imortalizados numa pedra com uma inscrição perto de Castle Dore, na Cornualha. Não obstante, pouco mais se sabe sobre estas duas personagens históricas, e houve quem defendesse um Drust (ou Drystan) natural do Norte e provavelmente picto.

Geraint, herói da Batalha de Llongborth, mencionado algures neste capitulo, evoluiu para Erec, um cavaleiro medieval do romance arturiano, e Peredur, o rei britânico de York que morreu em 580, acabou por ficar famoso como Percival, na lenda arturiana.

Nota de rodapé significativa da integração de figuras históricas na lenda arturiana é que a maioria – se não praticamente todas – viveu nos finais do século VI, e tem fortes ligações com os reinos britânicos do Norte. Talvez estes povos tivessem sido contemporâneos de um Artur de carne e osso, combatendo a seu lado e filtrando gradualmente do folclore e da história oral as lendas que emergiram em torno de Artur nos séculos seguintes.

CAPÍTULO V

A LENDA DO REI ARTUR

Esta é a história do nosso rei do passado e do futuro, o nobre e valoroso Artur. Muitos já contaram esta história no passado, ao longo de mais de mil anos, e outros a contarão ainda muito para além da nossa era.

Esta é uma versão moderna, e inclui algumas das histórias mais extraordinárias incluídas nas lendas de Artur e dos seus cavaleiros. Foram escritas muitas mais histórias, mas não foram incluídas nesta narrativa, pois uma versão que englobasse toda a lenda resultaria só por si num livro muito mais extenso do que este. As histórias que aqui vão ser lidas não serão contadas na sua forma mais pura – esta narrativa absorve e combina muitas influências das versões celtas, medievais e outras versões mais recentes da lenda. O leitor poderá informar-se sobre as histórias mais tradicionais nos capítulos três e quatro.

Uma terra sem rei

Há muitos séculos, no espaço de uma vida após a debandada dos Romanos das costas da Grã-Bretanha, mas muito antes dos dias de hoje, esta nação era um lugar sombrio para se viver.

Procedendo a incursões no interior, longe dos fortes costeiros que os tinham mantido afastados no passado, os terríveis Escoceses, os Pictos com o corpo pintado e os Saxões cobertos de peles aterrorizavam os Bretões, deixando os seus duques quezilentos e preguiçosos impotentes para reagir. Um nobre, descendente dos Romanos, fez frente a estas incursões bárbaras. O seu nome era

Ambrosius. Ambrosius passou a fio de espada inúmeros bandos de guerreiros saxões, e forçou a debandada dos Escoceses e dos Pictos de volta aos seus territórios. Quando Ambrosius foi morto por um assassino saxão, o seu irmão Uther continuou a enfrentar os inimigos dos Bretões, e, por fim, a todos impôs a paz, tornando-se Rei dos Reis entre todos os outros reis Britânicos.

Uther Pendragon – o "Principal Dragão" da ilha – era um homem rude, mas um rei forte. Não só tinha que enfrentar as ameaças estrangeiras, mas também a dos Bretões rebeldes. Com o auxílio de um grande exército e de um velho e sábio conselheiro chamado Merlin, Uther levou a paz aos territórios da Grã-Bretanha, à excepção da extremidade sudoeste da ilha, onde o duque da Cornualha questionava, ruidosa e violentamente, o direito de Uther a reinar.

Uther obrigou os seus exércitos reais a marcharem para os campos austeros da Cornualha – um território outrora habitado pelos gigantes que povoavam a Grã-Bretanha antes da chegada da humanidade – e montou cerco ao duque insurrecto no seu castelo de Tintagel. Tintagel era um promontório costeiro e rochoso, impenetrável, a não ser por uma passagem por água que o duque fortificara tão solidamente que os guerreiros de Uther não podiam tomar o castelo de assalto. Montado o cerco, os homens de Uther acamparam no lado de fora, alimentando-se à base de infusões de hidromel e sempre vigiados pela guarnição do duque. Uther passou muitos dias a observar a fortaleza de Tintagel, magicando como poderia o seu exército forçar a entrada. Numa manhã, o seu olhar atento deparou com um rosto numa das janelas do forte. Era o rosto da bela Igraine, mulher do duque da Cornualha. O desejo de Uther sobrepôs-se à sua ânsia de vitória e apelou ao seu sagaz conselheiro, Merlin. Uther pediu-lhe que fizesse com que Igraine se tornasse sua mulher, sabendo que Merlin poderia recorrer às antigas artes mágicas para esse fim. Merlin ponderou este pedido durante algum tempo e, por fim, concordou em ajudar Uther – com uma condição. Na sua impaciência, Uther concordava com qualquer exigência de Merlin, mal atentando nas profecias do velho, que vaticinavam que, do seu primeiro encontro, haveria de nascer uma criança e que essa criança teria que ser entregue a Merlin ao nascer. Uther fez sinal a Merlin para que se fosse embora, com a mente apenas concentrada no seu encontro com Igraine, que não tardaria.

No crepúsculo, Merlin voltou para junto de Uther e persuadiu--o a beber uma poção que acabara de preparar – uma poção mágica que alteraria a aparência de Uther, de modo a que este assumisse as feições do duque rebelde. Nesse momento, ou por sorte ou por vontade de Merlin, o duque da Cornualha decidiu sair intempestivamente do castelo, numa tentativa de quebrar o cerco de Uther. Com a aparência do duque, Uther entrou no castelo e deitou-se nessa noite com Igraine, que julgou tratar-se do seu marido. Ao mesmo tempo, a surtida do duque falhou miseravelmente, e este sofreu uma morte sangrenta na ponta das lanças do exército de Uther. Os guerreiros de Uther forçaram os sobreviventes do exército da Cornualha a voltarem para o interior do castelo de Tintagel, perseguindo-os com tamanha persistência que o castelo capitulou na manhã seguinte. Com Tintagel nas mãos dos homens de Uther, o rei confessou a sua verdadeira identidade a Igraine, e como que para confirmar a história, enquanto falava a poção ia perdendo o efeito, devolvendo ao corpo a sua aparência. Mostraram a Igraine o corpo aniquilado do marido, e a subjugação da Cornualha ficou concluída quando Uther tomou pela força a mão de Igraine em casamento.

Nove meses depois, como Merlin vaticinara, a nova rainha deu à luz uma criança. O primeiro e único acto de Igraine na qualidade de mãe foi dar à criança o nome de Artur. Antes da chegada de Uther para ver o filho, Merlin agarrou nele e levou-o para as montanhas bravias de Gales.

Pouco depois da fuga de Merlin com o menino, Uther caiu enfermo. Os médicos mais prestigiados do reino cuidaram do rei, mas, sem a inestimável orientação de Merlin, ninguém podia fazer nada senão ver Uther morrer lentamente. As notícias de que o rei jazia num estado de debilidade espalharam-se por toda a parte, e veio a provar-se que eram verdadeiros os rumores de que os Saxões, Irlandeses e Pictos estavam a concentrar-se em força. Num murmúrio rouco, Uther deu a sua última ordem – enviando o exército real para derrotar os bárbaros. Apoiados pelo poder do exército de Uther, os senhores britânicos que zelavam pelos territórios fronteiriços infligiram um ciclo de derrotas aos seus adversários, contudo, sempre que a vitória definitiva se afigurava próxima, os bárbaros desapareciam, embrenhando-se nas suas fortificações nas terras altas e nos pântanos. Quando o exército real marchava para enfrentar a próxima tribo bárbara, os que tinham sido anteriormente derrotados voltavam para incursões mais profundas nos territórios de Uther. Os bretões começavam a ficar nervosos – o rei estava enfermo e os senhores eram incapazes de garantir a segurança do povo – e apelavam ao seu rei para que os salvasse.

Numa manhã, sem avisar, Merlin voltou para junto de Uther, trazendo notícias das batalhas e das escaramuças dos seus súbditos. Também trouxera consigo uma poção que permitia que Uther se erguesse do leito e vestisse a sua armadura dourada. Ainda bastante debilitado, Uther foi ajudado a montar o seu cavalo de batalha e os seus seguidores de maior confiança acompanharam-no para ir enfrentar os seus inimigos. Por esta altura, os Escoceses, Pictos e Saxões tinham conspirado para formar um grande exército, e haviam avançado bastante pelos territórios de Uther. Este enfrentou essa aliança do terror em St. Albans, e derrotou os três inimigos na batalha mais sangrenta da sua geração. Já enfraquecido pela enfermidade e com o exército reduzido comparativamente às hordas de bárbaros, Uther recebeu um golpe fatal na batalha e morreu três dias após o seu regresso triunfal a Londres.

A morte de Uther, que cimentara a união entre os Bretões, era o prelúdio de um desastre maior. Os nobres britânicos, não tendo já que pelejar contra os bárbaros, definitivamente derrotados por Uther no último acto do seu reinado, voltaram às suas escaramuças triviais. Os duques que tinham cavalgado lado a lado sob a insígnia do dragão vermelho de Uther, lutavam agora pela posse da terra e do gado. Os senhores mais poderosos discutiam sobre quem deveria envergar o manto da governação do reino. Todos tinham esquecido ou ignorado o facto de Uther ter gerado uma criança – o menino Artur. Por mais de uma década, os Bretões insurgiram-se uns contra os outros e Uther nunca foi substituído.

Mas, o que fora feito de Artur, herdeiro do trono de Uther? Merlin entregara Artur a um cavaleiro de condição humilde, mas honesto, Ector, que vivia nas montanhas profundas de Gales, na extremidade ocidental do reino de Uther, afastado das lutas pelo poder. Merlin previra grandes feitos para Artur – mesmo antes de este ter sido concebido – e desejava que ele crescesse sem ser corrompido pela mesquinhez da vida na corte. Merlin conhecia Ector há muitos anos, na verdade, desde o tempo em que este era ainda um rapaz, e o velho e prudente sábio responsabilizou-o pela vida do mancebo. Ector tinha um filho, Kay, apenas alguns anos mais velho que Artur, e Ector criara-os como se fossem ambos seus filhos. Embora fosse um cavaleiro relativamente pobre, Ector educou bem as duas crianças, ensinando-lhes os deveres de um cavaleiro. Fê-los perceber o quanto eram disparatadas as lutas pelo poder à sua volta, e treinou-os bem como escudeiros, preparando-os assim também para a cavalaria. Ector confiava completamente em Merlin, e jamais fez perguntas sobre as origens de Artur.

Merlin, por seu turno, visitava Ector, Kay e Artur de tempos a tempos, e interrogava judiciosamente Ector sobre os progressos de Artur. Após uma das suas visitas, já Artur fizera 15 anos, contente com os relatos de Ector, Merlin rumou ao sul, para se consultar com o arcebispo de Londres.

A espada na pedra

Os Bretões precisavam de um rei, e, dada a situação, precisavam de um rei forte. O arcebispo de Londres era um homem de grande fé e muitíssimo estimado por todos, incluindo os que sofriam injustiças. Como pessoa justa, desejava que fosse um homem íntegro a herdar o trono, e sabia que essa seria também a vontade de Merlin. Por essa razão, ouviu o discurso de Merlin, cuidadosamente estudado. Inicialmente, a proposta de Merlin ao arcebispo fez com que o religioso questionasse que capacidade mental e física poderia ter um mancebo de apenas 15 anos. Mas o velho Merlin, astuto e sábio como era, continuou o seu discurso e convenceu o arcebispo de que o legítimo herdeiro de Uther, o seu filho Artur, era digno de confiança.

Por fim, ambos concordaram, o arcebispo e Merlin, que Artur merecia ser o herdeiro de Uther, contudo, ambos sabiam também que muitos nobres britânicos se iriam opor à sua coroação. Merlin já tinha ponderado este embaraço e instruiu o arcebispo para que convocasse todos os nobres britânicos a Londres, pelo Natal, e os informasse de que o mais forte seria coroado por essa ocasião. O conceito de força de Merlin era bastante diferente do conceito de força para o típico duque britânico – Merlin estava acostumado a exercitar o cérebro, enquanto que a nata da nobreza britânica estava acostumada a exercitar os músculos. Ector trouxera Artur e o seu próprio filho, Kay, para que exercitassem tanto os músculos como a mente. Depois de ter feito o seu trabalho, Merlin desapareceu para se entregar a outros afazeres.

Veio o Natal e, apesar de a neve cobrir os caminhos, muitos duques britânicos tomaram o caminho de Londres, preparando-se para o torneio e para a possibilidade de virem a ser coroados Rei dos Reis. Tal como exigia a tradição britânica, na véspera de Natal todos os nobres presentes em Londres assistiram à Missa do Galo, celebrada na grande catedral. O arcebispo fez um sermão em honra do futuro rei. Quando os paroquianos iam a sair em fila da catedral, depois de terminado o serviço religioso, viram uma coisa incrível. Proeminente, no átrio da catedral, erguia-se uma grande pedra. Não existia ali antes da missa, não obstante, agora ali estava à vista de todos. No cimo da pedra estava uma bigorna de aço e nessa bigorna fora profundamente cravada uma espada de brilho cintilante.

Quando os Bretões se juntaram em volta da pedra, estupefactos, repararam que a pedra tinha uma inscrição: "Quem Lograr Retirar A Espada Desta Pedra e Desta Bigorna é Por Direito Legítimo De Seu Nascimento O Rei Dos Reis Entre Os Bretões".

Quando a multidão apinhada ouviu a leitura da inscrição, ergueu-se no ar um grande clamor, e os duques mais próximos abriram caminho e avançaram, com a intenção de arrancarem a espada do sítio onde esta placidamente se encontrava. Muitos o tentaram, mas nenhum – nem sequer o melhor dos guerreiros – foi tampouco capaz de movê-la. Desencantados e humilhados pelo seu próprio fracasso, os duques começaram a discutir entre si sobre quem deveria ser coroado. A conselho de Merlin, o arcebispo anunciou rapidamente que o torneio teria lugar no Dia de Ano Novo, referindo que os duques deveriam poupar as suas forças e a sua irritação para esse dia. Ector e Kay, cujo baixo estatuto os tinha impedido de tentarem tirar a espada, retiraram-se para se prepararem para o torneio, e Artur preparou-se também para desempenhar junto deles as suas funções de escudeiro.

Entre o Natal e o Dia de Ano Novo, os arredores de Londres estavam repletos dos sons e sinais que costumavam preceder um grande torneio. As espadas e armaduras estavam polidas, os cavalos alimentados e treinados, os cavaleiros praticavam a sua destreza nas armas e vangloriavam-se; os escudeiros certificavam-se de que os amos estavam bem equipados, e, sobretudo, pairava a excitação da conversa sobre o torneio e sobre quem seria coroado rei depois de tudo aquilo.

A neve caiu profusamente, e quando os sinos da igreja tocaram a anunciar o Ano Novo e a abertura do torneio, cavaleiros e camponeses afluíram de regresso à cidade. Com tanto que fazer na fase de preparação, e não tendo nunca antes assistido a um tão grande torneio, não era de surpreender que Artur se tivesse esquecido de um objecto crucial. Quando ajudara Kay a envergar a armadura, um pouco antes da sua primeira justa, ambos se aperceberam de que Kay não tinha a sua espada. Como faria qualquer bom escudeiro, Artur apressou-se a procurar tal arma, para que o seu cavaleiro pudesse brilhar.

Com tão pouco tempo para ir procurar uma espada e voltar com ela para a entregar a Kay, Artur entrou em pânico. Não era provável encontrar uma espada à venda no ferreiro – o número de cavaleiros a comprarem espadas novas, especialmente para o torneio que se aproximava, já as esgotara – e ele não sabia onde tinha colocado a espada de Kay. Então, Artur lembrou-se da espada na pedra, que tinha visto depois da Missa do Galo. Não perdia nada em tentar arrancá-la.

O átrio da catedral estava vazio quando Artur chegou a cavalo; estavam todos a caminho do torneio. Sem parar para pensar nas consequências, Artur desmontou do cavalo e dirigiu-se a passo largo em direcção à espada cintilante ainda cravada na bigorna na pedra e, sem qualquer esforço, tirou-a. Artur arrancara a espada. A espada do rei legítimo.

Sem se deter para pensar no que acabara de fazer – pensava noutras coisas, como chegar a tempo com a espada de Kay – Artur voltou a montar e cavalgou o mais depressa possível. Quando alcançou Kay, depositou com entusiasmo a espada brilhante nas mãos do seu irmão mais velho. Kay ficou maravilhado com a qualidade da lâmina e perguntou-lhe onde tinha ele encontrado uma arma daquela qualidade. Artur contou-lhe e Kay só conseguia olhar fixamente para a espada que tinha em mãos. Depois virou-se para o pai, Ector, e anunciou-lhe que era ele o legítimo herdeiro do trono, uma vez que possuía a espada da pedra.

Ector observava a cena: o filho mais velho gaguejava, empunhando a espada, enquanto Artur se mantinha perto, recuperando o fôlego depois da sua louca demanda. Ector perguntou a Kay se fora ele mesmo a arrancar a espada da pedra, e como um filho não podia mentir a seu pai, este confessou-lhe que fora Artur quem lhe trouxera a espada. Até certo ponto, Ector não ficou surpreendido, conhecia bem Merlin, e sempre esperara uma surpresa relacionada com a criança. Mas não chegara ao ponto de esperar algo assim.

Ector conduziu os dois mancebos de volta ao átrio da catedral e pediu a Artur que voltasse a colocar a espada na bigorna. Pediu então a Kay que a arrancasse, mas, por mais que tentasse, este não o conseguia. Ector pediu então a Artur que arrancasse a espada e o mais novo dos mancebos fê-lo sem o menor esforço. Com isto, Ector e Kay caíram a seus pés, beijando em seguida a mão do legítimo Rei da Grã-Bretanha.

Este acontecimento não passou despercebido ao arcebispo, pois este tinha estado a observar o trio junto da pedra. O arcebispo avançou até eles, e Ector contou-lhe o que acontecera. Ector também contou ao arcebispo que Merlin lhe levara Artur quando este era bebé e lho confiara para que tomasse conta dele. Por sua vez, o arcebispo contou a Ector, Kay e Artur o que Merlin lhe revelara: Artur era filho de Uther Pendragon, e era de facto o herdeiro legítimo do trono. Artur manteve-se em silêncio, atónito e apreensivo com tudo o que acabara de ouvir.

O arcebispo mandou informar o torneio que fora encontrado o novo rei dos Bretões, e uma vasta multidão de Bretões afluiu à catedral, desde os duques mais nobres à pelbe de Londres. Todos desejavam ver o seu novo rei.

A multidão apinhada ficou estupefacta ao ver que empurravam para diante um mancebo de olhos arregalados, e lho apresentavam como Rei Artur. As palavras do arcebispo foram abafadas pela fúria da multidão, e, desesperado, o santo homem disse a Artur que voltasse a colocar a espada no lugar e a retirasse uma vez mais da bigorna. Artur fê-lo e a multidão mergulhou no silêncio. Todos sabiam o que significava o êxito do mancebo. O mancebo, Artur, estava de facto destinado a tornar-se rei, mas tudo isto era de mais para o orgulho de alguns duques britânicos. Artur teve ainda que arrancar a espada por mais três vezes antes que a maioria da nobreza acreditasse no que os seus olhos viam, e, mesmo assim, alguns afastaram-se irados nos seus cavalos, declarando que os acontecimentos dessa manhã não passavam de um simples truque.

Contudo, outros duques que estavam presentes aceitaram a

evidência; o arcebispo era um homem honrado, e a história do envolvimento do velho sábio, Merlin, espalhara-se rapidamente pela multidão. Artur foi armado cavaleiro por Ulfius e Brastias, dois dos duques mais afamados da altura na Grã-Bretanha, e procedeu-se aos preparativos para a sua coroação.

A cura da Grã-Bretanha

Numa manhã fria e luminosa de Janeiro, Artur foi coroado Rei dos Bretões pelo arcebispo de Londres. Durante a sua coroação na catedral, Artur declarou sob juramento, tanto perante a plebe como perante os nobres, que haveria de ser um rei justo até ao dia da sua morte. Poucos entre a multidão reunida imaginariam que o reinado que se seguiria havia de ser tão fértil em acontecimentos, o mais glorioso reinado da história da Grã-Bretanha.

A primeira tarefa de Artur foi ouvir as injustiças pendentes, que precisavam de ser aquilatadas pelo juízo de um rei. Merlin, que viera para assistir à coroação de Artur, ajudou o jovem rei a tomar decisões sensatas, e Artur puniu correctamente os agressores e compensou as vítimas. Os primeiros actos de Artur como rei foram bem recebidos, e, ao que parece, os nobres que se encontravam presentes apreciavam bastante o facto de voltarem a ter um rei; antes de Artur, tinham lutado entre si e raros foram os assuntos resolvidos sem recurso ao combate.

Artur nomeou então alguns dignitários reais, uma vez mais com a judiciosa arbitragem de Merlin. O irmão de leite de Artur, Kay, foi nomeado senescal, Ulfius tornou-se camareiro-mor, e Brastias governador, encarregado de defender os territórios fronteiriços das incursões dos Pictos, Escoceses e Saxões. Artur tinha conhecimento dos problemas causados por estas tribos no passado e estava determinado a mantê-las sob controlo apertado, fornecendo a Brastias um grande exército real para o ajudar na sua tarefa.

Quando Artur deu por encerrado o seu primeiro dia como rei, perguntou a Merlin o que fazer a seguir; as coisas tinham andado depressa de mais para Artur e ele tinha a penosa consciência da sua falta de conhecimentos régios. Merlin simplesmente aconselhou Artur a ir para a corte de Camelot e a instalar aí a sua residência real. O séquito de Artur, sob o estandarte do dragão vermelho, a insígnia de seu pai, Uther, seguiu de Londres para Camelot, e Kay começou a organizar um grande banquete para a nova casa real.

As capacidades de organização de Kay foram postas à prova, uma vez que muitos dos duques mais importantes da Grã-Bretanha se tinham reunido em Camelot para prestar homenagem ao novo rei. Entre a afluência de nobres encontravam-se seis reis notáveis, sendo os mais requintados Lot de Orkney e Urien de Gore; também muitos outros reis de condição inferior se tinham ali reunido para conhecer Artur, o seu novo Rei dos Reis, por isso o jovem não ficou surpreso ao saber que esses estimados senhores da guerra se encontravam num acampamento do outro lado das muralhas do seu castelo. Contudo, Merlin era menos ambivalente – ele fez notar ao ingénuo Artur que os seis reis tinham chegado com grandes comitivas e que, em vez de terem montado tendas de torneio, ricamente decoradas, tinham monttado tendas de lona – as tendas apropriadas a um exército quando ia para a guerra. De facto, os seis reis dirigiram-se a Artur, declarando que ele não passava de um mancebo e não estava apto para governar. Os seus guerreiros montaram cerco a Camelot, e, ao fim de uns dias, a Grã-Bretanha passara abruptamente das festividades reais para o estado de guerra.

Artur encontrou-se com Merlin para discutir o que poderia fazer; a chacina dos seus pares era a última coisa que desejaria, e sugeriu que poderia oferecer ricos presentes aos reis rebeldes. Merlin explicou-lhe que essa seria uma acção fútil contra as intenções de um exército para o expulsar do trono. Merlin decretou que a única defesa ao alcance de Artur era o ataque.

Artur cavalgou para a batalha contra os seis reis rebeldes, sob a insígnia do dragão de Uther Pendragon, e derrotou-os. Artur deu provas de excelência em batalha – embora esta fosse a sua primeira batalha – e, além disso, conquistou o respeito dos cavaleiros e duques que lutaram por ele. Os seis líderes inimigos de Artur fugiram, reagrupando-se depois e trazendo consigo mais cinco reis rebeldes. Uma vez mais Artur liderou os seus leais cavaleiros para a batalha, desta vez nas margens do rio Humber, e uma vez mais os seus talentos marciais e a sua bravura, bem como a bravura dos seus homens, alcançaram a vitória. Não obstante, ele não teria conseguido esta proeza sem a intervenção do leal rei Ban, de Benwick, uma colónia de Bretões na Europa continental, que enviou muitos guerreiros experientes em combate para auxiliarem o seu novo Rei dos Reis. Com a derrota dos reis rebeldes e o juramento de lealdade por parte dos sobreviventes na sua primeira batalha real, Artur e o seu conselheiro de confiança, Merlin, continuaram o seu processo de cura das feridas da Grã-Bretanha.

A partir daqui, numa série de batalhas que culminou com a grande vitória em Badon Hill, próximo de Bath, os exércitos de Artur venceram os Saxões, os Escoceses e os Pictos. Artur conquistou até a lealdade dos reis destes povos, e, como Rei dos Reis, reconstruiu o governo estruturado que faltara à Grã-Bretanha ao longo dos anos anteriores, fartos em contendas. À medida que Artur aumentava o seu poder e que outros se iam apercebendo da eficácia da sua influência benévola, o número de duques britânicos que passaram a abraçar a sua causa aumentou cada vez mais, garantindo-lhe o seu apoio e o dos seus aliados. O rei mancebo e o seu astuto conselheiro tinham recuperado a unidade dos Bretões, há muito perdida.

Excalibur

Mesmo com a derrota e o juramento de lealdade de Saxões, Pictos e Irlandeses, Artur tinha ainda muito trabalho pela frente para devolver a paz e a justiça a um território habituado há muito à anarquia. Contudo, todas as semanas continuavam a chegar a Camelot cavaleiros afamados e talentosos, para jurarem fidelidade a Artur. Entre estes encontravam-se Gawain, um dos mais reputados cavaleiros de toda a Grã-Bretanha, e Modred, ambos filhos da meia-irmã de Artur e do Rei Lot das Ilhas Orkney. Vieram ainda muitos mais cavaleiros, uns mais e outros menos famosos, mas todos dispostos a servir o seu justo Rei dos Reis.

Numa manhã, chegou a Artur a notícia de que um cavaleiro montara acampamento numa floresta próxima, e dizia estar no rasto de um animal fabuloso. Oferecendo-se para justar com qualquer outro cavaleiro que passasse, este estranho vencera vários membros do séquito de Artur. Mais tarde, nessa mesma manhã, Artur cavalgou ao encontro deste cavaleiro incómodo, acompanhado por Merlin.

O rei e o seu conselheiro entraram na floresta, e avistaram uma tenda brilhantemente decorada, montada à beira de um lago. Artur cavalgou em direcção ao acampamento, e soprou uma trombeta que estava dependurada de uma árvore na margem da clareira. Após ter ouvido este som, um enorme cavaleiro avançou apressadamente em direcção ao rei, erguendo uma lança à altura do peito. O cavaleiro declarou que andava à caça de um animal mágico, que há um ano que o fazia, e que o animal chegara recentemente à região de Camelot. Para evitar que outro cavaleiro lhe roubasse a demanda, ele justava com qualquer um que passasse. Declarada a sua intenção, o cavaleiro deu uma volta ao cavalo, recuou para se preparar para se lançar sobre Artur, e depois esporeou o cavalo a galope. Artur fez o mesmo e ambos desferiram violentamente as respectivas lanças um contra o outro, estilhaçando-as em pedaços que voaram por todo o lado. Desmontando do cavalo, Artur ergueu-se a custo, e o cavaleiro gigante precipitou-se sobre ele com a espada. O duelo continuou por muito tempo – horas – até que, subitamente, a espada de Artur se quebrou em duas com um estalido, ao defendê-lo de um golpe tremendo do adversário. Nessa altura, o enorme cavaleiro caiu por terra, começando imediatamente a ressonar.

Merlin avançou e disse a Artur que aquela luta insensata se tinha prolongado o bastante, e que sentira estar na hora de mergulhar o adversário de Artur num sono profundo. Merlin explicou que o temível cavaleiro se chamava Pellinore, e que tanto ele como o seu filho, ainda por nascer, seriam de muito bons serviços para Artur. Merlin disse que Pellinore andava à caça de uma estranha criatura conhecida como "A Besta Demandada", com cabeça de serpente e corpo de leopardo; Merlin acreditava que a criatura jamais seria capturada, e que a demanda estava a levar Pellinore ao limiar da loucura. No entanto, ele era um cavaleiro forte e de bons princípios, e Artur seria bem servido por ele.

Depois do duelo, Artur ficou com a sua espada partida em duas – a espada que arrancara da pedra já não tinha serventia. Expôs a Merlin a sua preocupação pelo facto de o seu símbolo de autoridade ter ficado despedaçado. Merlin aconselhou-o a caminhar até à margem do lago, que se encontrava próximo. Artur obedeceu-lhe, e assim que se aproximou da linha da costa, a água ao meio do lago começou a encrespar-se. Não havia vento, por isso não parecia uma coisa natural. Enquanto Artur observava, uma cintilante ponta de metal emergiu do fundo do lago, e com muita graciosidade surgiu uma espada gloriosamente acabada, suave mas firmemente empunhada por uma mão feminina. Quando a espada e o braço se ergueram orgulhosamente, o lago ficou subitamente muito calmo. Merlin murmurou a Artur para que agarrasse na sua nova espada, e indicou-lhe uma pequena embarcação a remos ali perto. Artur empurrou a barca para dentro de água, e remou com cautela na direcção da espada. Quando se aproximou, olhou fixamente para dentro da água, e viu nitidamente as formas de uma linda donzela, vestida de branco. Pegou na espada pelo punho; ao fazê-lo, a donzela sorriu-lhe e o braço e o corpo recolheram-se graciosamente, mergulhando nas profundezas do lago. Sem saber o que fazer a seguir, Artur virou-se para Merlin, que lhe acenava para que voltasse para terra.

Quando Artur, espantado e confuso, saltou da pequena embarcação, Merlin disse-lhe que acabara de conhecer a Dama do Lago, senhora de todas as águas e feiticeira poderosa que desejava honrar a real dignidade de Artur. Virando-se para a lâmina cintilante e bem feita na mão de Artur, Merlin explicou que aquela espada se chamava Excalibur, e que traria ao rei muitas vitórias, dotando-o de força e poder aos olhos dos demais.

Artur, Guinevere e a Távola Redonda

À medida que o poder de Artur aumentava e que a paz se estendia a toda a Grã-Bretanha, espalhou-se a notícia de que o Rei dos Reis era capaz de intervir e resolver as disputas entre os outros reis e duques de uma forma sensata. Numa dessas ocasiões, Merlin enviou um mensageiro a Artur, anunciando que um amigo de seu pai Uther, de nome Leodegrance, estava enredado numa disputa com o seu rival, Ryons, e que apelara a Artur para que apaziguasse o conflito crescente. Merlin avisou Artur de que Ryons era o responsável pela disputa; tratava-se de um duque com reputação de crueldade, e usava um manto debruado com as barbas dos inimigos derrotados.

Quando Artur e o seu séquito chegaram às terras de Leodegrance, Ryons marchara com o seu exército para sitiar o castelo do rival. O séquito de Artur lançou-se sobre os guerreiros de Ryons, e, com o auxílio dos homens de Leodegrance, que investiram contra os sitiantes desde o castelo, Ryons foi derrotado. Leodegrance recebeu

Artur no seu castelo e deu uma esplêndida festa para honrar o auxílio do seu rei. Na festa, Artur não tirava os olhos da filha de Leodegrance, Guinevere. Ela era, sem dúvida, a mais linda donzela que Artur alguma vez tinha visto, não só de uma beleza física assombrosa, como também mentalmente arguta e de maneiras encantadoras. Quando Artur cavalgou de regresso a Camelot, não conseguia pensar senão na face sorridente de Guinevere e no som do seu riso.

Nos dias que se seguiram, Artur continuou a pensar apenas em Guinevere. Consultou Merlin, que concordou que uma consorte e rainha seria algo de bom, não só para Artur, como também para a estirpe da Grã-Bretanha. Merlin explicou ao seu jovem rei que o casamento poderia dar um herdeiro legítimo ao trono de Artur, assegurando que a Grã-Bretanha não voltaria a cair no caos, quando Artur morresse. Merlin também alertou Artur para o facto de essa decisão poder depender somente de Artur e Guinevere; o conselheiro não podia prever todos os destinos da vida de Artur. Merlin considerou que Guinevere era uma bela mulher, com a cabeça no lugar, mas não sabia se daria ou não uma rainha à altura do Rei dos Reis da Grã-Bretanha. Contudo, o seu pai fora um leal apoiante do pai de Artur, e Merlin previa que o casamento teria um efeito profundo no reino de Artur.

Artur, apaixonado e impaciente, cavalgou imediatamente de volta ao castelo de Leodegrance, e pediu a mão de Guinevere em casamento. Leodegrance concordou de bom grado – a honra de vir a tornar-se sogro do Rei dos Reis encheu-o de júbilo – e Guinevere estava encantada ao pensar que viria a tornar-se rainha de Artur.

Foram concertadas as bodas reais, que ocorreram na Capela em Camelot. Veio uma vasta multidão de espectadores para ver o novo e bem-amado rei desposar a sua noiva. Os mais poderosos duques britânicos ocuparam os seus lugares na capela, para assistirem às primeiras bodas reais desde que Uther tomara Igraine para esposa. Teve lugar uma grande cerimónia, e, em seguida, avançou para os salões de festa uma colorida procissão conduzida por Artur e Guinevere e composta por duques, cavaleiros, damas, donzelas, bardos, acrobatas, bobos e músicos. A noiva e o noivo estavam obviamente muito apaixonados, e Artur ficou ainda mais arrebatado de júbilo quando Leodegrance apresentou ao casal o seu presente de casamento.

Leodegrance conduziu Artur ao salão nobre de Camelot, e esboçou um gesto largo com os braços na direcção da oferta. Em frente de Artur, a ocupar um espaço enorme do extenso salão, estava uma mesa redonda de carvalho, ricamente talhada de uma madeira antiga, com 150 cadeiras dispostas em volta, mais do que suficientes para acomodarem os mais importantes cavaleiros de Artur. Leodegrance explicou que a mesa, a Távola Redonda de Albion, lhe tinha sido oferecida como presente de casamento pelo próprio pai de Artur, Uther. A sua forma significava que nenhum cavaleiro que ocupasse o seu lugar sentado poderia considerar estar mais próximo da cabeceira da mesa do que qualquer outro cavaleiro sentado, e isto simbolizava a democracia, a piedade e a igualdade entre o Rei dos Reis, os seus duques e reis de condição menor e os seus cavaleiros. Artur percebeu o valor da mesa, porquanto apelava aos seus ideais de uma governação justa, e depois de se ter aconselhado com Merlin, anunciou, na sua noite de núpcias, que iria formar a Ordem da Távola Redonda.

A Ordem seria constituída por 150 cavaleiros dos mais aptos nas artes de cavalaria e de maior nomeada na Grã-Bretanha, sendo que todos teriam que jurar fidelidade à governação de Artur, agindo também na sua ausência com o mesmo critério e sentido de honra com que ele próprio o faria. Artur percebeu-o e Merlin garantiu que isso traria maior unidade ao território, e faria do reino de Artur um óptimo lugar para se viver, não só os duques, mas também as pessoas comuns, que só teriam a beneficiar com governantes locais honestos. Todos os cavaleiros ali reunidos para homenagear Artur e Guinevere prestaram o seu juramento de fidelidade na manhã seguinte, e, nos meses que se seguiriam, muitos mais cavaleiros e duques haveriam de tornar-se membros da Ordem. Leodegrance até ofereceu os serviços dos seus próprios homens. Entre os primeiros a sentarem-se à Távola Redonda estavam Ector, Kay, Pellinore, Ulfius, Brastias, Gawain e Lucas. De facto, a prosperidade e a justiça espalharam-se por toda a Grã-Bretanha, porquanto a Ordem foi fiel à sua palavra, e o reino floresceu sob o justo reinado de Artur e da bela Guinevere.

Gawain e o Cavaleiro Verde

De todas as aventuras que principiaram no salão nobre de Camelot, talvez a mais arrepiante fosse a que inclui uma das primeiras façanhas de Gawain. Gawain era justamente reputado por toda a Grã-Bretanha como cavaleiro de grande nomeada, e depressa passou a assumir o papel de defensor e campeão do Rei dos Reis, em muitas ocasiões. Foi no primeiro Dia de Ano Novo, depois das bodas de Artur com Guinevere, que Gawain foi solicitado pela primeira vez a desempenhar este papel.

Estendia-se um grande nevão em redor de Camelot, e toda a corte da casa real de Artur se reunira no salão nobre, numa festa para celebrar o início do Ano Novo. O clarão quente da lareira era mais do que bem-vindo, e cavaleiros e donzelas tinham-se reunido à sua volta para escutarem a narrativa de Merlin sobre os primeiros excelsos reis, que tinham vivido muitos séculos antes da chegada dos Romanos.

De súbito, a porta do salão abriu-se de par em par e caiu violentamente no chão com estrondo. Um floco de neve rodopiou atravessando a entrada e por ela entrou também um homem gigantesco montado num colossal cavalo de batalha. Perto dele, todos os cavaleiros de Artur pareciam duendes. O cavaleiro estava completamente coberto de verde, desde o trajo à própria armadura. Usava uma capa verde, de pele, um cinturão decorado com jóias preciosas de cor verde, e tinha os cabelos e as barbas cuidadosamente entrançados e entrelaçados de hera – tudo verde – e até a sua pele tinha uma estranha tonalidade verde. O cavalo estava arreado com couro verde e coberto de musgo, e ao deslizar audaciosamente da sela, o homem desembainhou um enorme machado de dois gumes, que brilhava com um trémulo reflexo da mesma cor. O Cavaleiro Verde exigiu conhecer o senhor do castelo, fazendo ressoar a sua intimação com uma voz extraordinariamente grave.

Artur avançou com passadas largas e tentou dar a esta criatura estranha e agressiva as boas-vindas à sua casa, como era costume dos Bretões. Artur apresentou-se, e foi então que o Cavaleiro Verde retorquiu com insolência que tinha ouvido falar da sua má governação, e disse também que os cavaleiros do rei eram imberbes e enfermiços. Depois desafiou os homens de Artur a provarem a sua bravura – fez uma pausa e apontou o machado na direcção de vários cavaleiros que estavam sentados no salão – duvidando de que algum ousasse aceitar o desafio. Precipitando-se, Gawain deu um passo em frente e aceitou sem ter sequer ouvido de que desafio se tratava; não podia ficar sentado e permitir que este gigante continuasse a insultar o Rei dos Reis.

O Cavaleiro Verde zombou de Gawain e chamou-o com um sinal. Quando Gawain avançou, o Cavaleiro Verde explicou ao guerreiro de Artur que iria ajoelhar-se diante dele e pedir-lhe que o decapitasse. Em contrapartida, Gawain teria que aceitar, no prazo de 12 meses, sujeitar-se a um golpe análogo por parte do Cavaleiro Verde, num lugar desconhecido chamado a Capela Verde. Não desejando desonrar Artur, Gawain aceitou imediatamente, confiante de que nenhum homem, nem sequer um de estatura tão descomunal como a da aparição verde postada à sua frente, poderia resistir à sua cutilada infalível.

Gawain pegou no machado verde, balançou-o para testar o seu peso e equilíbrio e pediu ao Cavaleiro Verde que se ajoelhasse diante dele. O descomunal homem verde assim fez, e Gawain deixou cair o machado brusca e pesadamente sobre o pescoço desprotegido. A cabeça do Cavaleiro Verde desprendeu-se-lhe dos ombros e rolou pelo chão. Gawain virou-se triunfante para a multidão reunida, à espera do merecido aplauso. Mas este não aconteceu; em vez do aplauso, Gawain recebeu o olhar de medo e incredulidade que se estampara nas caras de todos. Virou-se e viu o corpo do Cavaleiro Verde a reerguer-se. Este, calmamente, tirou o machado das mãos trémulas de Gawain e deambulou pelo salão para recuperar a cabeça. Voltou a montar o corpo em cima do cavalo, deu meia volta ao animal e saiu de Camelot a galope brando, com a cabeça desmembrada a lembrar a Gawain que devia encontrar a Capela Verde no prazo de 12 meses. A cara de Gawain ficara praticamente tão verde como a do seu adversário.

Nas semanas e meses que se seguiram, a neve deu lugar à Primavera, e a Primavera ao Verão. Quando chegou o Outono, Gawain sabia que teria que partir para ir procurar a Capela Verde – cujo paradeiro em Camelot ninguém conhecia – devendo, ao encontrá-la, cumprir o seu destino. Absolutamente apavorado, mas sem o dar a entender a ninguém, Gawain revestiu-se com a sua melhor armadura e lançou-se na sua demanda. Deambulou pelos campos, perguntando a quem encontrava se já tinha ouvido falar do Cavaleiro Verde. Ninguém tinha. O Inverno instalara-se, e quando a neve começou de novo a cair, era véspera de Natal e Gawain encontrava-se no Norte de Gales. O Norte de Gales era uma região bravia, nada acolhedora para se passar um Inverno, e havia dias e dias que não via vivalma; então, subiu ao cimo de uma montanha e, em baixo, avistou um castelo. Desceu animado, a cavalgar, esperando apelar à boa vontade e ao espírito de Natal do duque, para que lhe oferecesse uma refeição quente e uma taça de hidromel. O guarda deixou Gawain entrar e conduziu-o a um salão onde se deparou com uma mulher donairosa e um homem de ombros largos. Convidaram-no a sentar-se, e foram tão corteses como qualquer outro anfitrião que Gawain gostaria de encontrar. O homem, um duque local chamado Bercilak, indagou da sua presença em Gales. Gawain explicou-lhe sobre o Cavaleiro Verde e a sua busca da Capela Verde. Para sua surpresa e alívio – pois só lhe restava uma semana para localizar a capela ou desacreditar Artur com a sua ausência – Bercilak informou-o de que a capela ficava sensivelmente à distância de uma hora a cavalo, e disse-lhe também que faria gosto em que Gawain permanecesse como seu convidado até ao encontro marcado, no Dia de Ano Novo.

O Natal foi apreciado por todos, e Gawain logrou até esquecer o medo por algum tempo. Na véspera do Dia de Ano Novo, ao romper da manhã, Bercilak foi caçar. Gawain ficou em casa, a meditar na sua futura decapitação. Enquanto Bercilak caçava, a porta do quarto de Gawain rangeu e abriu-se, e apareceu a encantadora mulher de Bercilak. Avançou vagarosa e silenciosamente em direcção à cama e procurou deslizar para cima dela para se deitar ao seu lado. Era muito bonita, mas como Gawain era um homem honesto não a deixou enfiar-se entre os lençóis; contudo, ela logrou dar-lhe um beijo firme nos lábios. Depois disto foi-se embora.

Mais tarde, nessa mesma manhã, antes de Bercilak ter terminado a caçada, a dama do castelo mais uma vez embaraçou Gawain, beijando-o novamente. Ele rejeitou-a, muito embora ela lhe avivasse o desejo. Explicou-lhe que, se ela não fosse casada, ficaria alegremente ao seu serviço, mas, na situação, não podia desonrar o seu generoso anfitrião, o marido. Ela voltou a beijá-lo, agradecendo as suas gentis palavras de devoção e o zelo pelo seu marido, e entregou a Gawain a sua liga de renda verde como lembrança. Bercilak voltou da caçada, e Gawain nada disse sobre os beijos ou sobre a liga. Não desejava perturbar o seu anfitrião, nem causar problemas à mulher de Bercilak, e, assim, agiu como se nada se tivesse passado. A mulher de Bercilak não mencionou os acontecimentos da manhã, e saudou amorosamente o marido.

No Dia de Ano Novo, Gawain acordou e viu uma terrível tempestade de neve lá fora. Não obstante, apresentou as suas despedidas a Bercilak e à mulher e agradeceu-lhes pela hospitalidade. Tão embeiçado ficara pela dama do castelo que escondera a sua liga debaixo da armadura.

Gawain seguiu as indicações de Bercilak e rompeu pela neve a cavalo, até à Capela Verde. Desmontou e caminhou a passo largo e vacilante pela neve, entrando na capela.

Lá dentro, Gawain não esperou mais do que um minuto até o Cavaleiro Verde aparecer no seu cavalo. Desmontou graciosamente e entrou na capela, arrastando consigo uma espiral de neve. A cabeça regressara ao lugar, como se nunca tivesse sido decepada. Gawain cumprimentou-o amedrontado e ajoelhou-se para receber o retorno do golpe que infligira. O Cavaleiro Verde elogiou-o por ter mantido a promessa e disse-lhe que ele era um motivo de honra para a corte de Artur. E depois brandiu o machado.

Gawain ouviu a lâmina a golpear o ar, e embora se esforçasse para não o fazer, estremeceu ao golpe, esquivando-se. O Cavaleiro Verde censurou-o, lembrando-lhe que ele não se tinha esquivado ao golpe de Gawain. Gawain perfilou-se e voltou a ajoelhar-se, a tremer de medo. O machado precipitou-se no ar uma vez mais e, desta vez, Gawain não se mexeu um centímetro. A lâmina mordeu-lhe o pescoço e deteve-se. O sangue pingou sobre a neve, no chão da capela, e Gawain percebeu que o golpe provocara uma ferida que mal lhe tinha cortado a pele da nuca. Quando Gawain começou a erguer-se com as pernas vacilantes, foi novamente empurrado para baixo pelo Cavaleiro Verde, que se preparava desferir novo golpe. Gawain gritou apavorado e pediu-lhe que parasse, dizendo que, no passado ano, ele tinha desferido apenas um golpe ao Cavaleiro Verde. O Cavaleiro Verde ergueu o machado bem alto, acima da cabeça, e exclamou que Gawain era um homem desonesto que escondia segredos a quem o ajudava; baixou então o machado e o seu semblante alterou-se da ira para a tristeza. E nessa ocasião Gawain percebeu que o Cavaleiro Verde era Bercilack, com uma cara mortalmente pálida.

Gawain rapidamente desatou a liga de renda verde que a mulher de Bercilak lhe dera dado como lembrança do seu amor não correspondido. A corar de vergonha, explicou a Bercilak o que acontecera, afirmando que jamais teria tido intenção de desapontar ou enganar o seu amável anfitrião, e, além disso, também não desejava pôr a mulher de Bercilak em perigo. Explicou-lhe que essa tinha sido a razão de ter ficado calado. E depois ficou de novo à espera que o machado descesse violentamente sobre ele.

Em vez disso, Bercilak baixou o machado, e disse-lhe para guardar a liga como lembrança dos perigos dos encantos femininos. Explicou-lhe que pedira à mulher para desempenhar essa tarefa, e que ele próprio era um amigo encantado de Merlin, que lhe pedira ajuda para testar o temperamento dos cavaleiros de Artur. Merlin desejava certificar-se de que os cavaleiros que serviam Artur eram tão honestos e merecedores de confiança como o Rei dos Reis. Bercilak referiu que Merlin iria ficar contente com o acontecido. E com mandou Gawain de volta para Camelot, a corte que este representara, em nome de Artur, de forma tão briosa e cortês.

A chegada de Lancelot

Nos primeiros dias da Távola Redonda, o maior cavaleiro de Artur, era, sem dúvida, Gawain. Gawain era um cavaleiro audaz, vivia para a aventura; o seu nome era famoso tanto dentro das muralhas de Camelot como nos territórios mais além. Contudo, até mesmo Gawain seria ofuscado por um outro cavaleiro; um cavaleiro chegado de terras além-mar, de Benwick. O seu nome era Lancelot do Lago.

Lancelot do Lago era filho do rei Ban de Benwick, que enviara ajuda militar a Artur na batalha da Floresta de Bedegraine. Quando Artur soube quem era o pai do cavaleiro que se ajoelhava diante de si, inquiriu ansioso sobre a saúde de Ban. Lancelot respondeu secamente que o pai tinha morrido.

Lancelot explicou que, quando Ban marchara para ajudar Artur na Floresta de Bedegraine, Benwick fora saqueado por um rival. Quando Ban voltara, lutara contra os seus inimigos, mas por fim viu-se obrigado a abandonar o castelo. Partindo em segredo ao romper da aurora, Ban, a mulher e o jovem Lancelot, caminhando vagarosa e silenciosamente ao longo da margem de um lago próximo, ao virar-se tinham visto o castelo do rei a arder e cair por terra. Bran perdera a vida logo ali, de coração despedaçado e enquanto a sua mãe se entregava à tristeza, Lancelot vira as águas do lago apartarem-se. Erguera-se do lago uma linda donzela e chamara-o com um sinal.

A Dama do Lago levara Lancelot para debaixo das águas, e criara-o no seu castelo encantado. Ensinara-lhe a arte e o engenho necessários para vir a tornar-se um bravo cavaleiro, e, quando ele atingiu a idade, enviara-o para servir Artur como Cavaleiro da Távola Redonda. Preparara-o bem.

Artur recebeu com agrado Lancelot ao serviço da Távola Redonda – Excalibur fora um belo presente concedido pela Dama do Lago, e o rei reconhecia que este cavaleiro delicado e bem parecido era também uma dádiva. Em honra da chegada de Lancelot, ocorreu um torneio, em que o cavaleiro recém-chegado se revelou o mais talentoso dos cavaleiros, e agora dos cavaleiros da corte de Artur. Como vitorioso do torneio, Lancelot foi recompensado com um presente de Guinevere – um diamante, de uma série de nove diamantes que Artur encontrara numa das suas primeiras demandas. Desse ano em diante, passara a ter lugar anualmente O Torneio do Diamante, sendo a vitória recompensada com outro dos diamantes, entregue pela delicada mão de Guinevere. Com os olhos fixos no belo rosto da rainha quando esta o recompensou com o primeiro diamante, Lancelot fez votos de ganhar todos os torneios que haviam de seguir-se, para poder receber o prémio e honrá-la todos os anos. Foi exactamente o que aconteceu.

Desde a sua chegada até ao derradeiro acto, que por fim levou à ruína do seu rei, Lancelot revelar-se-ia o maior dos cavaleiros a servir a Távola Redonda de Artur. Levou a cabo muitas galhardas aventuras, e prestou grandes serviços ao seu rei, substituindo Gawain como o campeão preferido do Rei dos Reis. Sozinho, Lancelot conquistou uma fortaleza no Norte da Grã-Bretanha, depois de ter expulso de lá um tirano brutal, e mudou-lhe o nome para Guarda Alegre(*). Apaixonou-se por uma rainha – sobre a qual falaremos mais tarde – mas também atraiu a atenção de muitas outras donzelas. Uma delas chamava-se Elaine de Astolat – A Dama de Shallot – que se deixou morrer à fome depois de Lancelot ter rejeitado os seus avanços. Uma outra Elaine, Elaine de Carbonek,

(*) O castelo conquistado por Lancelot era antes chamado Dolorosa Guarda, em consequência de um encantamento sinistro. (*N.T.*)

também se apaixonou por Lancelot. Uma feiticeira iludiu Lancelot a dormir com Elaine, e desta união nasceu uma criança chamada Galaaz; Galaaz, tal como seu pai, haveria de prestar bons serviços a Artur.

A história de Ywaine e Cynon

Outro cavaleiro que chegou a Camelot para servir o poderoso Artur foi Ywaine. Era filho de Urien de Gore – um antigo inimigo de Artur – e da meia-irmã de Artur, a Fada Morgana. Ywaine não mostrava animosidade para com Artur, antes desejando compensar a oposição do seu pai, devotando-se ele próprio ao Rei dos Reis.

Ywaine serviu Artur e Guinevere sem alarde mas de forma eficaz, sem nunca se esforçar por alcançar notoriedade. Não obstante, isto haveria de mudar com a chegada de mais um jovem cavaleiro à corte de Artur. O nome do recém-chegado era Cynon, e uma vez chegado a Camelot foi-lhe pedido, como era costume, que contasse algumas histórias de acontecimentos notáveis em que tivesse participado. Cynon explicou que tinha apenas uma história para contar, pois era um cavaleiro com pouca experiência. A história começava quando ele saíra um dia para cavalgar. Chegara a um pequeno vale luxuriante no Norte da Grã-Bretanha, repleto de vida selvagem e aparentemente intacto de intervenção humana. As aves cantavam nas árvores, os javalis roçagavam pela vegetação rasteira juntamente com as manadas de veados, e os salmões saltavam num ribeiro que corria pelo vale. Continuando a cavalgar mais para o interior do vale, Cynon avistara um grande castelo e cavalgara na sua direcção. Segundo ele, o castelo fazia com que Camelot parecesse a casinha de um camponês – um comentário que fez com que a multidão reunida soltasse um murmúrio de desagrado, incluindo Ywaine. Artur mandou a multidão guardar silêncio, e Cynon continuou com a sua história. Ao entrar no castelo, deparara-se com 24 donzelas, todas trajadas com vestidos iguais espantosamente bonitos. Segundo Cynon, qualquer uma das donzelas ofuscaria Guinevere. De novo um murmúrio circulou na corte de Camelot, e Ywaine começou a protestar contra a falta de respeito do recém-chegado. Uma vez mais Artur cortou cerce essas queixas e pediu a Cynon para continuar. As donzelas, contava Cynon, tinham cuidado do seu cavalo, limpo as suas armas e a armadura deixando-as impecavelmente brilhantes, e tinham-lhe servido uma requintada refeição de caça, acompanhada pelo mais refinado hidromel que alguma vez bebera. Na manhã seguinte, Cynon partira a cavalo pelo caminho de volta, por entre a floresta no vale. Então, apercebeu-se de uma clareira; ao centro da clareira estava o abeto mais alto que alguma vez vira, e debaixo deste corria uma fonte. Cynon aproximou-se e encheu um cântaro que se encontrava ao lado da fonte. Descuidado, entornou a água no chão de mármore em volta da fonte. Então ouviu-se um ruído de cascos, e quando se virou na direcção de onde vinha o ruído, apareceu na floresta um homem, coberto da cabeça aos pés com uma armadura preta, montado num majestoso cavalo de batalha preto. Cynon tentou defender-se da lança do cavaleiro, mas foi atingido pela sua montada e ficou atordoado no chão. O guerreiro de negro andou em círculo à sua volta, a zombar do seu valor, querendo mostrar-lhe que não estava preparado para a aventura. Como Cynon ficara inconsciente, começou a ouvir o som dos cascos a afastar-se; quando voltou a si estava sozinho outra vez, e cavalgou para casa o mais depressa possível.

A corte reunida em Camelot esteve em silêncio enquanto Cynon contava o seu encontro com o temível cavaleiro, mas quando terminou a história a aventura tornou-se tema de longa discussão, estimulando conversa animada. Cynon estava sentado no nobre salão de festas, a comer do bom e do melhor. Mas Ywaine fora visto a levantar as cancelas de Camelot, inteiramente equipado com a armadura. Rumara para concluir a aventura que Cynon deixara incompleta, esperando estar mais bem preparado para o encontro com o guerreiro na fonte do que o seu antecessor.

Ywaine procurou penosamente, durante muito tempo, pelo belo vale e pelo castelo das 24 donzelas, e, por um acaso, ao fim de semanas de busca encontrou-o. Os campos eram tão idílicos como os que Cynon descrevera ao narrar a sua jornada até ao castelo. Mas, antes de encontrar o castelo, Ywaine descobrira a clareira com o abeto e a fonte. Entornou água da fonte sobre o mármore à sua volta, e, como já esperava, vindo de debaixo do chão, apareceu o guerreiro coberto de negro que se lançou sobre si. Ywaine estava preparado e à espera, e desferiu uma estocada no seu adversário. O cavaleiro deixou cair a lança e afundou-se na sela, mas o cavalo não parou e fugiu da clareira a galope. Ywaine foi no seu encalço, seguindo o rasto de sangue deixado pelo cavaleiro ferido; a perseguição levou-o ao castelo das donzelas – o qual, como Ywaine constatava, era de facto tão grande como Cynon o descrevera. Ainda no rasto do cavaleiro derrotado, Ywaine entrou numa torre no interior do castelo, onde foi abordado por uma das 24 donzelas descritas por Cynon. Uma vez mais Ywaine se apercebeu que a descrição de Cynon, no que respeitava à sua beleza, era verdadeira.

A donzela apresentou-se como dama de honor da Dama da Fonte. Ela explicou que o guerreiro de negro era o Senhor da Fonte e governante do vale e do castelo. Enquanto a donzela falava, ecoava pela torre um queixume funesto, e o sino da capela começara a tocar a finados. O Senhor da Fonte tinha morrido, e fora Ywaine que o matara. Levado diante da Dama da Fonte, enlutada, Ywaine ficou extasiado pela sua beleza complacente, que superava a das damas de honor, e imediatamente pôs a sua espada ao seu serviço. Despedaçada pela perda do marido, a Dama da Fonte declinou imediatamente os préstimos de Ywaine, explicando, desesperada, que a morte do seu marido significava que não teria agora quem defendesse o seu glorioso castelo, o vale e a fonte de mármore. Ywaine comprometeu-se a ficar, para defender o castelo e o vale para a Dama da Fonte e, para tal, adoptou a aparência do guerreiro de negro. Num ano conquistou o coração da Dama da Fonte e ele mesmo veio a tornar-se o novo Senhor da Fonte, defendendo o seu novo castelo e novo reino.

Em Camelot, a ausência Ywaine deu nas vistas, já que andava desaparecido havia mais de um ano. Cynon, agora mais experiente nas artes e engenhos da cavalaria, decidiu ir vingar a provável morte de Ywaine às mãos do guerreiro da fonte. Acompanharam-no alguns dos cavaleiros mais proeminentes – incluindo Kay, Bors, Gawain, Agravain e Pellinore. Chegaram à fonte e derramaram a água. Ouviu-se o som dos cascos, e o cavaleiro surgiu de debaixo do matagal. Nenhum dos cavaleiros de Artur reconheceu o bem disfarçado Ywaine, que, esporeando o flanco da montada, se preparou, por amor à Dama da Fonte, para derrubar primeiro Cynon, depois Bors, depois Kay, Agravaine, Pellinore e muitos outros. Gawain lançou-se sobre o feroz cavaleiro, mas até mesmo ele foi cuspido do cavalo. Segurando a espada junto da garganta de Gawain, o guerreiro de negro retirou o elmo para revelar a sua verdadeira identidade aos adversários derrotados. Todos os cavaleiros ficaram surpreendidos e radiantes por verem que Ywaine continuava vivo – e maravilhados pela destreza com armas que adquirira ao longo do ano.

Ywaine conduziu os cavaleiros até ao seu castelo, e brindou-os com uma festa monumental; todos se aperceberam que a comida correspondia à maravilha que Cynon tinha apregoado quando chegara a Camelot. Gawain perguntou se Ywaine voltava para Camelot com eles. Ywaine respondeu-lhes que não podia voltar, porque tinha agora deveres para com o castelo, mas garantiu que seria para sempre um aliado do seu Excelso Rei Artur.

O destino de Merlin

Durante os anos do reinado de Artur, e, antes deste, no reinado de Uther, Merlin revelara-se um conselheiro sábio e de confiança para os Reis Supremos. Ninguém sabia ao certo a sua idade, ou fosse o que fosse sobre a sua história antes de os Romanos terem fugido da Grã-Bretanha; que ele era velho e sábio, é do conhecimento comum. Que ele estava apaixonado, não.

O objecto dos amores de Merlin não era outro senão a Dama do Lago, ou Nimue, se quisermos usar o seu nome de baptismo. A feiticeira que vivia sob as águas tinha-se tornado confidente de Merlin muito antes de ter oferecido Excalibur a Artur e de ter treinado Lancelot, ajudando-o a aperfeiçoar os talentos de cavalaria. Os seus poderes e poções de aprendiz de feiticeira depressa floresceram sob a orientação do velho sábio, e quanto mais artimanhas aprendia, mais desejava aprender. Nimue começara também a sentir intensa necessidade de poder, e percebeu que se lhe deparava a oportunidade de, com o seu requintado charme feminino, fazer o que queria de Merlin, e durante décadas e décadas, em que nenhum deles parecia envelhecer com o passar do tempo, a admiração de Merlin pela sua acólita transformou-se em amor.

Durante o reinado de Uther, e ainda durante os primeiros tempos do reinado de Artur, Merlin pedia constantemente a Nimue que se tornasse sua mulher. Nimue sempre desprezou os seus avanços, prometendo-lhe, contudo, que um dia viria a aceitar casar-se com ele, mas entretanto devia aprender com ele muito mais coisas. Cada vez que se via rejeitado, Merlin agia como um velho tonto, bruto e ciumento, mas voltava sempre para lhe ensinar novas maravilhas das artes mágicas. Era um homem reservado, e nunca ninguém soube do seu desejo pela Dama do Lago, nem o próprio Artur, que viria a tornar-se amigo íntimo do seu conselheiro.

À medida que Nimue se foi tornando mais sabedora e poderosa, elaborou um plano para se tornar na profetisa mais poderosa e mais sábia de toda a Grã-Bretanha. Para o levar a cabo, sabia que teria que livrar-se do velho submisso que ocupava o seu lugar. A oportunidade surgiu um dia, enquanto cavalgava com Merlin ao lado por uma floresta profunda, raramente explorada pelo homem (Nimue também podia, obviamente, viver fora de água). O par de cavaleiros avistou a entrada de uma caverna em ruínas, e, quando se aproximaram, Nimue sugeriu a Merlin que espreitassem o seu interior. Merlin respondeu que conseguiria arredar as pedras, mas quando a entrada se abrisse, jamais alguém seria capaz de reabri-la se as pedras voltassem a tapá-la. Mesmo assim, desejoso de tornar a sua companhia agradável a Nimue, Merlin proferiu alguns encantamentos mágicos e as rochas que cobriam a entrada da caverna começaram a afastar-se, provocando um ruído surdo e prolongado.

Nimue murmurou a Merlin que se ele entrasse na caverna e lhe voltasse com um tesouro escondido como presente, ela recompensá-lo-ia com um beijo. A esta promessa, Merlin precipitou-se sem pensar para o interior da caverna e, mal acabara de fazê-lo, voltou a ouvir o ruído surdo e prolongado das rochas. De repente, tudo escureceu.

Lá fora, Nimue chamava por Merlin, trocista, lembrando-lhe que ele próprio dissera que a entrada da cave nunca mais voltaria a abrir-se, e que até os seus feitiços já eram mais poderosos do que os dele. Com isto, afastou-se, para cumprir a sua ambição de se tornar a maior profetisa da Grã-Bretanha de Artur, e Merlin lá ficou numa cave, numa floresta raramente frequentada pelo homem, com pouco mais para fazer a não ser gritar por socorro com quanta força tinha na voz.

Em Camelot, Artur deu pela ausência de Artur. O Rei dos Reis enviou os seus cavaleiros para que revolvessem céus e terra para encontrar o seu dilecto conselheiro. Gawain explorou profundamente a floresta e o seu bem treinado cavalo de batalha ouviu o som quase imperceptível dos gritos abafados de Merlin. O cavalo chamou a atenção de Gawain para o som, e o cavaleiro desmontou e gritou através das ruínas da entrada da cave. Quando se apercebeu de que Merlin estava lá dentro, Gawain, rapaz bem dotado de músculos, tentou afastar as pedras para libertar o velho. Não obstante, nem uma rocha buliu. Com voz resignada, Merlin explicou a dificuldade da situação, e pediu a Gawain que levasse uma missiva à corte de Camelot. Profetizou que um grande infortúnio se abateria sobre Camelot, e que grande pendência haveria de dividir a Ordem da Távola Redonda. Anunciou que só o Santo Graal poderia impedir a Grã-Bretanha de mergulhar numa época negra, de ruína. Depois, Merlin ficou silencioso e nem Gawain nem os que vieram posteriormente para o tentar libertar voltaram a ouvir uma única palavra vinda do interior da cave.

A história de Percival e o Cavaleiro Negro

Dos muitos cavaleiros que chegaram a Camelot durante o longo do reinado de Artur para servir o Rei dos Reis, destacou-se um, por ser muito diferente dos outros. Não andava esplendidamente armado, nem coberto de ricas armaduras, não montava um distinto cavalo de batalha e não se apresentava com os maneirismos nem os hábitos da corte exigidos pelo séquito que frequentava Camelot. Com o ar de camponês, montado numa pileca, e quase a cair do dorso, o rapaz atravessou o átrio e aproximou-se do intrépido mordomo-mor de Camelot, Kay. O recém-chegado trazia um cinturão feito de corda e dos cabelos caíam-lhe farrapos de palha. Kay questionou-o quanto aos motivos de ter vindo até ali, ao que o rapaz respondeu que a mãe o enviara para que se juntasse à Ordem da Távola Redonda e prestasse serviços a Artur. Da forma mais despretensiosa possível, disse chamar-se Percival.

Kay riu-se na cara do rapaz e disse-lhe que nenhum campónio simplório devia ter a ousadia de fazer um pedido tão arrogante. Ao dizê-lo, dois duendes de Camelot, ao serviço dos cavaleiros de Artur, olharam para o rapaz e desataram a gritar que Percival, o melhor dos cavaleiros destinados servir a corte de Artur, chegara finalmente. Kay virou-se para os duendes, e, vendo que pareciam não estar a brincar, bateu-lhes com o lado achatado da espada até os pôr fora do pátio, pois sentiu que estavam a zombar dele. Por seu lado, o rapaz confessou a Kay nunca ter conhecido homem tão abrutalhado em toda a sua vida, e disse-lhe também que fora educado para vir a ser um cavaleiro muito mais cortês do que aquele que Kay aparentava ser. Percival jurou que, quando fosse aceite como cavaleiro da corte de Artur, havia de punir Kay em nome dos duendes.

Kay continuou a escarnecer de Percival. Há muitos anos que não encontrava um rústico daqueles, e decerto nunca se tinha cruzado com nenhum que tivesse desejado juntar-se à Ordem da Távola Redonda. Kay disse a Percival que precisaria de uma espada, de uma lança e de uma armadura para poder cumprir a sua promessa, e disse-lhe que fosse combater em justa com o Cavaleiro Negro, que, para se divertir, derrubava os cavaleiros dos seus cavalos nas campinas, às portas de Camelot. Kay sabia que o Cavaleiro Negro era um lutador brilhante, e a ideia de ver humilhado este campónio arrivista assentava ao seu carácter cruel. Percival montou rapidamente a sua pileca e fê-la sair de Camelot com a ligeireza de que era capaz, com ele montado. A ligeireza, evidentemente, não era muita.

Quando Percival se aproximou do Cavaleiro Negro, o aclamado guerreiro saudou-o. O Cavaleiro Negro perguntou se Percival era mais um dos do castelo, que vinham para o animar no seu desporto. Percival respondeu que fora enviado por Kay para lhe ganhar a armadura e as armas, caso o vencesse em justa. O Cavaleiro Negro riu-se, brandiu a sua lança e carregou sobre Percival. Quando baixou a lança para atacar Percival, a pileca que o rapaz cavalgava empinou-se nas patas traseiras, esmagando o Cavaleiro Negro com os cascos. Percival desmontou, levantou o guerreiro caído com uma mão, acto que devia exigir a força de dez homens, e começou a tirar-lhe a armadura, ainda há pouco tão temida.

Entretanto, Kay perguntava-se que humilhação poderia ter sofrido o jovem campónio. Decidiu cavalgar até à campina, na intenção de se rir das nódoas negras que Percival teria, tanto no corpo como no ego. O próprio Kay era já na altura um brilhante cavaleiro, mas ainda assim vacilava quando se aproximava do acampamento do Cavaleiro Negro, tal era a reputação do homem. Assim que entrou no campo foi atacado por um guerreiro todo de negro; agarrando desajeitadamente na lança, Kay preparou-se para se defender, e a lança do seu adversário derribou-o da sela. O golpe foi desferido com tamanha e tremenda força, tanto por parte do cavalo como do cavaleiro, que partiu o braço a Kay. Do chão, este olhava assombrado, enquanto o cavaleiro campónio, na sua pileca, agora veloz, se aproximava dele e levantava o elmo. Percival começara a usar a armadura do Cavaleiro Negro, e tinha garantido o seu lugar na Ordem da Távola Redonda.

Quando Percival foi apresentado ao seu rei, Merlin explicou a todos que ele era, na verdade, filho de Pellinore, o cavaleiro que tinha quebrado a primeira espada de Artur. O que lhe faltava em elegância palaciana sobrava-lhe em lealdade, honra e força. Os outros cavaleiros da corte de Artur encarregaram-se de ensinar a Percival os modos palacianos, e Percival demonstrou ser um membro popular e galante da Ordem da Távola Redonda. Kay, embora fosse bastante invejoso, passou a evitar Percival, não fossem as suas anteriores zombarias cairem-lhe novamente em cima.

A Demanda do Santo Graal

Numa fria tarde de Inverno, Artur tinha reunido todos os membros da Ordem da Távola Redonda para uma grande festa. Depois de todos os respeitáveis cavaleiros terem chegado e de terem ocupado os seus lugares à mesa, foram-lhes apresentados os membros mais recentes da Ordem. Entre estes últimos constava o filho de Lancelot, Galaaz, predestinado a sentar-se num lugar nunca dantes ocupado, conhecido como a Sédia Perigosa. Era um lugar sobre o qual Merlin profetizara que só poderia vir a ser ocupado pelo mais grandioso e casto dos cavaleiros. Galaaz foi o único cavaleiro que pôde ocupar o lugar.

Enquanto os membros da Ordem aguardavam que começasse o festim, o ruído da trovoada soava lá fora, surdo e prolongado. Alguns dos cavaleiros foram observar a tempestade que crescia, mas logo regressaram, dizendo não os afectar, uma vez que não era dentro de casa. Quando retomaram os seus lugares, o som da trovoada aumentou e ecoou retumbante em torno do salão nobre de Camelot – de tal maneira retumbante que dava a impressão de que as paredes se iriam desmoronar. O salão ficou muito escuro. Então, de súbito, a trovoada parou e o salão encheu-se de uma luz ofuscante. Enquanto os cavaleiros protegiam os olhos, surgiu uma aparição argêntea ao centro da Távola Redonda. Uma toalha branca mantinha-se suspensa no ar e cobria a forma de um grande recipiente – para todos os que observavam parecia tratar-se de um grande cálice dourado. Enquanto aquela aparição pairava no ar, a Távola Redonda rangia ao peso das mais fragrantes iguarias jamais vistas na Grã-Bretanha, surgidas por magia diante dos cavaleiros reunidos. O cálice coberto começou a flutuar, elevando-se no ar e afastando-se, levado do salão por uma força invisível. Depois desapareceu, retornando de novo a calma ao salão nobre de Camelot.

Quando a aparição se foi, Artur e os seus cavaleiros estavam paralisados. Galaaz anunciou aos presentes boquiabertos que aquilo era uma visão do Santo Graal, o mais sagrado e precioso dos objectos à face da terra. Artur lembrou-se das últimas palavras de Merlin, proferidas da sua cavernosa prisão, afirmando que encontrar o Santo Graal impediria a queda da Gra-Bretanha. Já sem Merlin para continuar a aconselhá-lo, Artur ficou obcecado pela visão, que constantemente lhe bailava na mente. Reuniu os seus 150 cavaleiros da Távola Redonda e enviou-os na missão de encontrarem o Graal e regressarem na sua posse, para Artur o utilizar para o bem do povo britânico.

Esquecendo as suas terras e o seu povo, todos os cavaleiros da corte de Artur se empenharam na sua demanda pessoal do Cálice Sagrado. Ninguém sabia onde procurar, nem quanto tempo duraria a busca. Muitos cavaleiros nunca mais voltaram, arriscando tudo para agradarem ao seu Rei dos Reis e perdendo a vida nessa demanda. A Grã-Bretanha entrou em declínio sem a presença judiciosa dos homens de Artur, e os bárbaros destemidos começaram novamente com as suas incursões.

Gawain procurou arduamente e durante muito tempo, envolvendo-se em muitas aventuras por todo o reino caótico, mas não teve êxito. Uma noite, teve um sonho vívido no qual andavam 150 bois a pastar; todos, à excepção de três, eram inteiramente negros, e esses três eram completamente brancos. Os touros pretos começaram a adoecer e morreram de fome. Os três touros brancos mantiveram-se incólumes. Um velho eremita, perspicaz, interpretou o sonho de Gawain, explicando-lhe que significava que só três dos cavaleiros de Artur encontrariam o Graal, sendo que os touros pretos representavam os outros cavaleiros da Távola Redonda, que ficariam enfermos, perderiam o ânimo ou morreriam na sua demanda ao Santo Graal. O eremita garantiu a Gawain que ele estava incluído no grupo dos touros pretos. Desesperado, Gawain abandonou a demanda e regressou a Camelot. Ao voltar, encontrou vários outros cavaleiros que também tinham desistido, muitos narrando histórias das mortes dos seus companheiros às mãos de toda a espécie de animais misteriosos, cavaleiros cruéis e pestilências sobrenaturais. O próprio Artur estava muito preocupado, posto que nunca vira os seus cavaleiros – os mais afamados da Grã-Bretanha – sofrer tais derrotas e desgraças. Ainda assim, a demanda continuou, uma vez que Artur desejava fazer cumprir a profecia de Merlin.

Lancelot, outro dos maiores cavaleiros de Artur, também falhou a sua demanda. Durante a viagem foi perseguido por uma maré de pouca sorte, perdendo a espada e o cavalo enquanto dormia, e apartando-se de Percival, o companheiro com quem iniciara esta missão. Sem poder fazer outra coisa senão prosseguir a pé a sua busca do Graal, Lancelot continuou. Aconteceu cruzar-se com um guerreiro a cavalo, cujo escudo ostentava uma cruz vermelha num fundo branco; o homem a cavalo aproximou-se, retirou o elmo e Lancelot viu tratar-se do seu filho, Galaaz; quanto ao escudo, disse-lhe tê-lo encontrado numa velha abadia, e disse-lhe também que todos aqueles que tinham feito uso dele anteriormente jamais tinham sofrido de má sorte. Contudo, também ele tinha descoberto, através de um cavaleiro encantado revestido de armadura de prata, que aquele que transportasse o escudo haveria de ser guiado ao lugar onde se encontrava o Graal, e ele tinha a certeza de que era seu dever transportá-lo. Pai e filho continuaram a demanda juntos, tendo Lancelot encontrado uma nova montada e embarcado depois num navio com Galaaz, para alargarem os seus territórios de busca para além-mar.

Durante uma violenta tempestade no mar, Lancelot ficou enfermo, sofrendo de enjoo. Teve muitas visões e ouviu muitas vozes estranhas, e uma delas fazia sinal a Galaaz para que se fosse embora, dizendo-lhe que nunca mais voltaria a ver o pai. Quando Lancelot se restabeleceu do seu desfalecimento, percebeu que já não se encontrava no barco, mas sim em terra firme, numa região desértica, nada familiar. Quando o sol se pôs, ele chegou a um castelo altaneiro envolto em escuridão, cuja entrada estava guardada por dois leões. Os leões deixaram Lancelot passar sem o atacarem, e o cavaleiro entrou no castelo. Parecia estar abandonado, mas assim que entrou no salão do castelo viu-se aturdido por uma luz ofuscante e uma voz ribombante e cava que lhe dizia que devia fugir, porque estava proibido de ver o Graal. Entrara no Castelo do Graal, a última morada do cálice sagrado. O bravo Lancelot, muito desorientado e em sofrimento por causa da intensidade da luz e do troar cavernoso, avançou cambaleante pelo salão, determinado a satisfazer o pedido de Artur, de conseguir o Graal. O cálice emitia um brilho radiante, e estava sobre a mesa, coberto por um pano vermelho. Quando Lancelot tentou levantar o pano, sentiu uma grande dor trespassá-lo, e voltou a desfalecer. E ali jazia aturdido o mais excelso cavaleiro da corte de Artur, com o Graal ao seu alcance.

Quando Lancelot voltou a si, estava metido na cama e a ser assistido pelo Rei-Pescador, o guardião do Graal. O Rei-Pescador era uma alma caridosa, encarregada de zelar pela segurança do Graal, e não tinha intenção de fazer mal a Lancelot. Explicou a Lancelot que este nunca poderia levar o Graal. Ainda que fosse o melhor dos cavaleiros e o mais nobre dos homens, não era suficientemente puro e casto para poder fazê-lo. Só um homem sem culpa e puro de coração seria capaz de erguer o Graal, e Lancelot não era esse homem. O Rei-Pescador alimentou Lancelot até este recuperar forças e depois enviou-o de regresso para Camelot. Quando Lancelot partiu, o Rei-Pescador disse-lhe que, tendo chegado tão perto do Graal, conseguira muito mais do que qualquer outro dos cavaleiros de Artur. Para Lancelot, terminara a demanda do Graal.

Galaaz prosseguira a sua busca, viajando ao acaso, mas transportando ainda o escudo que o viria a conduzir ao Graal. No navio, com o seu pai, também ele tinha tido visões e ouvido vozes encantadas, incluindo a do cavaleiro revestido de prata com quem se cruzara e que lhe dera o escudo. Seguindo o conselho das vozes que escutara, abandonou o pai, não sem antes lhe dar um abraço de despedida, desembarcando num estranho deserto, no estrangeiro, e prosseguindo sozinho a sua demanda. Pressentia estar perto do fim da sua busca, e também que o escudo o guiaria fielmente. Enquanto viajava por esta região árida, encontrou Percival e Bors, tendo estes últimos passado por muitas aventuras arrojadas antes de terem chegado até ali. Os três cavaleiros cavalgaram juntos, e viram o mesmo castelo altaneiro envolto nas trevas onde Lancelot tinha entrado.

Os três cavaleiros passaram pelos leões de guarda à entrada, e foram recebidos no interior pelo Rei-Pescador. Este cumprimentou-os com cortesia, e explicou-lhes que apenas ao mais puro e cavalheiresco dos homens seria permitido tocar o Graal. Excluiu imediatamente Percival – o facto de ter sido criado fora de Camelot significava que ele não saberia dirigir-se ao Rei-Pescador correctamente, em conformidade com a moda da corte; Bors também não logrou provar que era suficientemente puro e cavalheiresco, embora tivesse estas virtudes em alto grau. Galaaz deu um passo em frente e o Rei-Pescador acenou com a cabeça, em sinal de aprovação. Conduziu os três cavaleiros ao interior do salão do castelo do Graal. A luz era ainda ofuscante, mas não penosa, e o Rei-Pescador explicou que o seu trabalho estava completo e informou que Galaaz seria o seu sucessor, desaparecendo depois. Enquanto Percival e Bors observavam, Galaaz caminhou a passo largo em direcção ao cálice coberto e retirou o pano. Ergueu o Graal, e a sala ficou envolta em luz branca. Quando Galaaz agarrou o Graal, tanto ele como o cálice começaram a erguer-se do chão e a levitar. O som retumbante de trovoada que tinham escutado aquando da primeira visão do Graal, em Camelot, voltou a fazer-se ouvir, e tanto homem como cálice elevaram-se no ar e desapareceram. Percival e Bors olhavam espantados, enquanto o homem mais puro do mundo assumia as suas funções de guardião do Graal e, magicamente, se mudava com ele para um novo local secreto. Nem o cavaleiro nem o cálice sagrado voltariam a ser vistos no reinado de Artur.

Profundamente afectado pelo acontecimento que tinha testemunhado, Percival fugiu imediatamente e tornou-se monge, morrendo pouco depois, feliz e satisfeito por ter avistado o Graal, mas de coração partido por ter falhado ao seu rei, tendo tido o Graal tão ao seu alcance. Bors conseguiu voltar para Camelot para contar o acontecido aos sobreviventes mortificados da Demanda do Graal.

O Graal fora encontrado, mas a Ordem da Távola Redonda não conseguira levá-lo a Artur. Por isso Merlin profetizara a ruína. Como é evidente, enquanto os cavaleiros estavam ausentes na sua demanda, a Grã-Bretanha mergulhara no caos, sem lei nem ordem. Raros foram os homens valorosos que sobreviveram às duras exigências da demanda, e Artur teve que lutar para repor a estabilidade no seu reino. Contudo, os seus problemas ainda só estavam a começar.

Lancelot e a traição de Guinevere

Após ter voltado da demanda ao Santo Graal, ao meditar sobre o seu falhanço Lancelot sabia qual era uma das razões principais para a falta de pureza que o impedira de erguer o Graal. Há vários anos e sem que ninguém o soubesse – especialmente Artur – Lancelot estivera enfeitiçado numa relação adúltera com Guinevere, a rainha de Artur. Desde que esta lhe entregara pela primeira vez o prémio do Torneio do Diamante que acalentava desejos secretos por ela, e um dia não fora capaz de suster a sua paixão por mais tempo e declarou o seu amor a Guinevere, num jardim particular. A rainha sentira-se ao mesmo tempo elogiada e preocupada – naquela ocasião Artur andava sempre mais ocupado com os assuntos do Estado do que com os assuntos do coração, e ali estava agora um jovem cavaleiro bem parecido a declarar-lhe o seu amor. Não obstante, amava profundamente Artur, apesar das suas muitas distracções e sabia perfeitamente que uma rainha devia permanecer sempre fiel ao seu rei. Resistiu ao charme de Lancelot, mantendo-se devota a Artur, e tentava evitar o jovem cavaleiro sempre que lhe era possível, para afastar dos pensamentos a tentação.

Contudo, numa ocasião, quando Artur andava em campanha longe de casa, Guinevere foi raptada por um cavaleiro ciumento de seu nome Meleagant, cujo séquito matara brutalmente a escolta de Guinevere. Lancelot não fora nem mobilizado para a campanha de Artur nem requisitado para a escolta de Guinevere a fim de não levantar quaisquer suspeitas. Pegou em armas e foi no encalço dos raptores. O seu cavalo foi atingido debaixo da sela por um arqueiro de Meleagant e Lancelot continuou a perseguição às rédeas da carroça de um camponês. Apanhando Meleagant no seu castelo, Lancelot fê-lo passar à espada, juntamente com os seus escudeiros, e levou Guinevere de novo para Camelot.

A carroça era um meio absolutamente indigno para as viagens de um cavaleiro com o estatuto de Lancelot, e a viagem de carroça foi uma façanha que fez com que Guinevere visse claramente o quanto ele a amava. Infelizmente, Modred, o malévolo sobrinho de Artur, olho de lince, também percebeu o que significava a acção de Lancelot. Inteiramente inebriada pelo resgate galante e destemido, Guinevere encetou um apaixonado, embora traiçoeiro, romance com o mais importante cavaleiro de Artur. Modred, que aprendera a gostar do incómodo dos outros, ficou de olho neles.

Quando Lancelot voltou da Demanda do Graal, reataram o romance e, nessa ocasião, Modred, que fora um dos primeiros a desistirem da demanda, revelou a Artur o romance de Lancelot com Guinevere. O seu irmão, Agravaine, confirmou as afirmações de Modred. Artur viu-se diante de provas irrefutáveis e, num acesso de ira, ordenou a Gawain que atasse Guinevere a uma estaca e a queimasse, e que expulsasse Lancelot para sempre de Camelot. Gawain tentou acalmar a fúria de Artur, sugerindo que a rainha e Lancelot apresentassem antes a sua versão dos factos, mas Modred inflamou Artur ainda mais com histórias sórdidas sobre o romance.

Modred e Agravaine amarraram a rainha a uma estaca, e estavam em vias de atear uma fogueira debaixo dela, quando Lancelot, acompanhado dos seus melhores amigos, Leonel e Bors, avançou a toda a pressa pelo átrio, completamente armado e revestido da armadura. Deflagrou uma luta viciosa, um turbilhão, dentro das muralhas de Camelot, com alguns cavaleiros a apoiarem o seu rei, enquanto que outros, incapazes de o apoiarem e de ver a sua querida rainha ser assassinada, estavam do lado de Lancelot. Muitos cavaleiros valorosos foram derribados na batalha. Lancelot matou Gareth e Gaheris, e também o arrogante Agravaine. Os defensores de Lancelot lograram arrebatar a rainha das chamas que irrompiam à sua volta, e apressaram-se a sair do castelo, rumo à fortificação de Lancelot na Guarda Alegre, e depois para o continente, para a sua pátria em Benwick.

Artur, ainda apoiado por muitos seguidores leais, entre eles Gawain, há tanto tempo ao seu serviço, Kay, Lucas e Bedevere, não teve outra alternativa senão declarar guerra a Lancelot. Com efeito, Lancelot tinha raptado a rainha, e de qualquer modo cometera uma traição no romance que mantivera com ela. Modred, hipócrita e irado, incitou Artur a perseguir Lancelot até Benwick e a declarar-lhe guerra. Dos cavaleiros de Artur, os mais sensatos aconselhavam prudência. Não obstante, Artur já estava firme na sua decisão quando Modred prometeu desempenhar o papel de regente, substituindo-o na governação da Grã-Bretanha durante a campanha continental do rei. O Rei dos Reis, perturbado, mas grato a Modred por este lhe ter revelado o romance da rainha, concordou, e marchou para a guerra. A Ordem da Távola Redonda quebrara-se e a Grã-Bretanha resvalava cada vez mais rapidamente para o declínio profetizado por Merlin, que há muito desaparecera.

Artur cruzou os mares rumo ao continente com o seu estandarte do dragão vermelho, e conduziu o seu grande exército até Benwick. Lancelot refugiara-se no castelo mais fortificado da região, e Artur pôs-lhe cerco. Companheiros de armas dos tempos antigos da Távola Redonda lutavam agora entre si; ávido de vingança das mortes dos seus irmãos às mãos de Lancelot, Gawain protagonizou muitas façanhas audaciosas. Mas o castelo de Lancelot não dava mostras de cair, e a rainha estava lá dentro com ele.

Então, chegaram notícias de Camelot. Modred usurpara o trono, e convidara os Saxões, os Pictos e os Irlandeses a regressarem ao reino, para forçarem a população a submeter-se-lhe. Dividido entre vingar-se da sua rainha e do seu amante, ou proteger o seu povo no reino, Artur optou pela última destas hipóteses. Apesar da sua cólera recente, era ainda um homem justo, e a segurança da Grã-Bretanha era a única coisa que desejava. Deu ordens ao seu exército no sentido de voltarem para a Grã-Bretanha, mas deixou o coração despedaçado nas trincheiras de Benwick.

A última batalha

Todos se aperceberam da faceta cruel de Modred quando este substituiu Artur na governação. Introduziu no reino guerreiros bárbaros para lutarem contra os Bretões que se mantinham fiéis a Artur, e até levou um machado para fazer da Távola Redonda uma mesa rectangular com um assento proeminente para ele, à cabeceira. A ela se sentavam, consigo, os chefes militares dos Saxões grisalhos, dos Pictos selvagens e dos Irlandeses ébrios, festejando à custa das ricas adegas de Artur. Quando Modred tomou conhecimento da eminência do regresso de Artur, reuniu a sua horda bárbara e marchou de Camelot para Dover, onde pretendia opor-se ao desembarque de Artur.

Quando se avistaram no mar os navios que transportavam o exército de Artur, as hordas ululantes de bárbaros e alguns Bretões traiçoeiros aprontaram-se para a batalha. O primeiro a desembarcar do navio de Artur foi Gawain – que, agora que Lancelot traíra o Rei dos Reis, reassumira o seu papel de principal cavaleiro de Artur. Na vanguarda da batalha, Gawain retalhou muitos guerreiros do exército de Modred; atrás vinha o estandarte do dragão vermelho de Artur. Perante ataque tão furioso, o descomunal exército de Modred bateu em retirada; lutavam por dinheiro e pelo saque, não por amor ao seu rei ou ao seu país, e isso tornava os cavaleiros de Artur superiores em todos os aspectos, excepto no que tocava ao número de guerreiros. Quando o exército de Modred se afastou, Gawain carregou sobre grupo de guerreiros irlandeses que ainda lutavam, e deparou-se com um campeão irlandês tatuado, que era um verdadeiro gigante. Para horror de Artur, Gawain foi derribado no mesmo instante em que desferiu um golpe mortal no Irlandês.

O exército de Artur pôs-se em marcha, para evitar que ocorressem tais tragédias ao final do dia. Reuniu os poucos cavaleiros sobreviventes da Ordem da Távola Redonda na sua tenda – tinham restado muito poucos: a Demanda do Graal, as escaramuças em torno da prisão de Guinevere, a campanha em Benwick e agora a Batalha de Dover, tinham levado grande parte dos seus leais seguidores. Artur declarou que perseguiria o exército de Modred, derrotá-lo-ia outra vez, e continuaria a persegui-lo e a derrotá-lo até recuperar o controlo do seu reino e restaurar a paz e a prosperidade que estabelecera há tanto tempo, no início do seu reinado. Kay, Bedevere, Lucas, o Mordomo – três dos seus cavaleiros mais leais, dos que o tinham servido logo no início do seu reinado – aplaudiram a sua decisão.

Os batedores de Artur seguiram a horda de Modred em retirada, e perseguiram-nos até à Cornualha. O exército de Artur seguiu-os, e em Camlann, no rio Camel, os dois exércitos voltaram a confrontar-se. Ambas as partes foram prudentes – a Batalha de Dover resultara numa chacina sangrenta – e Artur concordou em encontrar-se com os chefes militares de Modred em conferência. Kay aconselhou-o a não o fazer – tal como Artur, ele sabia o quão Modred era traiçoeiro – mas Artur concordara com o encontro, na esperança de Modred se render sem terem que lutar.

Artur e os seus nobres de maior nomeada cavalgaram ao encontro de Modred e dos seus chefes militares bárbaros cobertos de peles de animais, a meio caminho da posição inicial dos dois exércitos. Modred desejava apenas escarnecer do legítimo Rei dos Reis, mais do que apelar à paz, e os ferozes chefes mercenários riram-se com ele. Quando os guerreiros se enfrentaram cara a cara, um dos homens de Modred puxou de uma espada – uma víbora mordera-lhe o calcanhar e ele matou-a com um golpe reflexo. Mesmo assim, pronto para o subterfúgio e impetuoso como sempre, Kay julgou que o guerreiro era um assassino, e derribou-o com um golpe. Irrompeu uma escaramuça, e os exércitos começaram a avançar um contra o outro, ao som das trompetas de guerra e com as bandeiras desfraldadas ao vento. O céu escureceu e a chuva começou a cair, a trovoada abateu-se com um estrondo surdo e prolongado e o céu iluminou-se num clarão – até lá, tinha feito um dia claro. Os corvos sobrevoavam em círculos, à espera de irem filar a carne dos mortos. Começara a Batalha de Camlann.

Nunca em solo britânico se travou uma batalha tão sangrenta. Dover, embora cruel, não se comparava. O exército de Artur era mais pequeno do que o de Modred, mas o pendor da peleja alternava. A chuva caía copiosa, e Artur, numa cólera cega por causa do destino do seu reino, viu também Lucas cair morto e Kay ser decapitado por um machado saxão. A batalha durou muitas horas. Artur manteve-se no centro, com o seu estandarte do dragão vermelho firmemente espetado no solo da Cornualha. À medida que o dia findava, o número de combatentes decrescia gradualmente – os Bretões tombavam mortos, pelejando por ambos os reis, e os guerreiros bárbaros, com os bolsos repletos do dinheiro de Modred, fugiam quando a batalha se virava contra eles. A chuva diminuiu, e Artur observava a cena ao seu redor. Estava sozinho no topo de uma pilha de corpos, e junto dele estava o leal Bedevere, exausto da fúria da batalha. Através do campo de mortos, o Rei dos Reis avistou o seu usurpador e dirigiu-se em largas passadas em direcção a Modred. Reunindo toda a energia que lhe restava, Artur ergueu Excalibur muito acima da sua cabeça, pronto para desferir um golpe que esmagasse o crânio de Modred. Mas Modred foi mais rápido; também lutara durante o dia inteiro, mas era mais jovem e mais ágil. Alçou da sua lança ensanguentada e espetou-a profundamente no peito de Artur. O sangue espirrou por todo o lado, misturando-se com o sangue de centenas de outros homens estendidos no chão.

Com as forças a esvaírem-se-lhe do corpo, Artur soergueu-se apoiado na haste da sua lança e num acto de pura cólera decepou a cabeça de Modred dos seus ombros com um simples golpe, enquanto o usurpador continuava a torcer desesperadamente a sua lança no corpo de Artur. Modred tombou sem vida e, desfalecendo de exaustão e dor, Artur tombou sobre ele.

A caminho de Avalon e para além dela

Com a vida a esvair-se-lhe rapidamente, Artur foi transportado do campo de batalha por Bedevere, que testemunhara o derradeiro acto do seu rei. Depois de já se encontrar com Artur a alguma distância do campo de batalha, não podendo já ouvir os gritos dos corvos no festim dos cadáveres resultantes da batalha, Bedevere pousou Artur no chão para lhe prestar assistência. A voz penosa e grave do Rei dos Reis fez um pedido final a Bedevere.

Disse a Bedevere que a espada Excalibur devia ser desafivelada da sua cintura e lançada num lago próximo. Bedevere, sempre leal, concordou em fazê-lo, embora acima de tudo esperasse que Artur recuperasse dos seus ferimentos, e sabendo que Excalibur era um símbolo da autoridade do Rei dos Reis, em vez de atirar a espada ao lago, escondeu-a. Pensou que deitar fora Excalibur seria um acto de traição. Bedevere voltou para junto de Artur, e o Rei dos Reis perguntou-lhe debilmente o que acontecera quando a espada atingiu a água. A resposta de Bedevere foi a que qualquer pessoa teria dado. Disse que a espada se tinha afundado; ele não estivera presente quando a Dama do Lago ofereceu a espada a Artur, e não podia assim esperar a intervenção desta. Artur, começando a mostrar-se zangado, apesar das forças lhe escaparem, disse a Bedevere para voltar e cumprir as suas instruções; uma vez mais Bedevere não foi capaz de fazê-lo, e voltou com a mesma resposta para a mesma pergunta de Artur. Pela terceira vez, Artur ordenou a Bedevere que atirasse a espada para o seu sepulcro de água, e, desta vez, por puro amor ao seu rei, Bedevere obedeceu. Quando a lâmina se aproximou da água, um braço feminino rompeu a superfície do lago, agarrando graciosamente o punho da espada e devolvendo Excalibur ao reino da água da Dama do lago.

Admirado com o que tinha visto, e entristecido por este fim simbólico do reinado de Artur, Bedevere regressou para junto do rei e contou-lhe exactamente o que acontecera. Artur abanou a cabeça num esgar de satisfação, que logo se revelou num sorriso aberto e depois pediu a Bedevere se podia levá-lo até à costa. Transportando nos braços o seu rei, Bedevere colocou Artur no local onde este desejara e viu uma barca negra, que se aproximava, cruzando sem esforço a superfície das águas.

A bordo estavam três donzelas cobertas de negro, que desembarcaram e, em silêncio, levaram o rei para o convés. O sol começara a pôr-se, emprestando à cena o espectáculo do céu vermelho, e a barca negra desapareceu na direcção do poente. Rodopiou no ar uma névoa, e a embarcação extinguiu-se nela. Apesar de já muito distante, Bedevere ouviu a voz de Artur, que lhe sussurrou que ninguém devia chorar o Rei, uma vez que ele partia para a ilha encantada de Avalon, onde as suas feridas seriam magicamente saradas pela Dama do Lago. Estaria então pronto a regressar, quando a Grã-Bretanha estivesse em grande perigo e os Bretões necessitassem dele como nunca. Desde então, Artur ainda não voltou.

Guinevere viveu o resto dos seus dias como freira, lamentando enormemente os pecados cometidos e o seu contributo para a derrocada do reino de Artur. Lancelot voltou para a sua fortificação, a Guarda Alegre, no Norte da Grã-Bretanha, e viveu em solidão, envergonhado pelo facto de as suas acções terem levado Artur à ruína. Quando Lancelot soube da morte de Guinevere, acompanhou as suas exéquias até Glastonbury, onde ela recebeu um enterro digno. Bedevere, o último dos leais seguidores de Artur que sobreviveu, morreu de velhice, tal como Lancelot, e com eles termina a história do reino de Artur. Talvez ele volte um dia. Talvez o nosso rei do passado e do futuro durma, pacientemente à espera do derradeiro chamamento do povo britânico.

CAPÍTULO VI

ARTUR NO MUNDO MODERNO

O sucesso da lenda arturiana e a popularidade das histórias até aos dias de hoje não devem ser totalmente atribuídos aos escritores medievais que criaram e embelezaram as histórias complexas na Távola Redonda. Muitos dos grandes heróis medievais foram relegados para papéis secundários nos cursos de literatura inglesa; por exemplo, Rolando, Sigurd e Gamelas não são nomes muito familiares nos dias de hoje, mas eram todos alvos de grande interesse dos contadores de histórias medievais. Também devemos atribuir o devido mérito aos escritores, poetas e realizadores de cinema do período pós-medieval, já que estes incutiram na lenda arturiana um número suficiente de elementos da vida moderna para a transformar em entretenimento relevante para as pessoas dos nossos tempos.

Isto não diminui o mérito do trabalho de Malory, de Geoffrey de Monmouth ou de inúmeros autores medievais que dedicaram parte substancial das suas vidas a escrever sobre Artur – deveremos apenas reconhecer que, se não tiverem relevância para o público moderno, as lendas e o folclore tendem a desaparecer. A maioria das pessoas que falam comigo sobre o tema Artur, fá-lo abordando romances como os de Rosemary Sutcliff e Bernard Cornwell e filmes como *Excalibur* e *Monty Python e o Cálice Sagrado* e não narrativas como *Roman de Brut,* de Wace, ou a história de *Culhwch e Olwen.*

Antes do século XIX

No mesmo ano em que Caxton publicou *The Death of Arthur* (1485), um novo rei traçou o seu sangrento caminho de ascensão ao trono por força da sua vitória na batalha de Bosworth. Henrique Tudor, que seria coroado rei Henrique VII – derrotou o seu rival Ricardo III, reunindo para o efeito o seu exército sob o estandarte do Dragão Vermelho, um símbolo que exibe orgulhosamente a sua pretensão de descender de antepassados galeses. Henrique afirmava ser descendente do último rei britânico (ou galês) da linhagem estabelecida por Geoffrey de Monmouth – Cadwallader – anterior, portanto, à ascensão dos Ingleses, logo, descendente do próprio Artur. Henrique VIII sucedeu a Henrique VII, e também ele demonstrou interesse pela vida do lendário Artur.

Henrique VII deu o nome de Artur ao seu próprio filho e se este Artur não tivesse morrido tão novo, em 1502, seria interessante saber se teria sido coroado como Artur I ou Artur II, tal a atenção que nesses tempos o nome suscitava. Henrique VIII também deu o nome de Artur a um dos seus filhos, embora lamentavelmente a criança tivesse sobrevivido apenas dois meses. Numa data anterior, Geoffrey, irmão de Ricardo I, também deu o nome de Artur ao seu filho... tendo o facto levado um cronista a referir-se-lhe como "a esperança do seu povo". Este Artur também não teve muita sorte – ao envolver-se na guerra civil, acabou executado aos 16 anos, pelo rei João. Ainda sobre a questão dos membros da realeza com o nome de Artur, é interessante notar que tanto o príncipe Carlos como o seu filho, o príncipe Guilherme, têm ambos o nome de Artur como um dos seus nomes, sendo que lhes é permitido usá-lo, quando forem coroados.

Embora os Tudor sejam provavelmente a linha dinástica mais famosa a alinhar a sua descendência com Artur, não foram os primeiros a fazê-lo. Henrique II, que reinou entre 1154 e 1189, e cresceu no tempo em que começavam a florescer as histórias medievais de Artur, ter-se-ia apercebido de que um poeta retratara Tristão no brasão de Henrique. Circulou ainda uma outra história que afirmava que Henrique tinha descoberto o local onde Artur estaria sepultado, mesmo antes da sua própria morte. Há um pouco de verdade nisto: Henrique encorajara os monges de Glastonbury a procurarem a sepultura, e durante o reinado do seu sucessor (Ricardo I, 1189-1199) estes encontraram de facto alguém – e o leitor poderá ler mais sobre este caso no capítulo sete. Eduardo I (1272-1307) exibiu estes restos mortais antes de os mandar trasladar para um túmulo mais imponente. Havia também relíquias arturianas nas mãos doutros membros da família real – João (1199 -1216) possuía uma série de objectos, e no decorrer da Terceira Cruzada de 1191, Ricardo I ofereceu a um amigo siciliano uma espada que ele afirmava ser Excalibur.

Na dinastia dos Plantagenetas, Eduardo II foi talvez quem se mostrou mais intrigado por Artur. Visitou Glastonbury envergando trajes arturianos bizarros (e isto na época antes do festival), e fundou a Ordem da Jarreteira – tendo mesmo chegado a considerar a hipótese de refundar a Ordem da Távola Redonda. Eduardo pode ter sido responsável pela construção da famosa Távola Redonda de Winchester (que pode ainda ser vista nos grandes átrios do salão nobre de Winchester), embora pareça mais provável que esta tenha sido construída em finais do século XIII. Esta mesa enorme foi pintada de novo no reinado de Henrique VIII, exibindo uma pintura de Artur envergando trajes típicos do período tudor, e com a cara bastante parecida com a do próprio Henrique.

Os *Contos da Cantuária*, de Chaucer, escritos na segunda metade do século XIV, tinham uma referência a Gawain, mas não tratavam sobre literatura ou personagens arturianos. Considerando os temas que interessavam ao outro grande dramaturgo de Inglaterra, William Shakespeare, talvez seja surpreendente que este também não tenha escrito sobre Artur. Shakespeare escreveu uma peça de teatro baseada noutra personagem mais conhecida através da *História* de Geoffrey de Monmouth – o rei Lear – mas o seu grande rei guerreiro da Alta Idade Média, apesar de historicamente imperfeito, seria Macbeth, não Artur. Durante o século XVI (e até finais do século XIX, quando os padrões educativos cativaram o interesse de um público muito mais vasto pelas histórias de Artur), a lenda arturiana era essencialmente o folclore das classes sociais mais elevadas, e talvez não atraísse o tipo de público para quem Shakespeare escrevia. Ou talvez as lendas fossem já tão conhecidas que ele não as quis adaptar para o palco – é difícil saber agora as razões. No entanto, por qualquer razão, Shakespeare nunca incluiu as lendas de Artur na sua série de peças históricas.

Houve outros autores que se detiveram nas lendas de Artur. O antiquário John Leland, que viveu no século XVI, acreditava que Artur havia sido um líder que existira de facto, e que a presença de acontecimentos totalmente lendários nas histórias de Artur não era impedimento para que tivesse sido um verdadeiro rei Em 1542,

Leland também registou que a colina fortificada de South Cadbury era a Camelot de Artur (ou 'Camalat', como ele escreveu). Um outro estudioso de antiguidades, William Camden, também registou histórias do folclore local acerca de Artur, situando-o na Cornualha (a sua recolha a nível nacional intitulada *Britannia* saiu em 1586) Durante o reinado de Isabel I (1558-1603), outros houve que retomaram com vigor as possibilidades criadas por Artur. John Dee, o astrólogo de Isabel, avançou a ideia de que o próprio Artur poderia ter colonizado o novo mundo, e a obra de Edmund Spenser, *The Faerie Queen (*1590) incluía Artur, Merlin, Tristão e Uther. Spenser até aproximou Artur da linha de consanguinidade dos Tudor.

A morte de Isabel I ou assinalou o fim do interesse do público em Inglaterra pelos romances arturianos e de cavalaria, ou apenas coincidiu com o fim desse interesse. No final do século XVII Henry Purcell e John Dryden trabalharam juntos numa ópera intitulada *Rei Artur*, mas a ascensão de Guilherme de Orange tornou partes da ópera sediciosas, e o libreto teve que ser alterado, acabando por ser um fiasco. Foi somente no princípio do século XIX que estes ideais entraram de novo na moda.

Os vitorianos

Os vitorianos não eram avessos a deturpar a História (ou, para sermos mais simpáticos, interpretavam-na mal) de forma a moldarem-na aos seus padrões e às suas convicções sociais. A faceta cavalheiresca da lenda arturiana exercia uma grande atracção sobre os vitorianos, e, quase sem aviso, assistiu-se a um ressurgimento da literatura e da arte arturianas, e o lendário rei voltou a ser de conhecimento comum. Pela primeira vez, os cânones educativos e a tecnologia da imprensa permitiram que Artur e os seus cavaleiros se tornassem em heróis junto de um público muitíssimo mais vasto do que até então; as classes sociais mais baixas adoptaram Artur como um herói popular e as classes mais elevadas viram o rei e a sua corte como símbolos da aristocracia. Além disso, o facto de se dizer que Artur reinara sobre um império que se estendia por grande parte da Europa não iria passar despercebido junto das classes altas nesse século de moderna construção de um Império;

eis um rei que devia servir de termo de comparação para a monarquia moderna.

Pouco tempo antes do início do século XIX, Edward Gibbon escreveu um longo estudo sobre *O Declínio e Queda do Império Romano* (completado em 1788 e extremamente influente no período vitoriano que se seguiu). O tomo de Gibbon era um trabalho académico feito à luz dos ditames da sua época, e que versava sobre os anos em que Artur supostamente viveu. No entanto, na sua grande maioria, os autores do século XIX interessaram-se pelo Artur das lendas, e não propriamente pelo Artur histórico.

Nos finais do século XVIII, começou a surgir uma tendência crescente nos escritores e nos artistas britânicos para os temas românticos. Encorajados por uma nova moda que adoptara todas as referências do gótico, as ideias românticas do período medieval ressurgiram e os académicos voltaram a ter como objecto dos seus estudos textos medievais há muito esquecidos. Os que tinham uma maior inclinação artística começaram a imitar as personagens dessa época, e, nos primeiros anos do século XIX, a poesia medieval inglesa e o pensamento cavalheiresco tornaram-se novamente populares. Em 1802, Walter Scott (futuro Sir) publicou uma versão de *Tristão e Isolda*, a partir de um texto do período *Middle English*, que abarca a língua inglesa em uso entre cerca de 1150 a cerca de 1475. Em 1816-17, foi impressa uma nova edição de *A Morte de Artur*, de Thomas Malory, e como não surgiu nenhuma outra edição até 1858, é provável que a edição de 1816-17 tenha sido reimpressa várias vezes nos 40 anos que medeiam estas duas datas.

O reavivar do interesse pela literatura medieval e histórica prosseguiu, mas a lenda arturiana era apenas parte deste movimento. Dez anos depois de ter editado *Tristão e Isolda*, Sir Walter Scott publicou o seu romance histórico *Waverly* em 1814, e surgiram outros autores com as suas próprias histórias de estilo medieval ou com temas góticos. Em 1848 Edward Bulwer-Lytton publicou *O Rei Artur*; Bulwer-Lytton tentou fazer um poema de proporções épicas, inspirando-se nas mitologias nórdica e clássica para o desenrolar da acção. Apesar da reacção fria dos comentadores actuais, *O Rei Artur* foi uma obra bastante popular na época em que foi apresentada, como atestam as quatro edições que surgiram ao longo de um período de 30 anos. William Morris contribuiu para a colectânea de poemas *The Defence of Guinevere* [*A Defesa de*

Guinevere] em 1858, e um número considerável de outros escritores inspirou-se ocasionalmente na prosa e na poesia arturianas. Outro livro que surgiu em 1858, *The Age of Chivalry* [*A Era da Cavalaria*], de Thomas Bulfinch, ainda hoje é popular, versando sobre as histórias mais populares da lenda arturiana e misturando prosa e poesia.

Mas o poeta mais famoso do período vitoriano a abordar a lenda arturiana – de facto, o escritor mais famoso do século XIX em todo o tipo de literatura que trate sobre este tema – foi, sem dúvida Alfred, Lorde Tennyson. Nascido no Lincolnshire em 1809, Tennyson fez os seus estudos na Universidade de Cambridge, mas abandonou-os em 1831, antes de completar a sua licenciatura. Entre os seus inúmeros poemas destaca-se a sua grande obra-prima arturiana *The Idylls of the King* [*Os Idílios do Rei*]. A obra não foi escrita como um só poema épico, tendo ao invés sido criada ao longo de muitos anos, e só ficou completa em 1888, quando foi publicada a sua versão final em 12 volumes. O primeiro poema de *Idílios* chamava-se "The Lady of Shallot" (uma peça acerca de Elaine de Astolat), publicado em 1832 e provavelmente mais baseado num romance italiano do que no trabalho de Thomas Malory. Uma variação posterior sobre o mesmo tema, desta feita inspirada na história de Malory, inspirou Tennyson a escrever *Lancelot e Elaine*, que veio a ser uma das suas obras de maior sucesso. Um empreendimento tão ambicioso – a recriação de toda a lenda arturiana num poema épico – ajudou Tennyson a cimentar a sua reputação como um dos grandes poetas do seu tempo, e foi recompensado pelos seu talento e visão ao atingir o estatuto de laureado em 1850. *A Morte de Artur* é o texto arturiano de Tennyson em geral considerado pelos críticos a sua melhor obra, embora não seja tecnicamente um dos *Idílios* e devesse ser mais correctamente considerada um epílogo.

Tal como muitos outros antes e depois dele, Tennyson conferiu a Artur e aos seus seguidores as virtudes e os valores considerados importantes no seu próprio tempo e na sua própria era. Artur representava tudo o que era visto como virtude na sociedade vitoriana, e Tennyson expunha a crítica social e o pecado através do retrato de Guinevere, e também de Gawain. O trabalho de Tennyson era tremendamente popular junto dos leitores da geração vitoriana, e apesar de o poeta ser talvez mais lembrado no período moderno pelos trabalhos *The Lotus Eaters* [*Os Lotófagos*], *A Carga da Brigada Ligeira*, e *Maud*, a sua contribuição arturiana nunca deve ser relegada para segundo plano.

Mark Twain (cujo verdadeiro nome era Samuel Clemens) estava a fazer por Artur, na América, o mesmo que fez Tennyson na Grã-Bretanha. A obra de Twain *A Connecticut Yankee at King Arthur's Court* foi publicada pela primeira vez em 1889, e nela se conta a história de Hank Morgan, um americano encarregado de uma fábrica, que acorda numa manhã e descobre ter sido transportado para a Grã-Bretanha do século VI – a Era de Artur. *A Connecticut Yankee* é uma narrativa anárquica das aventuras de Hank, e satiriza muito o que o século XIX representava. O romance de Twain ainda é considerada como um marco da literatura americana.

A imagem moderna de Artur como um rei idoso e ineficaz foi muito influenciada por estes escritores vitorianos. Aparentemente, os romances medievais, apesar de retratarem Artur como um governante imperturbável e de se concentrarem sobretudo nos feitos dos seus cavaleiros, nunca projectaram a imagem de um rei tão pouco vigoroso como o faziam os contadores de histórias vitorianos. O Artur vitoriano era muito uma figura tipo "à-roda-do-lar", que enviava os seus cavaleiros em demandas em seu nome, tendo perdido rapidamente o seu protagonismo após o incidente da Espada na Pedra. Talvez esta interpretação da imagem de Artur pudesse estar associada ao poder decrescente da monarquia no século XIX, comparado com o crescente poder do Parlamento, cujo papel era idêntico ao da Távola Redonda de Camelot.

Nem toda a literatura da última fase vitoriana era nova. Na década de 90 do século XIX, o prolífico editor J. M. Dent lançou uma edição de *A Morte de Artur,* de Malory, com ilustrações imaginativas e ousadas em contrastes entre negro profundo e branco e com efeitos decorativos nas páginas criados pelo artista Aubrey Beardsley, ainda desconhecido na altura. Publicado em 12 partes, este trabalho tornou Beardsley famoso quase de um dia para o outro.

Beardsley não foi o único artista a retratar cenas arturianas. O aumento da popularidade da literatura arturiana gerou nalguns dos mais insignes artistas desse período, incluindo Dante Gabriel Rossetti e Gustave Doré, um interesse na arte inspirada em temas arturianos.

A Irmandade Pré-Rafaelita, fundada em 1848, foi uma lufada de ar fresco no romance medieval e os seus trabalhos – frequentemente inspirados nas lendas medievais e arturianas – tornaram-se talvez no movimento artístico mais importante da Grã-Bretanha do seu tempo. A Irmandade incluía nomes notáveis, como os de Rossetti, John Ruskin, William Morris, Arthur Hughes e o de Sir Edward Burne-Jones.

Nos finais do século XIX, os padrões de educação para as crianças de todas as origens sociais foram elevados, o que deu azo a um novo estilo de lenda arturiana: os contos para crianças. Em 1862 foi publicado o trabalho de Sir James Knowles, *King Arthur and His Knights*, e em 1880 seguiu-se-lhe o belo título de Sidney Lanier *The Boy's King Arthur* (a mentalidade vitoriana punha claramente a questão: porque quereriam as raparigas no seu perfeito juízo ler coisas sobre cavaleiros e aventuras quando tinham as bonecas e a culinária para se entreterem?). Esta tendência para a literatura arturiana infantil continuou ao longo do século XX, e ainda é popular nos dias de hoje.

A ficção do século XX

A escrita arturiana do século XX pode ser, de forma genérica, dividida em duas categorias: as teorias que respeitam à realidade ou irrealidade do Artur histórico, e a ficção normalmente baseada na corte lendária de Artur, mas ocasionalmente também num enquadramento histórico mais seguro.

King Arthur's Country (1926), de F. J. Snell, foi o primeiro relato exaustivo dos locais arturianos, mas ao invés de reivindicar um rigor histórico completo e puro, Snell combinou os diferentes elementos literários, históricos e do folclore para criar associações cativantes com os locais das lendas arturianas.

As principais teorias que afloram a possível identidade de um Artur histórico são tratadas no próximo capítulo (e, creiam-me, têm aparecido bastantes ao longo dos anos), deixando para esta secção a abordagem a alguma da moderna ficção especializada, resultado directo na nossa herança medieval.

Muitos livros, desde o início até meados do século XX, narraram as suas versões das histórias populares de Artur e da Távola

Redonda, baseando-se bastante no trabalho de Malory. A obra mais antiga, *The Age of Chivalry*, de Thomas Bulfinch, tornou-se cada vez mais popular, e *Myths and Legends of the Middle Ages*, de H. A. Guerber (1919), *The British: Myths and Legends* (1910) de M. I. Ebutt e ainda *Celtic Myths* de T. W. Rolleston são muito típicos neste género. Não obstante, este tipo de regurgitação tradicional da lenda não era tudo: pela primeira vez na Grã-Bretanha vitoriana, os escritores estavam a começar a produzir trabalhos originais de temática arturiana. Tanto Thomas Handy como John Masefield abordaram os temas arturianos nas suas peças teatrais, e as décadas de 20 e 30 do século XX assistiram uma vez mais a um ressurgimento da literatura arturiana contemporânea. Edward Arlington Robinson escreveu uma trilogia de poesia arturiana trágica: *Merlin* (1917), *Lancelot* (1920) e *Tristão* (1927), e o muito conceituado poema de T. S. Elliot *The Waste Land*, de 1922, tratava temas semelhantes. Outro autor da primeira metade do século XX que aceitou o desafio de escrever ficção arturiana foi Charles Williams, cuja colectânea poética, *Taliessin Through Logres,* de 1938, e *The Region of the Summer Stars*, de 1944, transmitiam imagens poderosas da lenda arturiana. Um amigo de Williams, C. S. Lewis, (bem conhecido pelos seus trabalhos de ficção fantasista) elaborou um guia sobre o trabalho de Williams, dado que este é por vezes difícil de se interpretar, e contribuiu com o seu próprio legado para a literatura arturiana ao ressuscitar Merlin no seu romance de 1945, *That Hideous Strenght*. Por sua vez, Edward Frankland contribuiu com uma interpretação intrigante do contexto histórico de Artur no seu romance de 1944, *Arthur: The Bear of Britain*, que se baseava nas 12 famosas batalhas de Artur, e a sua eventual queda às mãos de Modred e de Guinevere,

Contudo, não há dúvida de que o principal autor arturiano contemporâneo foi T. H. White, na primeira metade do século XX. White escreveu inicialmente três romances: *The Sword in the Stone* (1938), *The Queen of Air and Darkness* (1939) e *The Ill-made Knight* (1940). Estes seriam reeditados em 1958, sob a forma de colectânea, em conjunto com um romance posterior intitulado *The Candle in the Wind*, bem como um outro, *The One and Future King*. Um outro livro, *The Book of Merlyn*, foi publicado postumamente 1977, apesar de White o ter escrito por volta de 1940. Os livros de White seguem de uma forma geral o desenrolar da história publicada por Thomas Malory no século XV, mas incluem exemplos de humor, anacronismos como armas de fogo, e um pajem de Artur chamado Thomas Malory. Este pajem, e isto é o mais importante, foi dispensado por Artur antes da sua batalha final, e fatal, para que alguém sobrevivesse para poder contar a história.

O lugar de topo que T. H. White ocupava na amálgama arturiana foi talvez ocupado em 1963 por Rosemary Sutcliff, que tentou inserir a ficção sobre Artur no seu contexto histórico correcto. O muito respeitado romance *Sword at Sunset* é baseado na primeira lista das batalhas arturianas coligida por Nennius, e vê o rei como um senhor da guerra pós-romano em luta contra a vaga de invasores saxões. Ela deu-se inclusive ao trabalho de visitar os possíveis locais das batalhas (o que não é um feito de somenos dado que tem de se deslocar numa cadeira de rodas), e de discutir com peritos em história bélica as possíveis realidades de uma campanha militar. Sutcliff também deu o seu contributo com a sua própria versão das lendas arturianas medievais clássicas, e com outros romances históricos cuja acção se passa na Grã-Bretanha romana e pós-romana, nos quais incluem: *Dawn Wind*, de 1961, e *The Lantern Bearers*, de 1959. Rosemary Sutcliff deve ser sempre lembrada pelo contributo das suas histórias arturianas para crianças (e para adultos que também apreciam o tema), e pelo apreço e gosto pela história que legou a tantos leitores.

Tal como Rosemary Sutcliff, Mary Stewart recorreu profusamente às antigas fontes arturianas, bem como a temas oriundos do imaginário mágico e do folclore celtas quando procedeu aos trabalhos de pesquisa para os seus romances. Ela apresenta Merlin como narrador nos seus três primeiros romances: *The Crystal Cave* (1970), *The Hollow Hills* (1973) e *The Last Enchantment* (1979). No seu quarto romance, *The Wicked Day*, de 1984, ela substitui o narrador por Modred, simpatizando, contrariamente ao que é habitual, com a sua perspectiva da queda de Artur.

A obra *As Brumas de Avalon* (1982), de Marion Bradley, tem um forte sentido modernista, centrando-se em conceitos do século XX, como o paganismo moderno e o feminismo. As histórias são contadas do ponto de vista da mulher – o que é raro mesmo na literatura arturiana moderna – e são muito apelativas para os modernos entusiastas da mente, corpo e espírito. Tal interpretação da lenda arturiana demonstra – como Geoffrey de Monmouth no século XII, e Tennyson no século XIX – como as personagens de Artur e dos seus seguidores, e como as histórias que sobre eles se contam, podem ser adaptadas para os gostos do público contemporâneo da época do autor.

Bernard Cornwell, mais famoso pela sua personagem Sharpe, o oficial de um regimento de infantaria napoleónico, seguiu os passos de Rosemary Sutcliff ao fazer uma tentativa meritória de recriar uma história arturiana plausível sob a forma de ficção. A sua trilogia com o título *Warlord*, que inclui *The Winter King* (1959), *Enemy of God* (1997) e *Excalibur* (1997), tenta colocar Artur e muitas das personagens da lenda arturiana num possível contexto histórico de finais do século V. Cornwell insere uma série de nomes bem conhecidos da História, tal como os lendários Culhwch, Pellinore e Lancelot, em simultâneo com personagens históricos nomeados, que incluem Aelle (um rei saxão), Brochrael (um rei britânico) e Cerdic (outro rei saxão).

Nas últimas décadas do século XX, foi publicada uma vasta quantidade de ficção relacionada com Artur. A par dos autores acima mencionados, algumas das contribuições mais notáveis provieram de Stephen Lawhead, que escreveu uma trilogia arturiana na década de 80 (dando ênfase às facetas pagãs da lenda); de Phyllis Ann Karr, que escreveu um livro cujo tema se centra num misterioso homicídio, intitulado *The Idylls of the Queen* (1982), e do grande John Steinbeck, que, para surpresa geral, optou por um arranjo do trabalho prévio de Malory, isto em 1976, e que se intitulou *The Acts of King Arthur and His Noble Knights. Arthur Rex* (1978), de Thomas Berger, foi outra contribuição meritória para o género, tal como o mais recente (2000) *The Summer Stars*, de Alan Frisk, um romance escrito como a autobiografia do bardo britânico Taliesin.

Talvez a minha narrativa favorita de histórias sobre Artur, incluindo as lendas celtas e britânicas medievais, seja *The High Kings* (1987), de John Chant. Chant tentou reescrever as histórias de uma série de heróis britânicos que antecederam Artur – e, ao fazê-lo, a sua ficção denota uma grande influência da fabulosa *História* de Geoffrey de Monmouth, mas também das lendas galesas e bretãs. Chant coloca-se em terrenos que lhe são familiares ao recontar as histórias de Magnus Maximus, Vortigern, Ambrosius e Artur, mas começa a sua narrativa contando-nos as histórias de heróis populares e guerreiros lendários anteriores, como a de um dos fundadores da Grã-Bretanha, o príncipe troiano Brutus, e a história de Leir (o Rei Lear de Shakespeare), e ainda outras histórias de diversas figuras notáveis: todas são reescritas na belíssima prosa de Chant. Entre as lendas, Chant intercala pequenos ensaios sobre diversas facetas da vida britânica nos primórdios, desde a guerra, à ornamentação e até ao casamento, o que ajuda o seu livro a fluir com êxito.

Para além dos que escreveram em língua inglesa, houve no século XX uma série de outros escritores que apresentaram os seus contributos literários em italiano, francês e alemão. Apesar disso, parece-nos que o inglês continua a ser a língua principal para os futuros desenvolvimentos da ficção arturiana.

A lenda arturiana foi apresentada pela primeira vez sob a forma de literatura infantil na época vitoriana. Com ecos ténues dos contos de fadas e referências bem mais fortes à magia, a literatura arturiana parece ter sido quase propositadamente criada para encantar os públicos mais jovens. De facto, algumas das versões mais bonitas e mais conseguidas da lenda de Artur foram originariamente encomendadas como obras de literatura infantil. Rosemary Sutcliff, já mencionada neste capítulo, escreveu livros principalmente para crianças, mas as histórias estavam tão bem construídas que os adultos também podiam usufruir da sua leitura (é sempre construtivo lembrar que não foram os livros de Harry Potter os primeiros a dar este importante salto comercial e literário – dado que os livros arturianos já o faziam há anos).

A editora Ladybird Books apresentou a lenda arturiana aos jovens leitores (incluindo a mim) no final da década de 70 e durante a década de 80, publicando uma série de quatro livros em 1977: *Mysteries of Merlin*, *The Deeds of the Nameless Knights*, *Sir Lancelot of the Lake*, e *The Knights of the Golden Falcon and other stories*. Desmond Dunkerkey escreveu estes quatro livros, baseados, de forma geral, no trabalho de Malory; o que realmente faz com que estes livros se destaquem acima da forte concorrência existente no mercado infantil arturiano são as maravilhosas ilustrações de Robert Ayton. Estes livros da editora Ladybird encantaram-me quando era criança, e contribuíram para que eu tivesse começado a interessar-me pelo tema Artur (desde então percebi que as quatro ilustrações de capa de Ayton constituem de facto um só retrato se as juntarmos). Estão acessíveis nas livrarias muitos outros livros para crianças, na maioria dos casos compilações de histórias baseadas no trabalho de Malory, embora adaptadas a um público mais jovem.

The Legend of Arthur King (2003), de Dean Wilkinson, faz uso de temas da lenda arturiana da forma mais ampla possível para contar a história da vida de um rapaz dos tempos modernos que se chama Arthur King. Artur simula um ataque de coração para se livrar da matemática, e, ao fazê-lo, desencadeia uma série de acontecimentos que vêm a demonstrar que Artur não é um rapaz bronco nem vulgar: ele e o seu amigo Lawrence descobrem que são a reencarnação do Rei Artur e dos Cavaleiros da Távola Redonda. E, como tal, devem salvar a sua floresta vizinha – Albion Wood – e também uma espécie rara de um pássaro que aí vive. OK, não será uma versão que Thomas Malory ou Geoffrey de Monmouth necessariamente aprovariam, mas a obra *The Legend of Arthur King* conta de facto a lenda arturiana – com uma trama adaptada aos tempos actuais.

The Weirdstone of Brisingamen, de Alan Garner, é um livro infantil, editado na década de 60, mas é também uma obra que se desenrola a partir das lendas populares dos primórdios da Grã-Bretanha. Um conceito-chave nos livros de Garner é o de que 140 cavaleiros estão prostrados num sono encantado dentro de uma gruta, protegidos por um feiticeiro e aguardando o chamamento para irem lutar contra o mal. Apesar de não ser mencionado nesta história, trata-se de uma clara referência ao eventual destino de Artur.

A lenda arturiana tem influenciado outras grandes criações de ficção do século XX, sobretudo as obras de J.R.R. Tolkien. Os famosos livros deste autor, *The Hobbit* e *O Senhor dos Anéis,* têm muito em comum tanto com a lenda arturiana como com as sagas anglo-saxónicas e germânicas do período da Baixa Idade Média. Isto não deve constituir surpresa, dado que Tolkien era um académico que se distinguiu nestes campos; os seus afamados guerreiros Rohirrim aparentemente são baseados na sociedade heróica anglo-saxónica, e também se pode imaginar que o poderoso sábio feiticeiro Gandalf é bem mais do que uma simples inspiração em Merlin.

Não obstante, não se deve imaginar que toda a ficção e literatura arturianas modernas sejam opressivamente intelectuais. Há um comércio florescente de livros de banda desenhada com temas arturianos e toda uma série de edições em folhetins. A mais famosa desta últimas é a tira de banda desenhada *Príncipe Valente* (publicada em jornais norte-americanos desde 1937), apesar da tira *Camelot 3000*, da autoria de Barr e de Bollund (publicada entre 1982 e 1985) ser também bastante conhecida – transportando Artur para o ano 3000 para combater uma invasão de extraterrestres encorajada pela personagem Morgana A Fada. Entre outros contributos para este género, conta-se o de Disney, com o *Pateta Rei Artur*, na sua série *O Pateta na História*.

Artur: o filme

Não, não é a comédia de Dudley Moore que invade a nossa sala de estar todos os Natais. Dado que a lenda arturiana encerra uma trama das mais fortes, repleta de sexo e violência, dando aos actores a oportunidade de andarem numa correria, como loucos, de espada em riste, não surpreende que muitos filmes tenham sido inspirados no reinado de Artur.

Sem dúvida nenhuma que o cinema desempenhou um papel crucial ao manter a popularidade da lenda arturiana junto do público moderno. As pessoas ainda lêem livros, mas o cinema proporciona uma história a um público muito mais vasto – e a possibilidade de se dobrar os diálogos e legendar o filme permite que os espectadores nos mais diversos países tenham a oportunidade de ver a história de Artur desenrolar-se diante dos seus olhos.

No cinema, é frequente dar-se mais ênfase ao triângulo amoroso Artur-Guinevere-Lancelot do que aquele que de facto ocorre na narrativa escrita sobre a lenda arturiana. Em consequência, Artur é muitas vezes retratado como um rei de meia-idade ou idoso, incapaz, em contraste com as capacidades marciais e maritais de Lancelot; esta distorção singular da lenda arturiana apresenta uma visão adulterada do reino de Artur, mas, em última análise, também apresenta aos espectadores o equilíbrio correcto entre romance e acção.

Entre os muitos filmes realizados no cenário do mundo de Artur, há alguns que se destacam; a lista que se segue começa com esses filmes, antes de passar aos títulos que constituem alguns dos contributos menos conseguidos, a que assisti, neste nicho especial da história da cinematografia.

Começamos pelo melhor filme de todos, *Excalibur* (1981) –, um filme a não perder pelos fanáticos arturianos. Dirigido por John Boorman, *Excalibur* baseia-se, de uma forma geral, na obra de Thomas Malory, *A Morte de Artur*, mas também abarca a influência da ficção de T. H. White, de meados do século XX. O maior obstáculo que se deparou ao realizador Boorman foi ter que reduzir a obra de Malory, *A Morte de Artur,* a 135 minutos de cinema. Se leu esta obra, aperceber-se-á que ele se deparou com uma tarefa impossível, para a qual qualquer realizador precisaria de 135 horas. Não obstante, Boorman e o seu co-argumentista Rospo Pallenberg fizeram um trabalho formidável, e conseguiram que o guião atingisse os objectivos na grande maioria das vezes. A sua nova narrativa da lenda de Malory centra-se no fim do reinado de Uther e no princípio do reinado de Artur. Depois prossegue com a chegada de Lancelot, o que leva por sua vez ao triângulo amoroso de Artur, Guinevere e Lancelot. Claro que a história da demanda pelo Cálice Sagrado foi incluída, tal como uma sequência de acção muito vívida que mostra a derrota final de Artur às mãos de Modred. Todo o filme tem um excelente enquadramento cénico, escuro e envolvente, com chuva e nevoeiro em quantidade, em contraste com as armaduras reluzentes dos guerreiros de Artur, (os cavaleiros de Artur nunca tiveram uma aparência tão distinta como em *Excalibur*). Para conseguirem uma trama fluida e consistente, Boorman e Pallenberg por vezes comprimem os papéis de vários cavaleiros numa só personagem; por exemplo, é Percival, em vez de Bedivere, quem atira com a espada Excalibur de Artur para dentro do lago ao mesmo tempo que o rei está prostrado no seu leito de morte. A magia e o misticismo estão bem presentes no filme de Boorman – Nicol Williamson desempenha o papel de Merlin num registo afinado à perfeição entre a ameaça e o humor, e Helen Mirren deixá-lo-á arrepiado com a sua interpretação da Fada Morgana. O actor relativamente pouco conhecido Nigel Terry faz o papel de Artur, e é bem apoiado por um elenco que inclui Patrick Stewart (famoso pela sua participação em *Star Trek – A Nova Geração*), Gabriel Byrne, Liam Neeson e Clive Swift. Para além de Nigel Terry, o triângulo amoroso de *Excalibur* é constituído por Nicolas Clay no papel de Lancelot e por Claire Lunghi como

Guinevere. As cenas de batalha, em *Excalibur*, são curtas e repletas de derramamento de sangue, e a banda sonora, que recorre à música de Wagner, é tão comovente como conseguida. O melhor adereço é sem dúvida a armadura dourada de Modred, que inclui um capacete vagamente inspirado num extraordinário elmo romano encontrado em Newstead, no Sul da Escócia (e datado de 80-100 A.D.). Mas o ponto alto de *Excalibur*, que não encontra paralelo em nenhuma outra história arturiana, é a concepção de Artur através da armadura de Uther, no início do filme. Um verdadeiro marco, tanto no campo do cinema como no da biologia!

O Primeiro Cavaleiro (1995) é uma das mais recentes tentativas de Hollywood em fazer reviver a lenda de Artur, e é dirigido pelo realizador Jerry Zucker. Richard Gere entra no papel de Lancelot e Sean Connery cobre-se com o manto real do próprio Artur; Júlia Osmond interpreta o papel de Guinevere. O filme abre com uma jovem Guinevere em viagem para se ir reunir com um Artur que envelhece e que será o seu putativo pretendente. No caminho, é vítima de uma emboscada do maléfico Malagant (que se escreve sempre Meleagant em todas as outras lendas e cujo papel cabe a Ben Cross, competentemente secundado por Ralph Inneson. Com a sua escolta destroçada, Guinevere é salva apenas graças à intervenção de Lancelot – que, neste filme, não é retratado como cavaleiro mas antes como homem de armas a soldo do maior ofertante. Eles enamoram-se, apesar de Guinevere continuar a rejeitar os seus avanços, pois está prometida a Artur, casamento que lhe resguardará as terras das investidas do salteador Malagant. São feitas outras tentativas de rapto, e será Lancelot a resgatar Guinevere do esconderijo de Malagant, o seu castelo em ruínas; mais tarde, quando o casal se abraça, Artur surpreende-os e exige um julgamento por traição. Durante o julgamento, Malagant ataca Camelot e é apenas repelido graças a Lancelot e à arraia-miúda, que continuam resolutamente leais a Artur (afinal de contas, isto é Hollywood). Artur é mortalmente ferido, Malagant é trucidado às mãos de Lancelot e o moribundo Artur entrega o reino a Guinevere e ao seu amante plebeu. *O Primeiro Cavaleiro* retira alguns elementos da lenda arturiana – o conhecido triângulo amoroso, e, talvez surpreendentemente, também a história de Chrétien de Troyes, *O Cavaleiro da Carroça*. Mesmo com uma trama tão inspirada, o filme *O Primeiro Cavaleiro* pareceu-me algo estéril, e, apesar da presença de grandes estrelas do cinema como Gere e Connery, o filme é nitidamente de "segunda escolha".

Em contraste com *O Primeiro Cavaleiro*, o filme *Cerco dos Saxões*, de Nathan Juran, é uma variante interessante e divertida dos temas habitualmente explorados pelos filmes arturianos. Trata-se da história da filha de Artur, Katherine (expressamente inventada para o filme e interpretada por Janette Scott), que se vê arrastada para uma luta feroz afim de proteger o reino quando o seu pai morre. O filme começa em requintado estilo medieval, com uma justa entre o campeão de Inglaterra, Edmund of Cornwall, (representado por Ronald Howard), e um campeão saxão. Edmund sai vencedor, mas a reacção intempestiva e arrogante dos Germânicos (os Saxões de *Cerco dos Saxões* são originários da Saxónia) sugere que no futuro poderão surgir problemas. Sabe-se que Edmund of Cornwall, de Inglaterra, e os Saxões conspiram para derrubar o envelhecido Artur, para que Edmund possa usurpar a coroa e agir como aliado dos traiçoeiros saxões. Artur sobrevive a uma tentativa de homicídio feita por um sinistro assassino germânico a quem chamam 'O Coxo', mas o seu tempo como rei está a chegar ao fim. Os homens de Edmund de Cornwall surpreendem e matam Artur, mas estão vestidos como Saxões para disfarçar a sua traição (até ao pormenor dos capacetes com cornos, que os homens de Artur nem por sombras usariam num filme como este). Katherine é salva pela intervenção providencial de um renegado patriótico chamado Robert Marshall (interpretado por Ronald Lewis); todo vestido de cabedal, Robert parece o cruzamento de Errol Flynn e Terry Scott: pleno de charme e de sucessivas piadas insolentes. A relação entre Robert e Kate (como afectuosamente lhe chama o rei seu pai) é bastante divertida, em especial quando Robert lhe corta o cabelo e a veste de rapaz para enganar os homens de Edmund. O disfarce é necessário, uma vez que os homens de Edmund não olham a meios para a capturarem – chegando a alinhar uma fileira inteira de monges em frente de um pelotão de execução armado com arcos e flechas, que os mata a todos. Robert Marshall apercebe-se de que a única esperança de Katherine é pedir ajuda ao sábio conselheiro do seu pai, Merlin, e, em conjunto com os desanimados Homens de Chatham, que são da facção da rainha e de Merlin, é isso que fazem. Com o auxílio de Merlin, Katherine e Robert entram sub-repticiamente em Camelot e estragam a tentativa de Edmund of

Cornwall de se coroar a si mesmo. Quando este não consegue desembainhar Excalibur, como decerto faria o herdeiro de Artur, os nobres tomam o partido de Katherine (que, claro está, consegue desembainhar Excalibur). Edmund foge para junto dos seus aliados saxões, que, acto contíguo, o matam por não ter cumprido a sua parte, e o clímax do filme é uma batalha entre Robert e os cavaleiros de Artur que lutam "por Katherine e pela Inglaterra" e contra os malvados saxões. É fácil adivinhar quem vence. Com o reino a salvo, Robert recebe o título de barão da Cornualha e recebe de Chattam o perdão por ter sido um fora-da-lei: o filme termina com ele a aceitar o pedido de Katherine para que se torne no seu rei.

Os Cavaleiros da Távola Redonda, de 1953, com Robert Taylor e Ava Gardner, é um filme de feitos e vitórias arturianas dentro da melhor tradição de Hollywood, com cavaleiros de armaduras reluzentes, donzelas em perigo, e mais aventuras cavalheirescas e divertidas do que o número de lanças do regimento de lanceiros. Tenha-se em boa atenção um dos melhores actores britânicos, Stanley Baker, no papel de Modred, competindo com Artur pelo poder, mas sem conseguir arrancar a espada de uma bigorna assente numa pedra. Em muitos aspectos, *Os Cavaleiros da Távola Redonda* é típico do género de filmes de acção baseados na História realizados nas décadas de 50 e de 60. Apesar de o guião aflorar a lenda arturiana, as personagens podiam, na sua maioria, ser substituídas por outras, inseridas em qualquer outra lenda semelhante, como Ivanhoe ou Robin dos Bosques, uma vez que não reproduzem a lenda arturiana na sua forma mais pura.

Lancelot e Guinevere (1962) é também conhecido pelo título *A Espada de Lancelot* e foi co-produzido, dirigido e interpretado por Cornel Wilde. *A Espada de Lancelot* é, em muitos aspectos, um filme melhor do que *Os Cavaleiros da Távola Redonda*, fita que, até certo ponto, se esforça por imitar. A trama é de facto familiar para quem quer que tenha um mínimo de conhecimento da lenda arturiana, e não há nisso nada de mal. Resumindo, Lancelot (interpretado por Wilde) é o cavaleiro e o campeão mais famoso de Artur, no entanto, enamora-se da mulher do rei, Guinevere (Jean Wallace). Brian Aherne, que interpreta o papel de Artur, tem de lutar para manter o seu reino e a sua mulher. As cenas de espadeiradas são muito especiais – como é apanágio de muitos filmes históricos das décadas de 50 e 60 – mas a trama é parca em surpresas para o espectador.

Um Ianque do Connecticut na Corte do Rei Artur (1949) é com Bing Crosby, e figura-o num musical típico. Não obstante o carácter descontraído de Crosby e o seu humor divertido, este filme é um *remake* do romance clássico de Mark Twain. As poucas alterações ao fio da história de Twain tinham como objectivo a realização de um musical sem a carga da sátira política, tão grata a Twain. Rhonda Fleming interpreta a bela Alisande, alvo dos amores da personagem de Crosby, Hank, e Cedric Hardwicke tem um excelente desempenho no papel do velho Artur, numa abençoada ignorância do facto de nada saber do seu povo. Houve uma versão anterior deste título realizada em 1949, com Will Rogers, que se afastava muito mais da trama do livro e que se intitulou *A Connecticut Yankee* [*Um Ianque do Connecticut*].

Num estilo semelhante a ambas as versões de *A Conneticut Yankee* está *A Spaceman in the Court of King Arthur* [*Um Homem do Espaço na Corte do Rei Artur*](1979); este filme também é conhecido pelo título um pouco rebuscado de *The Unidentified Flying Oddball* [*Uma Estranha Bola Voadora Não Identificada*].

Monty Python and the Holy Grail [*Monty Python e o Cálice Sagrado*] (1975) foi escrito e representado como uma comédia, mas é tão rigoroso do ponto de vista histórico quanto a maioria dos filmes desta lista – no sentido em que não respeitam de todo a veracidade histórica! Apesar de tudo, não deixa de ser uma variante divertida das histórias habituais da lenda arturiana, com muitos excertos e pormenores que revelam que os autores possuíam um bom conhecimento das lendas medievais. Temos '*bints*'(*) cheios de humidade, cavaleiros desmembrados e franceses tolos em abundância, e, em muitos aspectos, *Monty Python e o Cálice Sagrado* está para o mundo moderno como *Um Ianque do Connecticut* de Twain esteve para seu público dos finais do século XIX.

Outra perspectiva, no género de comédia, para a história de Artur, é o filme *A Knight in Camelot* [*Um Cavaleiro em Camelot*], com Whoopi Goldberg, Ian Richardson e Michael York. É a história comum de um americano dos nossos dias que é transportado para o passado, para o mundo de Artur, com sequências

(*) "*Bint*" – neologismo e trocadilho. O autor refere-se aos diálogos pródigos em *nonsense,* aos ambientes cheios de nevoeiro e de lama, numa alusão subtil à famosa cena dos "apanhadores de merda", que é abundante. (*N.T.*)

teoricamente divertidas. Na maioria dos casos, *Um Cavaleiro em Camelot* não passa de uma simples variação do tema de *A Conneticut Yankee in King Arthur's Court,* actualizada para que o fio da história se desenrole em torno dos problemas culturais encontrados pela personagem feminina principal.

The Sword in the Stone [*A Espada na Pedra*] (1963) é a receita Disney para as histórias de ficção de T. H. White acerca do jovem Artur: *O Rei do Passado e do Futuro.* Em termos de qualidade da animação, *A Espada na Pedra* não é dos melhores filmes da Disney, no entanto, algumas sequências, incluindo a dos treinos de Artur (conhecido por Merlin por 'the Wart' – a verruga) ainda se vêem com muito agrado. Como a história é baseada na ficção de T.H. White, *The Sword in the Stone* acaba por ser um dos contributos mais originais para o cinema arturiano, afastando-se com sucesso do habitual triângulo amoroso Artur-Guinevere-Lancelot.

Camelot, quem diria, é um filme do género musical, com o grande Richard Harris, já falecido. Esta versão cinematográfica de 1967 do espectáculo musical de Lerner-Loewe foi trucidada pela crítica, e isto de forma quase universal. Não obstante, os Óscares ignoram o que diz a crítica, e o filme venceu as almejadas estatuetas nas categorias de Guarda-Roupa, Banda Sonora e Direcção Artística/Decoração de Cenários. A história de Lerner e de Loewe é mais baseada em T.H. White do que em Malory, dado que a natureza ligeira do trabalho do primeiro se adequa muito mais ao género musical do que o texto instrutivo de Malory. *Camelot* começa com o casamento de Artur e Guinevere e termina com Artur junto das ameias do castelo de Lancelot. Centrado na trama favorita de quase todos os realizadores de cinema arturiano – o triângulo amoroso –, *Camelot* também conta com as interpretações de Vanessa Redgrave no papel de Guinevere e de Franco Nero no de Lancelot. Apesar dos Óscares, os cenógrafos conseguiram dar uma aparência de palco teatral aos cenários em vez de exibirem propriamente cenários de cinema, imprimindo ao todo do filme um carisma particular: ou se gosta muito ou se detesta.

Indiana Jones e a Última Cruzada (1989) tem como intérpretes Harrison Ford e Sean Connery (uma cara habitual nos filmes arturianos). A inseparável dupla pai e filho que constitui esta equipa de arqueólogos luta contra os Alemães pela posse do Santo Graal (depois de ter encontrado a Arca da Aliança no primeiro filme da trilogia). Os Alemães querem o Cálice para obterem uma vantagem espiritual na Segunda Grande Guerra Mundial, que está prestes a deflagar, mas a família Jones trabalha em equipa para evitar que isso suceda. Quando finalmente surge, o Graal não passa duma simples taça de madeira em vez do esperado e grandioso cálice patente nalgumas histórias. *O Rei-Pescador*, de 1991, é um outro filme baseado nos temas arturianos e na sua relação com o mundo moderno, talvez de forma menos conseguida para o espectador do que o filme *Indiana Jones*.

Entre os outros diversos contributos para o cinema arturiano, merecem menção *Gawain e o Cavaleiro Verde* (1973), *Parsifal* (1982) – uma interpretação para o cinema da ópera homónima de Wagner, realizada por Armin Jordan – *Lancelot du Lac* (1974), também conhecido por *Le Graal* ou por *The Grail*, e *Sword of the Valiant* (1984) [*A Espada dos Valentes*]. Em duas ocasiões (em 1954 e em 1994), foram feitas versões para o cinema da tira de banda desenhada *Príncipe Valente*, em conjunto com as séries de animação com o mesmo título, na década de 90. Vale a pena passar uma bela tarde a ver qualquer um dos filmes aqui mencionados – seja como uma óptima experiência puramente cinematográfica ou como aventura histórica não intencionalmente divertida, dependendo do filme.

A lenda de Artur também chegou à televisão em inúmeras ocasiões, na maioria das vezes na programação infantil (e vista também por adultos sem nada melhor para fazerem): por exemplo, a série de desenhos animados *Príncipe Valente* e a série de 1949 *As Aventuras de Sir Galahad*. Em 1998, Sam Neil desempenhou o papel principal como Merlin, numa mini-série com a duração de quatro horas que contava uma versão da história da ascensão e queda de Artur sob a perspectiva de Merlin. Apesar das suas capacidades políticas, o feiticeiro não consegue quebrar o encantamento que mantém a sua amante Nimue (Isabella Rosselini) prisioneira. Pelo meio, Merlin combate contra a traição da Fada Morgana (Helena Bonham Carter) e contra a malvada Rainha Mab (Miranda Richardson, no papel de uma personagem resgatada de uma lenda irlandesa).

Merlin foi depois interpretado por Rik Mayall no filme para a televisão *Merlin: the Return*, de 2000. Artur (interpretado por Patrick Bergin) e Modred (Craig Sheffer) estão empenhados num conflito mortal, e o Merlin de Mayall utiliza o poder de Stonehenge para banir Modred do mundo dos vivos; depois, remete Artur e os seus cavaleiros para um sono encantado, prontos para despertarem caso Modred regresse. E é claro que este regressa. Um cientista moderno (Tia Carrere) liberta Modred acidentalmente, e cabe a Artur, aos seus cavaleiros, a Merlin e a uma criança, impedirem o seu antigo inimigo de conquistar o mundo.

As outras recentes apresentações televisivas cujo tema é Artur incluem *We Are History* (*) (uma série histórica, ligeira e muito divertida que reivindica, entre outras maravilhas, ter descoberto Camelot), e a canção de David Brent, "Excalibur", numa outra comédia, *The Office*. Convém ficar atento às referências e aos temas arturianos na TV, dado que estes surgem com muita regularidade. Há uns anos atrás, o tema da Dama do Lago serviu de inspiração até mesmo a um anúncio da cerveja Carling Black Label.

Os temas arturianos também apareceram em diversas séries de TV, incluindo *Babylon 5, Bonanza, Dark Knight* e *Quantum Leap*. De tempos a tempos, surgem na televisão documentários que abordam o crescimento do mito e da história arturianos, e existem outros no mercado, com bastante sucesso comercial, entre os quais *The Legends of King Arthur* (2002), da empresa Eagle Media. Este DVD tem três programas (um sobre Merlin, outro sobre a busca para encontrar Camelot, e outro sobre o próprio Artur), para além de uma série de biografias e de um questionário de auto-avaliação.

O Artur espiritual

O século XX assistiu a um crescimento substancial do misticismo e da espiritualidade, e este fenómeno continuou no século XXI; como é natural, por ser um dos reis lendários mais famosos do mundo, Artur – juntamente com o seu feiticeiro Merlin – ocupa um lugar distinto neste domínio.

(*) Nós Somos a História, um trocadilho com Nós Já Passámos à História. (*N.T.*)

Merlin é frequentemente associado à antiga sociedade dos druidas. Apesar da popularidade destes no mundo moderno, sabemos de facto muitíssimo pouco sobre eles. Algumas referências romanas sugerem-nos que os druidas ou eram homens sábios ou homens religiosos na sociedade celta; dizem-nos que tinham um pequeno bosque sagrado em Anglesey, o que, conforme a interpretação de muitos, significaria que adoravam deuses e deusas pagãos associados à terra. No entanto, sabemos muito pouco, e decerto não o suficiente para descrevermos o semi-histórico Merlin como um druida. No entanto, as ligações místicas celtas de Artur e de Merlin estabeleceram-nos firmemente no mundo da espiritualidade moderna.

Para algumas pessoas, o Cálice Sagrado também encerra um vínculo religioso ou espiritual especial, e a lenda arturiana tem-se colocado no limiar de muitos desses estudos no passado. Os estudos modernos concentraram os seus esforços numa área mais afastada da lenda arturiana, talvez numa tentativa de estabelecer uma distância entre a "ficção" de Artur da e a "verdade" do Cálice.

Os jogos com Artur

Não há razão para receios – o leitor já não precisa de restringir as actividades no mundo arturiano a simples leituras ou a filmes sobre Artur. Também já pode participar em batalhas simuladas; aventurar-se no mundo de Artur, salvando as donzelas e massacrando os gigantes; também pode agora coleccionar toda uma parafernália arturiana sob a forma de estatuetas, canecas, toalhas de mesa e inúmeros outros artigos.

Desde a década de 70, os jogos têm permitido aos participantes desempenhar um papel crucial no mundo arturiano, e esta tendência acelerou-se no final da década de 80 e no início da década de 90 com a proliferação de jogos de computador que permitem ao jogador fazer a mesma coisa.

A lenda arturiana é um dos esteios da mitologia europeia, em conjunto com as lendas clássicas e nórdicas. Como tal, provou ter uma influência de grande monta nos criadores e nos primeiros jogadores da série *Dungeons and Dragons* e de outros jogos em que o jogador assume um papel. Neste tipo de jogos, cada jogador cria uma personagem imaginária, e dirige as acções desta personagem num mundo imaginário – da mesma forma que um actor representa uma peça. Cada personagem tem a sua própria personalidade, os seus pontos fortes e os seus pontos fracos; quando uma personagem leva a cabo uma acção que implica o factor sorte, o jogador que interpreta essa mesma personagem atira uns dados para verificar se a acção será concluída com êxito, e tudo isto é directamente influenciado pelos seus talentos na área que os dados decretaram (seja manejar a espada, lançar um feitiço, abrir uma fechadura ou escalar a face de um penhasco). Outro jogador comanda a acção, introduz novas personagens e criaturas, e mantém a trama em movimento. Em 1985, um criador de jogos chamado Greg Stafford desenvolveu mais um patamar, e ao invés de adaptar os parâmetros doutros jogos ao imaginário arturiano, criou o jogo *King Arthur Pendragon*, ou *Pendragon*, em que o jogador tem que desempenhar um papel mas, desta feita, inteiramente baseado na Grã-Bretanha arturiana. O tipo de demandas habituais nas lendas medievais arturianas constituem o género de trama ideal para as aventuras em que se tem de desempenhar uma personagem, e *Pendragon* permite criar um cavaleiro ou um feiticeiro, que pode ser *Cyrmic* (Britânico), Saxão, Romano, Irlandês, ou de várias outras culturas, cada qual com as suas fraquezas e os seus pontos fortes. Mesmo que o leitor não queira jogar estes jogos, *Pendragon* é uma excelente fonte de textos relacionados com o mundo da lenda arturiana. Há outros jogos desta natureza que também podem ser adaptados para os cenários arturianos – e o jogo mais conhecido, *Dungeons and Dragons*, vem com o apoio de um livro de *Lendas e Narrativas Populares*, que explica em detalhe as características das principais personagens da lenda arturiana, bem como de muitos outros mitos e lendas.

Os jogos de guerra são muitas vezes associados a uma personagem, mas, ao invés de lidarem com as acções de uma só personagem, este tipo de jogos permite-nos examinar a história militar e as tácticas de combate do período histórico arturiano – controlando enormes exércitos de cavalaria e de infantes. Jogam-se sobre uma mesa com um terreno representado em relevo, e os jogadores assumem o comando de um exército de soldados em miniatura, esculpidos e pintados de forma a representarem os guerreiros dessa época com todo o pormenor. Procede-se à movimentação colocando as barreiras dos escudos dos lanceiros e as tropas de cavalaria de acordo com estratégias de combate pré-determinadas; o combate desenrola-se segundo o resultado dos dados, que são por sua vez modificados segundo vários factores, tais como o moral do exército, a qualidade das armaduras e a ferocidade em combate. Quando o inimigo já sofreu um número suficiente de baixas, os seus chefes perdem a coragem e fogem, deixando as nossas tropas senhoras do terreno. A maioria dos jogos é jogada de acordo com regras criadas para todo o tipo de guerra antiga e medieval, apesar de os jogos *Glutter of Ravens* (o título provém duma referência directa à presença de Artur no poema oriundo do Norte da Grã-Bretanha, *The Gododdin*), e *Goths, Huns and Romans* apresentarem ambos um conjunto de cenários especificamente concebidos para as batalhas da Baixa Idade Média. *Warhammer Ancient Battles* é outro jogo popular e baseia-se na fórmula de sucesso do fabricante de jogos Games Workshop. Para alem de ser um passatempo fora do vulgar, os jogos de guerra históricos também lhe permitem descobrir muitas coisas sobre a forma como os antigos exércitos combatiam, e por que razão podiam alcançar uma vitória ou uma derrota. Se este passatempo o atrai, prepare-se para ficar com a vista cansada durante horas a fio, tentando pintar as caras nas minúsculas figuras de metal, com as mãos a tremer de cãibras nos dedos!

Estas duas categorias de jogos implicam uma variada série de figuras e de soldadinhos de brincar. Estes são fabricados em diferentes escalas e representam ou o Artur da lenda ou o Artur histórico; ao longo das últimas décadas têm sido fabricadas figuras que constituem colecções formidáveis de parafernália arturiana. Existem também inúmeros tabuleiros de xadrez com alusões às 'Lendas do rei Artur' ou a 'Camelot'. Pode adquirir o seu próprio tabuleiro de Cavaleiros da Távola Redonda a um preço bastante razoável!

Têm surgido muitos jogos de computador (incluindo um jogo com o título *Monty Python and the Holy Grail*), e parece que qualquer lista que aqui pudesse fornecer ficaria desactualizada no tempo decorrido entre a escrita do livro e a sua publicação. Os jogos disponíveis vão desde os de simples "pancadaria', do género *arcade,* de curta duração, até aos jogos que se prolongam, de aventuras que exigem raciocínio, e também aos jogos de mistério, tão empolgantes e prolongados que corremos o risco de nos provocarem uma trombose ainda antes de termos chegado a meio.

Se o leitor aprecia jogos de vídeo, sugiro-lhe *Legion: The Legend of Excalibur* por ser bastante divertido; pode optar por ser Artur e pode seleccionar outros cavaleiros, incluindo Lancelot, Anguish e Perceval para o acompanharem em qualquer uma das 12 aventuras disponíveis. Também lá aparecem Merlin e Guinevere (abreviado para Gwen no *Legion*). O jogo também vem com uma breve apresentação da lenda arturiana destinada àqueles que, ditosamente, nada percebem destes temas. *Legion* quase impediu que este livro fosse escrito, portanto, muita atenção se dispuser de pouco tempo para o lazer. Existem igualmente muitos jogos do tipo *arcade*, e até há uma atracção de feira chamada 'Excalibur' – onde se pode tentar arrancar uma espada de tamanho real de uma 'pedra' afim de se medir força (que pode ir desde a força de uma donzela à força de um escudeiro ou cavaleiro e culminar na força de um rei). Infelizmente, o prémio não é o direito à governação da Grã-Bretanha moderna, mas algo mais de acordo com o século XXI, como umas tantas gomas adocicadas ou um peixinho para levar para casa.

Os de espírito mais aventureiro têm o escape adicional das actividades ao ar livre, as encenações da vida arturiana – passar um fim-de-semana debaixo duma tenda, empunhando espadas para combater os 'Saxões' (que podem muito bem ser consultores de informática ou contabilistas durante a semana) e ensaiar processos variados de fazer olaria, pintar escudos, ou fazer cotas de malha. E, finalmente, se o leitor preferir um estilo de vida um pouco mais sedentário, mas mesmo assim pretender incluir um pouco do mundo arturiano na sua sala de estar, saiba que os ferreiros não param de fabricar réplicas de espadas com o nome 'Excalibur'. A maioria é claramente inspirada no fantástico, mas imagine só a espada de Artur pendurada sobre a sua lareira, lado a lado com o retrato da avó.

Arthur na internet

No capítulo I mencionei que escrever a designação "King Artur" num motor de pesquisa da internet faz surgir cerca de 250 000 entradas. E de que tratam estas entradas? Uma vez excluídos todos os anúncios das muitas empresas que escolheram o nome King Arthur para vender os seus produtos (sobre isso, pode verificar a secção 'Artur e a publicidade' deste capítulo), verificará que a internet tem de facto excelente informação sobre a história e sobre a lenda arturianas.

É óbvio que necessitará de separar a boa da má e da péssima. Esta secção inclui as minhas sugestões das boas páginas por onde poderá iniciar a sua navegação.

Arthurian Resources (www.arthuriana.co.uk) inclui ensaios arturianos, uma secção de notas e de perguntas, para além de hiperligações para outras páginas arturianas que podem ser consultadas na internet.

Arthuriana (smu.edu/arthuriana) é a versão virtual da publicação arturiana*: The Journal of Arthurian Studies* revista trimestral da filial norte-americana da *International Arthurian Society* (veja o endereço da própria sociedade adiante), e afirma ser a única revista académica em todo o mundo dedicada a estudos arturianos. A página disponibiliza gratuitamente números antigos, mas para os mais recentes requer o pagamento duma assinatura.

Arthuriana / Camelot Project Bibliographies (consulte www.lib.rochester.edu/camelot/acpbibs/bibhome.stem) tem um rol de muitas e extensas bibliografias sobre assuntos arturianos.

ArthurNet (www.clas.ufl.edu./users/jshoaf/Arthurnet.htm) é um grupo de discussão através de correio electrónico e com um moderador, onde pode colocar uma pergunta ou um comentário sobre um tema arturiano e receber as respostas das pessoas inscritas no grupo. É patrocinado pela revista *Arthuriana* (mencionada acima), e é um bom local para encontrar uma discussão genérica com pessoas também interessadas no assunto.

Britannia (www.britannia.com) inclui a antiga página da internet *Early Bristish Kingdoms,* e é um excelente local para se começar a investigar a possibilidade de Artur ter mesmo existido, a história da Grã-Bretanha durante o seu alegado período histórico e a história britânica em geral.

Britannia (www.durolitum.co.uk) não está ligada à página anterior, sendo um grupo de representações teatrais dos períodos históricos arturiano e do final da presença dos romanos. A *Britannia* percorre a Grã-Bretanha demonstrando as suas teorias e as suas aptidões sobre a vida nesses tempos, e a página deles expõe exaustivamente os locais das representações, a forma como se pode juntar à companhia, e mais informações históricas.

Cadw (www.cadw.wales.gov.uk) – pronunciar 'Kad-u' – é a organização responsável pela preservação dos monumentos históricos no País de Gales. A página da Cadw é um local maravilhoso para se saber como visitar o importante legado arturiano do País de Gales, e para ver exactamente o que está a ser feito para o registo e conservação destes locais.

Castle of Wales (www.castlewales.com/home.html) conta-nos tudo o que queremos saber sobre castelos (no País de Gales, naturalmente, embora alguns estejam localizados também em Inglaterra). Para além disto, fornece uma quantidade colossal de detalhes sobre a história e a cultura galesas (e inglesas) da época medieval, caso deseje descobrir o que aconteceu aos Bretões depois do tempo de Artur.

The Council For Bristish Archeology (www.britarch.ac.uk) publica a excelente revista *British Archeology* e tem uma enorme quantidade de informação sobre a arqueologia na Grã-Bretanha moderna. Também se pode aceder através desta página à revista electrónica *Internet Archeology*.

English Heritage (www.english-heritage.org.uk) é a sede virtual da organização que cuida dos locais históricos de Inglaterra. A maioria das zonas históricas ligadas a Artur na Inglaterra são cuidadas pela *English Heritage*, e esta página é um excelente local para se saber como visitar estes locais.

The Heroic Age (members.aol.com/heroicage1/homepage.html) é uma revista electrónica dedicada ao estudo do período da baixa idade média. A revista publica artigos académicos sobre todos os aspectos arqueológicos e históricos deste período, e é de acesso grátis.

Historic Scotland (www.historic-scotland.gov.uk) é o equivalente escocês da *English Heritage* e do *Cadw*. Alguns locais arturianos da Escócia são geridos e preservados pela *Historic Scotland*, e esta página é útil para saber mais sobre eles.

The International Arthurian Society (www.dur.ac.uk/arthurian.society) foi fundada em 1848, e tem o objectivo de promover o estudo da literatura e da lenda arturianas. Organiza uma conferência internacional trienal (no continente europeu), e a sociedade publica um boletim bibliográfico que anuncia tudo o que é publicado acerca de Artur no período dos 12 meses anteriores.

The Oxford Arthurian Society (arthsoc.drruss.net) foi fundada em 1982, e é desde 2001 uma sociedade de estudantes da Universidade de Oxford. A página é um bom local para saber como aderir à sociedade, saber o que ela faz e procurar informação sobre a sua revista trimestral, o *Ceridwen's Cauldron*.

The Society of Ancients (www.soa.org.uk) é uma página dedicada ao estudo da história da antiguidade e medieval e um passatempo com jogos bélicos, e também um óptimo lugar para recolha de informação sobre a guerra e a época do Artur histórico.

Artur e a publicidade

Artur, este misterioso senhor da guerra do século XVI, entrou tão profundamente no nosso imaginário popular que tem sido usado para trazer enormes dividendos aos homens de negócios e para nos vender cerveja, automóveis e farinha (para citar apenas três exemplos). Mas não se fica por aqui; é também imagem de marca na publicidade de diversas agências de viagem no Reino Unido. Nada mau, já que se trata de alguém que pode não ter existido.

A lenda arturiana tem sido até utilizada pela Lotaria Nacional Britânica, que deu às suas três máquinas de sorteio da taluda os nomes de Artur, Guinevere e Lancelot; a empresa que gere a lotaria chama-se Camelot. Só por si, o nome da companhia evoca imagens de felicidade, estabilidade e bem-estar, e, é claro, o prémio da lotaria significa tudo isso. Isso e ganhar rios de dinheiro. Mesmo assim, o facto de as três máquinas que sorteiam os prémios terem o nome de personagens da lenda arturiana e também o facto de estes nomes serem imediatamente reconhecidos em todas as ilhas britânicas, demonstra o quão Artur e a sua Távola Redonda estão incutidos na mente britânica.

Há também guias de viagem sobre o mundo de Artur (nomeadamente para o Sudoeste de Inglaterra e para todo o País de Gales), palestras, férias temáticas e excursões de autocarros, vídeos e DVD à venda, e até canções compostas com o grandioso rei como tema. Rick Wakeman, empolgado pelos excessos do rock progressivo da década de 70, gravou em 1975 um álbum conceptual intitulado *The Myths and Legends of King Arthur and the Knights of the Round Table.* No seguimento da gravação desta obra, Wakeman deu um espectáculo ao vivo sobre o gelo, no estádio do Wembley: os patinadores representaram as cenas da lenda numa escala grandiosa, incluindo os combates à espada. Houve outros músicos, desde o folk até ao pop e ao rock, que se ficaram pelos *singles*.

E, por fim, há ainda a possibilidade do leitor acabar por optar por uma estada numa Estalagem Camelot. Há muitos hotéis e estalagens com este nome, espalhados pela Grã-Bretanha, ligados apenas pela intenção de publicitarem a sua hospitalidade associando-a à do rei mais famoso da Grã-Bretanha. E o melhor a fazer é ficar atento a qualquer porteiro que se chame Modred...

CAPÍTULO VII

QUER O VERDADEIRO REI ARTUR FAZER O FAVOR DE SE REVELAR?

Embora se suponha que Artur viveu nos séculos V ou VI, raramente é referido na literatura e na história antes do século XII. Não obstante a escassez de referências históricas contemporâneas à época de Artur, existe muita gente que passou uma imensidão de tempo a tentar descobrir a verdadeira identidade de Artur, e quase outro tanto tempo a tentar desacreditar o trabalho de outros autores.

Para ser completamente franco, é muito pouco provável que alguma vez saibamos ao certo quem era Artur. Isto, admitindo antes de mais que ele existiu. (Expressando a opinião de muitos, Winston Churchill comentou que, se Artur não existiu, devia ter existido.) Contudo, não há razão para se negar desde logo a existência de Artur com base no facto de os registos históricos serem insuficientes. Dos séculos V e VI apenas sobreviveu um punhado de nomes de pessoas, por isso devemos encarar a escassez de referências como algo melhor do que nada. Esta grande lacuna de registos escritos na história britânica, significa que os investigadores confiaram mais na tradição oral e no folclore do que o que é habitual na investigação histórica. Na história oral, os nomes mudam e desaparecem ao longo dos tempos, de tal maneira que nem sempre podemos estar seguros dos nomes de líderes importantes e influentes, ou das regiões onde estes terão exercido o seu poder. O caminho de um investigador para descobrir o seu Artur particular de carne e osso está repleto de dificuldades e pejado de muitos obstáculos; não obstante, muitos tentaram fazê-lo, e este capítulo apresenta uma selecção de teorias: novas e velhas, possíveis e improváveis, sujeitas a investigação rigorosa e a conclusões deficientes.

Uma das últimas tentativas da actualidade para identificar o Artur histórico foi feita por E.K. Chambers, no seu livro com o título *Artur of Britain* [Artur da Bretanha], de 1927. Com base na lenda medieval e no folclore celta mais antigo, Chambers viu em Artur o último bastião do mundo romano civilizado, insurgindo-se contra uma maré de invasores bárbaros. Desde então, esta imagem de Artur viria a tornar-se para sempre popular.

Mesmo os livros históricos mais sóbrios que mencionam a Alta Idade Média britânica contêm habitualmente alguma referência a Artur; alguns historiadores negaram a sua existência, dizendo que pura e simplesmente não existem provas suficientes provenientes de uma época próxima à de Artur que o sustentem como figura histórica. Mais comum ainda é que esses livros se refiram a Artur incluindo-o em nota de rodapé (literalmente ou de qualquer outra maneira) na história da época, admitindo a possibilidade da sua existência como um chefe militar galês ou britânico que repeliu as investidas dos Saxões em Gales e no Sudoeste. Alguns autores também mencionam a sua ligação tradicional à Batalha de Mount Badon, e aludem por vezes à sua morte, alegadamente em Camlann, mas é tudo. Como é habitual neste tipo de trabalhos, e possivelmente mais generoso do que a maioria, J.N.L. Myres coligiu o resultado da sua investigação à suposta existência de Artur no seu livro *The English Settlements* (publicado em 1986). Myres afirmou que a actual investigação em torno de Artur era a maior das perdas de tempo para qualquer historiador, e que não havia provas contemporâneas ou de datas próximas da época que provassem a sua existência. O lado generoso da afirmação de Myres é expressar que Artur pode ter vivido e combatidos os Saxões, mas Myres também afirma que tudo o que se acrescente a isto transporta o caso da história para o romance.

Perante os conhecidos estudos arturianos de Leslie Alcock e Jonh Morris, que, como se verá, foram dois académicos que acreditavam convictamente na sua existência, David Dumville mostrou-se firme. Como historiador textual, defendeu no seu ensaio de 1977, com o título "A Grã-Bretanha Sub-Romana: História e Lenda" (publicado no volume LXII da excelente revista *History*) que as fontes arturianas mais comummente utilizadas não eram textos estritamente históricos, antes compilações de material mais antigo e pouco credível, e que, por isso, não eram registos coevos do seu objecto de investigação. De um ponto de vista académico, isto minimizava a validade das fontes, e Dumville fundamentava a sua tese suprimindo totalmente Artur de todos os estudos sérios da Grã-Bretanha dos séculos V e VI.

Para sermos justos para com historiadores como Myres e Dumville, diríamos que as suas teses são válidas, que a história desse período é tão abrangente que, na verdade, não há necessidade de se concentrar apenas em Artur: existem muitos outros líderes historicamente comprovados, cujos feitos são objecto de leitura fascinante. Mas existe ainda o pensamento incómodo de que alguns dos escritores com pendor para a narrativa sóbria antipatizam com a ideia de Artur por ser demasiado "populista", ou, ousaríamos a dizer, também demasiado... emocionante. Por outro lado, muitos historiadores – tanto académicos como amadores – fizeram de tudo para esclarecer a possível existência de um Artur histórico, lançando pelo caminho uma série de teorias, umas muito boas, outras muito más. E revelar Artur não é apenas o objectivo dos historiadores dos séculos XX e XXI: Geoffrey de Monmouth decerto pretendia que o seu Artur fosse considerado real, e outros investigadores medievais seguiram-lhe os passos.

Detectives medievais

Nunca ninguém disse ao leitor que o rei Artur existiu realmente – e que um grupo de monges o exumou conjuntamente com Guinevere, em Glastonbury, em finais do século XII?

Pouco antes de o rei inglês Henrique II ter morrido, em 1189, dizia-se que um bardo de ascendência britânica ou bretã lhe revelou o segredo da localização do túmulo de Artur, que se encontrava na Abadia de Glastonbury. A Henrique II sucedeu Ricardo I (que governou durante dez anos, a partir de 1189) e o novo rei apoiou os monges de Glastonbury na sua caça ao túmulo, que acabou por ser encontrado em 1190 ou 1191. Dentro de um caixão mantinha-se intacta a ossada de um homem forte (Artur, evidentemente) com outra ossada mais pequena e uma madeixa de cabelos dourados (de Guinevere, é claro). Como a sorte estava de feição, foi também encontrada uma cruz com inscrições, certificando os nomes dos ocupantes do caixão: "Aqui jaz o famoso Rei Artur na Ilha de

Avalon" (outro relato diz que Guinevere também estava mencionada na cruz, provavelmente no reverso).

Será que poderia tratar-se realmente de Artur e da sua rainha? É claro que sim. Mas voltamos ao mesmo. A Abadia de Glastonbury fora devastada pelo fogo em 1184 e havia uma necessidade desesperada de se conseguirem fundos para restituir o local à sua antiga glória.

Um fluxo constante de peregrinos arturianos poderia contribuir com ajuda inesgotável. Muito manhoso? Talvez. É possível que Henrique II (e o seu sucessor, Ricardo I) tivesse muito a ganhar provando que Artur – herói dos Galeses, inimigos da Inglaterra – não estava adormecido como sugeriam as lendas. Ao revelar o túmulo (e, em consequência, a morte) do herói galês, os Ingleses arrancavam o coração do orgulho nacional galês e da agitação política chauvinista. Além disso, mostrar que Artur se encontrava sepultado em Inglaterra significava que os Ingleses poderiam de certa forma reivindicar este homem grandioso como um dos seus próprios heróis.

Um desenho da cruz, actualmente perdida, fornecido por William Camden na sua publicação com o título *Britannia*, de 1607, sugere que a cruz datava de facto de uma época anterior ao século XII (sugerindo que não se tratava de uma farsa contemporânea), mas provavelmente também não remontaria ao século VI. As ossadas também foram desaparecendo ao longo dos séculos, por isso não podemos sequer recorrer à ciência para nos ajudar a datar os esqueletos com precisão.

De qualquer maneira, as revelações que envolvem o túmulo de Artur, em Glastonbury, possivelmente não serão mais do que um instrumento da máquina de propaganda dos Ingleses da Idade Média contra os seus vizinhos celtas, situada num local religioso pronto para um jogo destinado a reconstruir a sua magnificência e a valorizar o seu perfil. Não obstante, foram feitas escavações na década de 60 que provaram a verdade das anteriores escavações dos monges, e também sabemos agora que Glastonbury foi uma região ocupada nos séculos V e VI. Então, será que este pode ter sido o local do eterno descanso de Artur?

Artur, o Rei dos Reis

A opinião actual mais comum do Artur histórico é que ele governou com o título de "Rei dos Reis". Em termos gerais, a ideia de Artur como Rei dos Reis – o rei supremo a todos os outros reis da Grã-Bretanha, governante de todo o território – assenta mais na interpretação medieval de como Artur teria governado, como rei de toda a Inglaterra e França medievais. Mas também vai buscar alguma inspiração aos séculos do domínio dos Romanos, quando o território era governado como uma única província. Esta secção de texto poder-se-ia perfeitamente intitular "Artur o Imperador", e se realmente alguma vez houve um Artur a reinar com tamanho poder, ele teria provavelmente de si próprio essa mesma ideia (em determinados períodos do fim do Império, os imperadores romanos foram mais que muitos).

No período que imediatamente se seguiu ao colapso da governação romana, sabemos que havia senhores da guerra poderosos, ou líderes civis com o súbito apoio do poder militar. Isto acontecia no continente e talvez também na Grã-Bretanha. Poderia Artur ter sido um desses usurpadores ou "tiranos"? Ou terá ele, numa data ligeiramente posterior, ascendido ao poder entre os Bretões e unificado os seus diversos reinos para repelir os ataques dos invasores estrangeiros?

Se Artur fosse assim uma figura tão importante, seria de esperar que constasse algures entre as genealogias reais e as listas dos reis galesas, muitas vezes inacreditavelmente extensas e completas, (indo buscar toda a espécie de governantes lendários e mitológicos que, na verdade, não deviam lá constar). Contudo, é apenas mencionado por três vezes no total das listas. Uma das vezes como vencedor de Badon, outra como rei de todo o território da Grã-Bretanha, e outra numa lista de reis que nomeava os antigos reis da Grã-Bretanha e incluía outras personagens pseudo-históricas ou mitológicas. De modo que estas listas são de pouco valor histórico, mas a ausência de Artur não descarta imediatamente a possibilidade da sua existência.

Nos tempos modernos, o campeão da defesa de um Artur todo-poderoso, que teria governado a maior parte da Grã-Bretanha, foi John Morris, já falecido. Morris leccionou História da Antiguidade na Universidade de Londres e fundou a revista *Past and Present*, em

1952. O seu livro *The Age of Arthur: A History of the British Isles From 350 a 650,* foi considerado durante muitos anos a referência deste período da Grã-Bretanha. Não obstante, hoje, a maioria dos académicos considera que faltava a Morris sentido crítico em relação às diversas fontes disponíveis, e *The Age of Arthur* prevalece como uma prova do seu talento para reunir as muitas e diversas fontes numa lista coerente. Por outro lado, a quantidade de material proveniente de fontes obscuras disponibilizado por Morris ao leitor comum, nesse livro, é absolutamente notável, e o seu trabalho devia ser celebrado por isso e não por se tratar de um documento histórico credível sobre a época. Morris considerou Artur o último imperador romanizado da Grã-Bretanha, que teria governado a partir de uma capital em Colchester (sendo o seu equivalente em latin Camulodunum).

O Artur de Morris sucedeu a Ambrosius como comandante supremo dos exércitos dos Bretões, talvez nos anos da década de 70 ou mais provavelmente 80 do século V, e, segundo este autor, esta sucessão coincidiu com uma mudança do carácter da luta pela Grã-Bretanha. Morris argumentou que, antes da época de Artur, a política e os assuntos de guerra confinavam-se simplesmente às campanhas dos Bretões num lado e dos Saxões no outro. Quando Artur ascendeu para suceder a Ambrosius, opôs-se-lhe, com o auxílio dos guerreiros saxões, um líder da Grã-Bretanha Meridional chamado Cerdic (quase universalmente descrito como Saxão, embora seja verdade que o seu nome possa ser de origem britânica. Daí, mais tarde, a reputação de Cerdic como líder saxão). Artur conseguiu subjugar os enclaves saxões em toda a região das terras baixas, usando exércitos de cavalaria, e travou as 12 batalhas imortalizadas por Nennius – incluindo a famosa Batalha de Badon em ou por volta de 495. Morris sustenta que a Batalha de Badon foi travada entre Artur e uma aliança de Cerdic com os reis saxões Oesc de Kent e Aelle de Sussex, e esta notável batalha ocorreu na colina de Solsbury. Morris considerava Badon a vitória definitiva dos Bretões, que teria aberto caminho a uma era de paz, durante a qual Artur reconstruiu a Grã-Bretanha como um estado pós-imperial com linha de sucessão, governando como imperador. Nas palavras do comentador Gildas, do século VI, habitualmente carregadas de catastrofismo, Morris notou o louvor ao reinado de Artur (não se referindo a ele pelo nome), tendo Gildas acreditado que

Artur conseguira restituir o território da Grã-Bretanha a uma estrutura imperial, um poder governamental sólido e uma igreja reverenciada. Morris acreditava que 21 anos depois de Badon, em 515 ou por volta dessa data, Artur fora morto em combate contra Medraut, um chefe militar da Grã-Bretanha Meridional, possivelmente de Suffolk. Com Artur terminou o ciclo de renascimento efémero mas bem sucedido do poder imperial – um renascimento com mais sucesso do que qualquer outro na Europa da Alta Idade Média.

A teoria de Morris foi engenhosamente construída, tanto em volta da história tradicional como dos contos populares das nações celtas, repletas de referências cruzadas e encadeadas numa narrativa mais credível, que presta atenção meticulosa ao detalhe. Contudo, como se referiu, desde então muitos académicos têm criticado Morris pela sua aceitação crédula das fontes, e como a teoria de Morris é cómoda – ajustando-se como se ajusta à imagem popular do Artur da lenda – poucos são os académicos que hoje em dia a aceitam.

A aclamada obra de Leslie Alcock, *Arthur's Britain* (publicada em 1971 e revista em 1989), foi publicada dois anos antes do livro de Morris. Este livro passou rapidamente a ser, e ainda é, o trabalho de referência sobre a Grã-Bretanha da Alta Idade Média, e nele Alcock sugere uma idêntica perspectiva geral de Artur, a de um importante senhor da guerra britânico dos finais do século V, que controlou grandes áreas da Grã-Bretanha e combateu as invasões dos Saxões e dos Pictos. Assumindo-se como académico que acredita firmemente nas Batalhas de Badon e Camlann, e situando-as por volta de 490 e 510, respectivamente, Alcock recorreu à investigação arqueológica moderna para fundamentar as suas sugestões. Muitas das teorias sugeridas por Alcock baseiam-se nas primeiras fontes galesas, a muitas das quais atribui um alto nível de integridade. O Artur de Alcock foi apresentado no papel de Rei dos Reis ou Imperador em tudo menos no nome: ele possuía o poder militar para reconstruir as fortificações por todo o território do Sul da actual Inglaterra e para repelir os avanços dos Saxões da parte oriental da ilha. Alcock acreditava que o verdadeiro Artur travou as 12 batalhas referidas por Nennius, bem como a sua batalha final em Camlann, não referida na lista. Alcock situou, com perspicácia, os quartéis-generais de Artur dentro das muralhas da colina fortificada de South Cadbury, um local onde ele próprio dirigiu a escavação na década de 60. Só o tamanho da fortificação em South Cadbury sugere que este forte na montanha deve ter sido usado por uma vasta força militar – aparentemente maior do que a maioria dos exércitos da época. South Cadbury tinha uma qualquer tradição que a ligava a Artur, embora não haja nada nas escavações de Alcock que traga mais esclarecimentos sobre o obscuro Artur do que sobre quaisquer outros possíveis candidatos à empreitada da refortificação do local.

Entre outros investigadores que defendem a noção popular de um Artur todo-poderoso está Geoffrey Ashe, que também sugere no seu livro *The Discovery of King Arthur* (publicado em 1985 e revisto em 2003), que Artur era um Rei Supremo ou um Imperador da Grã-Bretanha. As revelações de Ashe serão abordadas mais adiante, neste capítulo.

Artur, o soldado

Artur é por vezes referido por um título latino: *Dux Bellorum*. Embora o termo pareça significar algo como Galinhola Gorda, na verdade este título significa "Comandante de Exércitos" ou "Duque da Guerra". As nossas fontes celtas mais antigas descrevem mais frequentemente Artur como um desses senhores da guerra do que como o correspondente à sua imagem clássica mais recente, de rei medieval cavalheiresco.

Algumas das mais antigas referências até o identificam simplesmente como "Artur, o Soldado". Também é interessante notar que o vetusto historiador Nennius registou que Artur combateu ao lado dos reis britânicos, não tendo afirmado que ele fosse rei. Assim, talvez o verdadeiro Artur fosse um militar, um general com o pendor e a crueldade necessárias para impor uma série de derrotas aos inimigos que invadiam a Grã-Bretanha vindos de todos os lados.

Talvez como relíquia do nosso imaginário de Artur como rei medieval, muitos investigadores optaram por descrever o Artur histórico como um arrojado comandante de cavalaria, que percorria a cavalo as Ilhas Britânicas para derrotar os invasores saxões, irlandeses e pictos, e chefiava a resistência local nos territórios invadidos por hordas bárbaras. Os guerreiros profissionais da Alta Idade Média iam de facto para as batalhas a cavalo. Há registos escritos provenientes de fontes britânicas que o confirmam – e supõe-se que as estradas construídas pelos Romanos, tão longas e direitas, terão sido ainda úteis a um exército de guerreiros organizado ao estilo das forças de campanha dos últimos Romanos. Para os que subscrevem esta teoria de um Artur guerreiro e errante, não há necessidade de localizá-lo com precisão do ponto de vista geográfico – ele estaria em diversos locais do país. Também não há necessidade de "revelar" o seu verdadeiro nome para além de Artur ou Artorius, porque era este o seu nome. Também pode argumentar-se que os muitos locais geográficos espalhados pela Grã-Bretanha que ostentam o seu nome – como Poltrona de Artur, Cadeira de Artur, Pedra de Artur – são memórias de uma batalha vencida ou de uma guarnição enviada pelo senhor da guerra Artur. Michael Holmes, no seu livro de 1996, *King Arthur: A Military History*, sugeria que Artur era um desses líderes, que combatera na Grã-Bretanha, em múltiplas frentes, nas datas tradicionalmente registadas nas suas primeiras "histórias" celtas.

A afirmação de Nennius quanto a Artur levar aos ombros (ou no escudo) a imagem da Virgem Maria e quanto a ter sido capaz de derrotar os pagãos saxónicos pela virtude de Jesus Cristo, levou a que alguns investigadores tivessem sugerido que Artur era uma espécie de protocruzado, numa guerra de carácter religioso, cristão, contra os seus inimigos pagãos. Entre os proponentes desta teoria encontra-se a investigadora Dilys Gater que no livro com o título *Battles of Wales*, de 1991, propõe essa explicação. Gater salientou a teoria de que o Artur cristão, ainda romanizado, instalou o seu quartel-general e a sua residência no velho local romano de Caerleon (chamando a atenção para o facto de ali terem ocorrido diversos episódios dos contos galeses incluídos na obra *The Mabinogion*) e travou a sua campanha contra os Saxões na que é hoje a Inglaterra. Gater sugere que a única das batalhas de Artur travada em solo galês foi Camlann, que ela identifica como tendo sido um cerco a Caerleon, onde Artur é morto quando defendia o seu quartel-general. Essa teoria ignora que a principal fonte de informação que menciona Artur a levar consigo para a batalha símbolos do cristianismo, é um manuscrito compilado num mosteiro, que podia pretender sobrevalorizar os aspectos religiosos da vida de Artur.

Noutras histórias antigas cujo tema é Artur – nomeadamente as *Vidas* dos santos – Artur é por vezes apresentado em desacordo com a igreja. Mesmo assim, a imagem medieval de Artur como um rei pio e profundamente cristão, juntamente com o seu apelo aos Bretões cristãos para se defenderem dos Saxões pagãos nos séculos V e VI, significa que a concepção de Artur como um antigo rei guerreiro da Grã-Bretanha em cruzada continua popular.

Uma teoria sobre a óbvia exclusão de Artur das fontes históricas, que muito raramente emerge, sugere que ele foi, de facto, um senhor da guerra poderoso, mas que, de algum modo, teria despertado a ira da igreja. Ao fazê-lo, Artur virtualmente garantiu que o seu nome seria excluído da História, porque os autores que escreveram sobre a antiga Grã-Bretanha e que mais tarde redigiram os *Anais Galeses* e as crónicas foram, quase sem excepção, homens religiosos. Talvez esta observação possa ser confirmada nas *Vidas* dos santos celtas, que, por vezes, retratam Artur como um bobo ou abaixo disso. Tem sido sugerido que Artur se apoiava em fortes contributos da igreja para financiar as suas guerras contra os Saxões, por todo o país – ao longo da História, as igrejas cristãs tinham sido por tradição organizações abastadas –, provavelmente sem o seu consentimento.

Existe muito pouca substância histórica na concepção de Artur como força militar omnipotente ou um turbilhão de espadas e lanças. Não devemos ignorar uma teoria tão generalizada, contudo, ela também não é particularmente esclarecedora – Artur não pode ser identificado para lá das remotas referências celtas que lhe são feitas, questionáveis do ponto de vista histórico, nem as suas batalhas podem ser identificadas com locais específicos (embora muitos tenham tentado fazê-lo).

Artur o... urso?

Talvez ele tivesse uma longa barba (os Bretões da Idade Média pareciam adorar barbas, bigodes e tranças nos cabelos), ou fosse muito peludo, ainda que, neste caso, a designação urso se refira à ferocidade dos guerreiros. É bem possível que Artur, o Urso, tivesse sido o nome de guerra usado por um outro senhor da guerra. Os historiadores que expõem esta teoria sugerem que o nome

"Artur" é uma combinação das palavras latina e galesa para urso. A palavra latina para urso é *ursus* e a galesa é *arth*. Se tal combinação de nomes foi usada, Artur (ou quem quer que lhe tenha dispensado o nome) era um político sagaz, servindo-se deste nome para apelar em massa aos Bretões – tanto os que se consideravam celtas como os que ainda se viam como romanos. Supõe-se que, ao fazê-lo, Artur tentava unir as facções opostas celtas e romanas, embora não tenha sobrevivido qualquer prova substancial que sustente este argumento. Além disso, se os que falavam a língua galesa usavam a palavra *arth*, e os que falavam latim usavam a palavra *ursus*, será que o composto *Artur* tinha alguma conotação com urso em qualquer um destes grupos linguísticos?

Existem outros exemplos de senhores da guerra da Alta Idade Média conhecidos por outros nomes. Os Bretões nortenhos de Reghed conheciam o líder que se opunha ao seu rei, Owain, pelo nome de Fflamddwyn, que significa Senhor das Chamas; é bem possível que se tratasse do rei saxão cujo nome verdadeiro era Ida, ou do seu filho Teodorico. Gildas refere que o significado do nome de um dos seus reis britânicos contemporâneos era "carniceiro trigueiro" (Gildas referia-se ao rei Cuneglasus), embora seja mais razoável traduzir este nome para "Cão de Caça Azul", e é possível que outros senhores da guerra britânicos fossem conhecidos por cognomes análogos. O longo e empolgado discurso de Gildas refere que um outro dos primeiros reis tinha o cognome de "Leão", e o rei Aurelius Caninus, contemporâneo de Gildas, era provavelmente "Aurelius, o Cão".

Pode encontrar-se uma tradução alternativa para o nome de Artur numa cópia da *História dos Bretões*, datada de finais do século XII ou início do século XIII. Esta cópia tem algumas notas à margem conhecidas pelas *Anotações Sawley*, que explicam que a tradução do nome de Artur para latim é "urso horrível" ou "martelo de ferro". Um bom nome de guerra para um senhor da guerra destemido.

Pense-se nisso como um escritor pensaria num pseudónimo. Ou talvez, mais pertinentemente, pense no *alter ego* de um moderno lutador de *wrestling*. O Gigante Haystacks e The Rock vêm-nos logo à ideia. Há outros homens do mundo do desporto que possuem alcunhas relacionadas com animais que, tal como o leão reflecte ferocidade, reflectem as suas próprias personalidades ou características: guarda-redes felinos e defesas burros existem em todas as equipas de futebol.

Pode ter sido o caso que o nome Artur não fosse nome de guerra de um indivíduo, mas de um título detido por diversos senhores da guerra em diferentes épocas. Da mesma forma que o nome Vortigern pode tratar-se apenas de um título que passou, no mundo moderno, a ser lembrado como um nome pessoal. Esta explicação será decerto esclarecedora quanto ao vasto período de tempo em que por vezes são enquadrados os feitos de Artur, e a sucessão de "Ursos" vencedores de batalhas poderia também explicar a razão pela qual o nome se tornou tão famoso nos contos populares e na tradição celtas. Contudo, há uma total ausência de provas para isto ser mais do que especulação histórica.

Mesmo que desde logo aceitássemos que o nome Artur é simplesmente um nome de guerra, isso não nos aproxima da descoberta da verdade do homem por detrás do nome. Contudo, muitos investigadores veicularam a ideia de que o cognome "o Urso" foi usado por outros líderes historicamente confirmados. Supõem que a razão pela qual não devemos esperar encontrar Artur num contexto histórico credível é o facto de ele ter ficado registado na história pelo seu nome de baptismo e não pelo seu nome de guerra. Esta teoria tem sido usada para apoiar as candidaturas de Owain Ddantgwyn, Ambrosius Aurelianus e Riothamus a verdadeiro Artur, isto para nomear apenas três dos candidatos mencionados neste capítulo.

Artur, o Romano

As datas atribuídas a um Artur histórico situam-se em finais do século V e no século VI, como já foi mencionado algures neste livro; este período da Alta Idade Média abateu-se entre a sociedade britânica romanizada e a sociedade anglo-saxónica. Por isso, quando os académicos modernos começaram, no início do século XX, a pesquisar a possibilidade de um Artur com existência real, supondo que o misterioso rei teria combatido os Saxões, muitos procuravam um Artur romano – ou Artorius, usando a versão latina do seu nome. Este homem tentara possivelmente agarrar-se ao passado romano, que se extinguia vertiginosamente, tentando repelir heroicamente vagas de invasores bárbaros; pelo menos, esta é a visão romântica evocada por esta teoria.

Notavelmente, entre estes académicos consta R.G. Collingwood, que na década de 30 escreveu sobre Artur e a chegada dos Saxões. Ele não via Artur como um senhor da guerra ou chefe militar céltico-britânico, antes como o último oficial do exército romano, detentor do título militar de *dux* ("Duque") ou *comes* ("Count"). O Artur de Collingwood chefiou um exército de campanha, muito semelhante ao do fim do Império e que consistia essencialmente de soldados de cavalaria bem escudados, que infligiram uma série de derrotas às vagas invasoras dos Saxões bárbaros, para preservarem os últimos vestígios da autoridade romana na Grã-Bretanha do século V. A base histórica para a teoria de Collingwood deve ser debatida; como referi no capítulo II, a mudança da Grã-Bretanha romana para a Inglaterra anglo-saxónica pode não ter sido tão sangrenta como se pensou no passado. Pode também ter acontecido que o pensamento de Collingwood tenha sido de algum modo influenciado pelo início do fim do Império Britânico, que decorria na época em que ele escreveu, e talvez o facto de a sua teoria assentar em bases militares também possa ser justificado pelos anos negros que levaram ao eclodir da guerra, em 1939. É bem possível que a ideia de um Artur imperial a insurgir-se galhardamente contra a quantidade descomunal de "bárbaros" tivesse sido um apelo popular à Grã-Bretanha dessa época.

Um dos candidatos mais legitimamente empurrados para a ribalta como "verdadeiro" Artur é Ambrosius Aurelianus. Descrito por Gildas, uma das nossas fontes mais antigas, como o vitorioso ou o instigador da campanha triunfante que levaria à Batalha de Badon, Ambrosius teria provavelmente muito mais fundamento para concorrer a "verdadeiro" Artur do que muitas vezes se julga. Através de um esboço da sua biografia, por Gildas, sabemos que os pais de Ambrosius eram considerados romanos – provavelmente funcionáros britânicos romanizados, ou possivelmente dos últimos funcionários a chegar antes de a Grã-Bretanha se ter tornado independente. O pai de Ambrosius pode mesmo ter sido um usurpador imperial (aliás, Gildas diz que os seus pais "usavam a cor púrpura" – uma evidente referência imperial) dos que irromperam pela Grã-Bretanha, na primeira década do século V, embora isto o situasse um pouco mais atrás na cronologia geralmente aceite; no entanto, Geoffrey de Monmouth registou que Aurelius Ambrosius era o filho de Constantino III, um desses usurpadores. Tendo os pais de Ambrosius morrido de uma qualquer calamidade (talvez um ataque dos Pictos ou dos Saxões), Gildas acreditava que ele tinha unido os Bretões enfraquecidos e os tinha convertido numa força combativa formidável. Não temos a data do seu nascimento nem a da sua morte, nem uma única prova concreta do período em que floresceu, mas há suposições sensatas, resultantes de trabalho de investigação, que situam o auge do poder militar e político de Ambrosius entre aproximadamente os anos 460 e 480. A tradição também regista conflitos entre facções britânicas dirigidas por Ambrosius e Vortigern, que culminam na guerra civil. Muitos investigadores sugeriram que Ambrosius liderava uma facção pró-romana, e Vortigern uma facção nacionalista celta, mas concordar com isto seria simplificar demasiado o complexo equilíbrio político da Grã-Bretanha do século V. A evidência dos nomes de alguns locais sugere que algumas fracções de território no Sul da Grã-Bretanha podem ter sido palco das vitórias de Ambrosius, ou regiões onde este tivesse mobilizado os seus exércitos de guerreiros (nomes de locais com o prefixo "Amb").

Ambrosius é o único Bretão ligado por tradição a Badon, juntamente com Artur, e o seu nome é um dos poucos que parecem ter passado ao mundo moderno, mais como figura histórica do que como lenda. Vortigern, Hengest, Horsa, Artur e muitos mais são hoje lembrados pelas suas acções pseudo-históricas, enquanto que Ambrosius é famoso pela sua rectidão como líder militar romano-britânico, estando o seu nome pouco associado a lendas posteriores. Gildas vai ao ponto de lamentar que os seus "tiranos" contemporâneos não fossem da fibra de líderes como Ambrosius.

Talvez uma reputação assim assentasse que nem uma luva ao "verdadeiro" Artur. Contra Ambrosius, no entanto, está o facto de o seu nome ter atravessado o tempo juntamente com o de Artur. Olhamo-los como contemporâneos bastante próximos um do outro, ou, ocasionalmente, pensa-se que Artur foi um comandante no exército de cavalaria de Ambrosius; teria isto acontecido se ambas as personagens fossem uma só? É possível, mas não provável.

Também parece que Ambrosius remonta a uma época um pouco mais antiga, para poder enquadrar-se no período arturiano tradicional, mas como as datas não podem ser confirmadas para nenhum dos homens, este argumento é fraco. Talvez seja mais revelador observar que Ambrosius é lembrado como um Bretão romanizado, enquanto que o Artur das lendas mais antigas está associado a um senhor da guerra muito mais heróico, à moda genuinamente celta. Talvez as primeiras lendas sobre Artur tivessem alterado a personagem de Ambrosius de modo a ajustá-la às exigências e expectativas do que era, nesse tempo, um público menos romanizado e mais "heróico", mas será possível que o enquadramento do líder na vida real tivesse sido tão profundamente reescrito?

Para além de Ambrosius e, por outro lado, de um Artorius por identificar, existe um outro candidato romanizado. Diversos historiadores, incluindo P. J. F. Turner, Scott Littleton e Linda A. Malcor, argumentaram que o Artur lendário se baseava de facto num dos primeiros comandantes de cavalaria romanos, que tinha assentado praça na Grã-Bretanha 200 anos antes das datas amplamente aceites para o enquadramento da era arturiana. A história deste soldado intrigante é destacada na secção seguinte deste capítulo.

Artur, o Sármata

Nos séculos do domínio romano, muitos povos afluíam à Grã-Bretanha, provenientes de diferentes extremidades do Império. Prestavam serviços no exército imperial ou viajavam como comerciantes ou homens de negócios. Sempre senti a maior das compaixões pelos recrutas sírios ou mouros, que, segundo sabemos, guarneceram a Muralha de Adriano em condições climáticas absolutamente inóspitas – bem, o leitor trocaria aqueles climas soalheiros por Newcastle ou Carlisle numa manhã gélida de Janeiro?

Entre os muitos povos recrutados pelos imperadores romanos para combaterem em seu nome constava um grupo de bárbaros das estepes, dos que chegavam subitamente num enorme movimento populacional em direcção às franjas do Império. Vestidos com sólidas armaduras, peritos nas artes de bem cavalgar, manejando longas lanças de dois gumes e cavalgando corpulentos cavalos de batalha, os Sármatas eram adversários formidáveis em combate, e o exército romano deve ter ficado bastante aliviado quando, após algumas campanhas, estes se tornaram tropas auxiliares dos exércitos imperiais.

Em 175, uma vasta força recém-recrutada de soldados de cavalaria sármatas lançou-se através da Europa em direcção à Grã-Bretanha. Eram cerca de 5500 e teriam viajado nos seus próprios cavalos, trazendo cavalos de substituição e eguadas para criarem mais montadas. Trariam ainda consigo os seus próprios estandartes – com a forma de um dragão voador (muito semelhante a uma moderna meia de vento de um aeródromo, que viria mais tarde a ser associado à maioria das unidades do exército romano e, supostamente, também aos seus sucessores nos bandos de guerreiros dos reis britânicos... incluindo Artur.

A propósito, temos ainda o nome do general romano que comandou esta formação de cavalaria pesada. O seu nome era Artur. Bem, bastante parecido com Artur: o seu nome era Lucius Artorius Castus.

O primeiro investigador a notar a possível associação de Castus à tese arturiana foi Kent Malone, em 1925, e a esta associação vieram juntar-se os Sármatas, numa teoria defendida por Helmut Nickel, em 1975. Como conservador de armas e armaduras do Metropolitan Museum of Art, em Nova Iorque, Nickel notou a semelhança entre a cavalaria pesada sármata e os cavalos dos posteriores cavaleiros europeus, revestidos de pesadas armaduras. Esta associação ficaria na mente de diversos outros investigadores.

P.J.F. Turner, Scott Littleton e Linda A. Malcor, entre outros, acreditam na possibilidade de Lucius Artorius Castus ter sido o verdadeiro Artur. Mas, considerando que esses soldados de cavalaria romana viveram 200 anos antes das datas habitualmente associadas à existência do Artur histórico, até que ponto pode esta teoria ser comprovada?

A obra de Scott Littleton e Linda A. Malcor, *From Scythia to Camelot* (publicada em 2000) é, como explica o subtítulo do livro, uma "reavaliação radical" das lendas de Artur, dos Cavaleiros da Távola Redonda e do Santo Graal. Littleton e Malcor perfilham a teoria de que nem as tradições arturianas nem as tradições ligadas ao Santo Graal têm origem na mitologia ou no folclore britânicos nacionais, mas nos povos da antiga Cítia (o Sul da actual Rússia e as estepes ucranianas). Os autores argumentam que este folclore foi levado das estepes para a Grã-Bretanha e Gália pelos Alanos e por tribos sármatas ao serviço do exército romano, como tropas auxiliares. Tentam mostrar que diversas personagens da lenda arturiana, incluindo o Rei-Pescador, podem basear-se em personalidades históricas que existiram nos primeiros anos do século V.

Tudo isto pode soar um pouco rebuscado, mas o folclore do povo sármata conhecido por Ossetas contém diversos temas que soam familiares ao leitor arturiano. Os heróis das suas histórias populares são referidos por Narts, e dos feitos desses Narts consta uma história sobre um rei guerreiro moribundo, cuja espada é devolvida à água. Esta história é idêntica à história de Excalibur. Outras histórias provenientes dos Ossetas incluem referências a um recipiente mágico (como o Graal ou o Caldeirão, ajustando-se ambos à literatura arturiana; e também aparece uma espada numa pedra).

Littleton e Malcor também afirmam que Lucius Artorius Castus (um dos primeiros líderes dos exércitos de cavalaria sarmáta a chegar à Grã-Bretanha) foi o Artur histórico. Apesar da falta de provas concludentes, Lucius Artorius Castus dá um óptimo candidato circunstancial a "verdadeiro" Artur. Foi um homem com uma excelente folha de serviço militar, cujo nome e principais proezas ficaram registadas numa pedra memorial. Esteve no activo em finais do século II d.C., como oficial no exército romano – embora isto seja significativamente anterior ao período em que tradicionalmente se situa a existência de Artur. As lacunas na sua vida têm sido engenhosamente preenchidas pelos autores que defendem tratar-se de Artur, que sugerem que ele esteve destacado nas regiões orientais do Império. Lançam a hipótese de, neste local, Castus ter lutado nas franjas do Império contra as tribos sármatas não romanizadas, tendo sido então nomeado seu oficial quando estas começaram a servir o imperador.

Littleton e Malcor sugerem que este general romano e as suas tropas sármatas tinham a seu cargo a tarefa de repelir os invasores do Norte da Grã-Bretanha romana, e que a lista de batalhas coligida por Nennius (como foi sublinhado no capítulo IV) foi baseada na sua campanha. A campanha proposta consistia numa série de batalhas travadas contra um exército de invasores pictos, que tinham invadido o Sul, desde a actual Escócia a York, através dos Peninos (travando batalhas nos rios Ribble e Douglas, em Lancashire). A invasão dos Pictos foi provavelmente repelida e estes obrigados a recuar até à Escócia por Lucius Artorius Castus e pelos seus cavaleiros sármatas. Pese embora a tentativa de

Nennius de identificar York com a Cidade da Legião, e o rio Douglas com o rio Dubglas, não há, infelizmente, provas concretas que sustentem esta teoria.

Embora Lucius Artorius Castus tivesse vivido 200 anos antes das datas que tradicionalmente situam a existência de Artur, é possível que tivesse conquistado fama como guerreiro romano que lutava pelos Bretões contra os inimigos bárbaros. Isto decerto coincidiria com as menções mais antigas a Artur na literatura da Alta Idade Média. É bem possível que o nome Artur, inicialmente popularizado nas histórias celtas, tenha passado para o mundo medieval como o nome de um guerreiro simbólico da Alta Idade Média, sendo erroneamente interpretado como contemporâneo daquele período. Ou talvez fosse conveniente para os Celtas, independentes e orgulhosos da sua raça, adoptarem este grandioso guerreiro como um dos seus, já que este lutava valorosamente contra um dos seus mais viscerais inimigos, os Pictos.

O antropólogo Howard Reid partilha da convicção de que as origens de Artur começaram num território bastante afastado da Grã-Bretanha. No seu livro *Arthur, The Dragon King* (publicado em 2001) ele defende que as origens de Artur podem ser encontradas nos Sármatas, Citas e Alanos das estepes, da Ásia Central e da Europa. Não sendo propriamente o único, mas sendo-o talvez entre os autores mencionados neste capítulo, Reid não sancionou a tese de Artur ser alguém com existência real. Sugere antes que a falta de provas históricas e arqueológicas apontam para Artur apenas como figura do folclore (e deve dizer-se que encontrar qualquer testemunho da existência de Artur – um túmulo com nome gravado, por exemplo, seria mesmo muito pouco provável). Reid destaca antes a possível origem desta lenda, e traça o seu enquadramento fictício nas tribos a cavalo da Europa Oriental: uma vez mais, os Sármatas.

Reid adopta a mesma teoria de outros investigadores que sugerem que as origens de Artur se encontram nos Sármatas, centrando-se nomeadamente numa unidade de cavalaria pesada dos Sármatas ao serviço da Grã-Bretanha na era romana. Reid sugere que Artur não era um comandante da cavalaria sármata nem o descendente directo de qualquer comandante, e que Artur simplesmente veio com o seu folclore. Por outro lado, este folclore foi absorvido pelos Bretões que chegaram ao contacto com os cavaleiros orientais, e por fim integrou a própria tradição dos Bretões.

Entre os pontos que constituem os argumentos em que Reid sustenta esta tese, há a sua observação de que os recrutas sármatas não estavam provavelmente acompanhados pelas suas mulheres ou famílias; não há vestígios arqueológicos da joalharia característica que teriam usado, nem quaisquer outros objectos pessoais que sugiram a sua presença. Reid sugere que os soldados se devem ter instalado na Grã-Bretanha, juntando-se com mulheres locais – coisa que acontecia cada vez mais frequentemente nos últimos dias do Império – e que isto teria permitido a fusão sucinta entre o folclore britânico e o folclore sármata.

Como Reid sublinha, os movimentos militares da cavalaria sármata são bastante interessantes dadas as relações entre os sucessos militares de Artur e o Norte da Grã-Bretanha. Os Sármatas estavam estabelecidos na Grã-Bretanha no século III e parece que permaneceram também durante o século IV. Os veteranos romanos muitas vezes eram recolocados em locais estratégicos (nada como um bando de velhos soldados reformados para proteger eficazmente locais estratégicos e a preços módicos, apesar do que um exército de avôzinhos poderia sugerir.) Aparentemente, os Sármatas ter-se-iam instalado próximo do forte Bremetennacum Veteranorum, na actual Ribchester, Lancashire. Isto podia explicar a razão para tanta actividade militar relacionada com Artur localizada no Norte da moderna Inglaterra – ali é que viviam os povos que inicialmente contaram as histórias sobre Artur, não constituindo isto prova de terem ali ocorrido, de facto, os acontecimentos históricos.

Reid prossegue referindo também uma personalidade registada na História com um nome idêntico ao de Artur: Eothar (também conhecido por Goar). No activo em 446, Eothar era um "rei selvagem", dos Alanos – outros guerreiros do Oriente a cavalo, culturalmente semelhantes aos Sármatas chegados à Grã-Bretanha (talvez até partilhassem as mesmas histórias populares). Os seus exércitos combatiam contra os Armoricanos em França, o que geograficamente os liga a algumas das histórias posteriores sobre Artur (até mesmo à influente *História* de Geoffrey de Monmouth). A época também se encaixa praticamente na de Artur. Talvez, apenas talvez, as memórias britânicas e posteriormente as memórias galesas de Artur resultassem da fusão deste rei histórico com as histórias do folclore dos Sármatas, embora o próprio Reid encare a possibilidade disso não passar de mais uma teoria.

Existem algumas obstáculos na teoria sármata, que tendem a ser ignorados pelos defensores desta tese. O uso da espada na lenda da pedra, cuja evidência seria supostamente uma prova das ligações entre a tradição sarmática e britânica, ignora o facto de as espadas serem importantes em quase todas as vertentes do folclore europeu. Eram armas cujo fabrico custava caro, e constituíam tanto um símbolo dos nobres como dos verdadeiros guerreiros espalhados pelo continente; como tal, as espadas mágicas figuram abundantemente não só nas histórias britânicas e sármatas, mas também nas sagas escandinavas e germânicas. Espadas sacrificadas às águas também não eram raras – têm sido dragadas das águas ao longo dos anos, tanto na Grã-Bretanha como na Irlanda. Também não tenho conhecimento de testemunhos que provem que as lendas dos Sármatas foram escritas antes do século XIX – portanto, essas histórias de uma promessa arturiana oriental poderão não passar de adaptações da lenda arturiana britânica; isto é mais plausível do que o contrário. Estes dois argumentos não descartam automaticamente a ligação aos Sármatas, mas servem para nos acautelar de que nem tudo o que brilha é (necessariamente) ouro arturiano.

Artur, o rei menor

Talvez Artur não tivesse passado de um rei regional, governando uma área não superior a um moderno condado britânico. Talvez a reputação e a importância que teve para os Bretões tenham ultrapassado todos os limites depois deste ter obtido uma série de vitórias sobre os inimigos (registada na lista das batalhas elaborada por Nennius, como se referiu no capítulo IV). Ou talvez ele tivesse recorrido a um bardo particularmente talentoso para recitar histórias exageradamente entusiásticas sobre as suas façanhas, tão populares que ter-se-iam espalhado pelos reinos britânicos. Talvez, talvez, talvez: mas pode ser que haja alguma verdade nestas ideias.

Esta é possivelmente uma das teorias arturianas mais plausíveis, mas ficam diversas questões em aberto. De que parte da Grã-Bretanha veio Artur? Por que não aparece o seu nome em nenhuma das listas genealógicas credíveis dos primeiros reis britânicos ou galeses, que mostre exactamente com quem estavam relacionados (e, creiam-me, os galeses medievais gostavam de elaborar listas extensas dos seus antepassados galeses e britânicos)? Como se implantou completamente o seu nome por todo o mundo celta, e como foi ele reinventado como a última esperança dos Bretões celtas?

Se Artur foi um governante regional, a maioria dos investigadores tem apontado para três regiões da Grã-Bretanha como locais da sua governação: o Norte, o Sudoeste ou Gales.

Artur de Gales

Gales é tradicionalmente lembrada como o derradeiro enclave dos Bretões, que defenderam as montanhas e os vales contra as incursões dos Anglo-Saxões. Os Bretões viriam a ficar conhecidos por "estrangeiros", palavra pela qual eram designados pelos invasores: "*Wealh*", o correspondente hoje em dia a "*Welsh men*", ou seja "Galeses", mas que também veio a significar "escravos" na língua anglo-saxónica. Os reinos bretões, ou se se preferir, galeses estabelecidos nesta região mantiveram-se durante mais tempo do que os do Sudoeste ou os do Norte; Gales não chegou a ser realmente conquistada até Eduardo I ter subjugado os nativos nos finais do século XIII. Os reinos proeminentes da Gales da Alta Idade Média foram Gwynedd no Norte, Powys no centro de Gales, a moderna Shropshire, e Dyfed, no Sul de Gales. Existiram em diversas épocas outros reinos mais pequenos, mas os principais eram os três atrás referidos. Não há dúvidas de que Artur se tornou memorável nas histórias populares e na literatura galesa, mas será que estão ali as suas origens e que foi lá que governou? Muitos investigadores concluíram que sim.

A convicção de que Artur era um rei galês não é nova. Geraldo de Gales empreendeu nos finais do século XII uma expedição pelo país, registando a história, a cultura, a lenda e o folclore do território. Entre as recolhas de Geraldo, nas páginas dos textos *A Viagem através de Gales* e *A Descrição de Gales,* em que abundam reflexões sobre o país medieval, o nome de Artur aparece subitamente em várias ocasiões. Gildas refere que os Bretões combateram com valentia durante a época de Artur, e que o rei combateu com a imagem da Virgem Maria estampada no escudo (Geraldo conhece bem as obras de Gildas e de Nennius e é bem possível que, neste apontamento, tivesse recorrido a estas fontes). Ele também sugere que Gildas nunca mencionou Artur porque o rei assassinara o seu irmão (conforme se conta no capítulo IV), e também descreve a descoberta do túmulo de Artur em Glastonbury. Geraldo cita Glastonbury como sendo Avalon, e diz que os ferimentos de Artur foram tratados ali por uma mulher da nobreza chamada Morgan, história que haveria de tornar-se bem conhecida na lenda medieval. Contudo, Geraldo baseia-se então nalguma fantasia, explicando que os Bretões (e aqui talvez já se refira mais aos Córnicos ou Bretões franceses do que aos Galeses) acreditam estupidamente que Artur ainda está vivo. É claro que esta não era uma opinião unânime na época em que Geraldo viveu.

As notas de Geraldo de Gales podem não ser mais rigorosas historicamente do que as muitas outras menções a Artur ao longo dos tempos. No entanto, o seu trabalho é importante porque reflecte a concepção introspectiva que tinham os nativos galeses do seu herói, e apresenta um trabalho que não deseja apenas promover Artur, mas registar as muitas facetas do território e do seu povo.

Que Artur era galês tornou-se o esteio de muitos dos primeiros teóricos. Thomas Bulfinch escreveu, no início da sua excelente versão da lenda, que Artur era um príncipe dos Silúrios (a palavra romana para designar uma tribo localizada no Sul de Gales). Passados cerca de dez anos, Bulfinch situa o Artur histórico no ano 500, e eleva-o à categoria do *Pendragon* (uma hierarquia proeminente entre os nobres britânicos).

Uma teoria muito divulgada na actualidade identifica Artur (de novo se pressupõe que a tradução para o nome Artur é "Urso") com um líder do Norte de Gales que floresceu entre os anos 490 e 520. O seu nome era Owain Ddantgwyn, embora, antes de terem revelado o seu nome no livro, os autores (Graham Phillips e Martin Keatman) se refiram ingenuamente a Owain como o "Guerreiro X". Neste livro de 1992, intitulado *King Arthur: The True Story,* Phillips e Keatman concluíram que o pai de um dos tiranos de Gildas era o "verdadeiro" Artur, e que este descendente do senhor da guerra Cunedda governou os reinos de Gwynedd e Powys. Sabemos muito pouco sobre Owain Ddantgwyn, embora Phillips e Keatman tenham concluído que o "verdadeiro" Modred era outro dos tiranos de Gildas, que venceu Owain/Artur no vale de Camlann, próximo de Dolgellau, em Gales. O seu Artur lutou contra os invasores saxões, pictos e irlandeses, e fez da cidade romana de Viroconium (é a actual povoação de Wroxeter, na Shropshire) a sua base.

Na obra intitulada *The Keys of Avalon: The True Location of Arthur's Kingdom Revealed*, publicada em 2000, Steve Blake e Scott Lloyd lançaram um outro argumento para apoiarem um Artur galês. Com fundamento nas fontes arturianas tradicionais, Blake e Scott observam que as interpretações modernas da geografia britânica da Alta Idade Média têm sido confusas. Por exemplo: Keint não era, na verdade, Kent, antes Gwent; Alban não era a Escócia mas Powys, e Kernyw não era a Cornualha mas a linha costeira de Gwynedd. Ao proceder assim, estes autores tentam reinar nos limites geográficos de Artur, sugerindo que a maioria das lendas e fontes mais antigas estavam directamente relacionadas com – e apenas com – Gales. Para todos os efeitos, tal como Dinas Bran, Blake e Lloyd revelaram o Castelo da lenda do Graal no Norte de Gales. Afirmam que Kelliwick, o local da corte de Artur, era Gelliwig, que fica na península de Lleyn, em Gales (e não em Killibury, no Sudoeste, o local tradicionalmente aceite). A sua sugestão quanto à localização de Camlann é a mesma que veiculam Phillips e Keatman. Alguns dos lugares apresentados por Blake e Lloyd para a localização da corte de Artur assentam numa lista anunciada num poema em tríade, podendo encontrar-se mais provas desta localização no Norte de Gales em *Culhwch e Olwen.*

Tendo partido do ponto em que tinham ficado, no seu segundo livro, *Pendragon: The Definitive Account of the Origins of Arthur* (publicado em 2002), Blake e Lloyd resumem diversos documentos galeses para prosseguirem o seu trabalho sobre o Artur galês. Inserem uma das histórias menos conhecidas sobre a última batalha de Artur, a Batalha de Camlann, tentam identificar algumas das suas concubinas conforme as lembrava o folclore galês, apresentam detalhes de algumas personagens associadas ao Artur da tradição galesa e sugerem uma alternativa radical para a localização do seu túmulo. Segundo esta informação, Artur é uma vez mais referido pelos autores como um senhor da guerra associado ao reino de Gwynedd, no Norte de Gales. Descrevendo-o como a "Cabeça do Dragão" de Gwynedd, os autores observam que algumas das suas vitórias teriam resultado de combates contra os Galeses, tal como evoca a tradição dos nativos. Este argumento é válido, e poucos são os investigadores que o utilizam quando tentam identificar Artur com um rei menor: provavelmente, este teria tido que ultrapassar muitos obstáculos para se tornar poderoso. Os reis galeses teriam combatido os reinos galeses seus homónimos com o mesmo vigor com que haviam combatido os Saxões e os Irlandeses.

Blake e Lloyd subscrevem a mesma teoria de Phillips e Keatman no que respeita à batalha final de Artur em Camlann, identificando o local da batalha com Camlan (escrito com um só "n"). Como eles próprios esclarecem desde logo, esta teoria tem sido sugerida diversas vezes desde que foi anunciada pela primeira vez em 1872, numa edição do periódico *Archaeologia Cambrensis*. Mesmo assim, muitos investigadores modernos elegem preferencialmente para localização de Camlann tanto o rio Camel, no Sudoeste da Inglaterra, como a planície de Salisbury ou ainda a fortificação romana da Muralha de Adriano com o nome de Cambloganna. Blake e Lloyd fornecem mais provas do que Phillips e Keatman para sustentarem a sua identificação desta Camlan com o Norte de Gales. *As Estrofes dos Túmulos*, uma obra sobrevivente da literatura medieval galesa, sugere que Bedwyr (Bedivere nas histórias mais recentes da lenda), um dos leais guerreiros de Artur, foi sepultado nas proximidades. A tradição galesa também lembra que houve vários sobreviventes da batalha (Cedwyn, Cynwyl, o Santo, Derfel Gadarn, Geneid Hir, Morfran ap Tegid, Pedrog e Sandde Cara-de-Anjo) e a sua maioria pode estar também ligada à região do Noroeste de Gales através de outras tradições e locais geográficos. Os autores também especulam sobre a possibilidade de o túmulo de Artur se encontrar na capela de St. Mary em Rhyd Llanfair, no rio Conwy, ou talvez mais correctamente na vizinha Dol y Tre Beddau (que se traduz por Prado da Cidade dos Túmulos), onde foram encontrados no século XIX aproximadamente 40 túmulos de pedra, alinhados. Outro possível local mencionado pelos autores é a anta de Carnedd Arthur, em Snowdonia, actualmente esquecida, ou uma gruta, também esquecida, conhecida por Ogof Llanciau Eryri (que se traduz por Gruta dos Jovens de Snowdonia).

Em *Pendragon,* para além destas alegações, os autores não procuram fornecer datas que situem Artur no tempo, nem identificá-lo no contexto de outras figuras históricas; para Steve Blake e Scott Lloyd, como para muitos outros, identificar um reino associado às origens de Artur num período de tempo tão longo como o abrangido pelos primórdios da era medieval, sem dados específicos referidos, já é proeza que chegue. Esta abordagem é útil porquanto permite aos autores desenvolverem a sua teoria sem ter que se atolar em pormenores sem substância para justificarem as suas teses.

Steve Blake e Scott Lloyd acrescentaram um bom contributo para a actualização da teoria do Artur galês; contudo, o facto de confiarem tanto na tradição histórica e literária galesas deixa-os expostos à crítica dos cépticos. É possível que o Artur que defendem nunca tenha existido na vida real, e que, em vez de uma figura real, tenham revelado um Artur fictício, com origem nos primórdios da literatura galesa: suficientemente realista para inculcar nos Galeses a esperança deste grande guerreiro ter existido no passado, no coração do Norte de Gales, mas sem fundamento na história verdadeira. Por outro lado, talvez o recurso de Blake e Lloyd às suas fontes de pesquisa muitas vezes ignoradas tenha valido a pena, e eles tenham de facto situado geograficamente o seu homem.

Outra região de Gales (incluindo territórios da moderna Inglaterra) com ligações ao universo arturiano é o antigo reino de Powys, actualmente junto à fronteira do País de Gales com a Inglaterra e a Escócia. A narrativa medieval de Chrétien de Troyes sobre Artur elege o Castelo de Montgomery como o local de Camelot, embora Montgomery tenha agora, de um modo geral deixado de representar qualquer papel na lenda. Não muito longe de Montgomery, próximo de Churchstoke, na Shropshire, situa-se o rio Camlad, um afluente do rio Caebitra. Esta é uma alternativa frequentemente ignorada para a localização da famosa batalha final de Artur, a batalha de Camlann, mas, como o rio já foi conhecido no passado pelos nomes de Camalet, Camlet, e Kemelet, resta também a possibilidade de ser o local da corte de Camelot, de Artur, que se ajusta perfeitamente à asserção de Chrétien de Troyes acerca da vizinha Montgomery. Tanto Camlan como Montgomery se situam junto ao velho forte romano em Rhyd-y-Groes, e acontece que este é um dos locais mais proeminentes na história arturiana galesa *O Sonho de Rhonabwy*. O facto de o forte se encontrar tão próximo destes outros possíveis locais arturianos pode não passar de uma coincidência, uma vez que existem em Gales muitos outros fortes romanos que poderiam ter sido eleitos ao acaso para figurar na história. Infelizmente não se conhecem, no reino de Powwys, candidatos que se ajustem ao perfil do Artur histórico. Mesmo sem nenhum Artur no horizonte, é interessante notar que a cidade romana de Viroconium (a actual Wroxeter) passou por um tremendo plano de reconstrução no século V, numa magnitude que ultrapassou em muito a de qualquer outra cidade britânica deste período. Não pode provar-se que Artur existiu, nem que existiu em Powys nesta época remota, mas alguém detinha o poder político, os recursos humanos e a mestria organizacional para ter levado a cabo este empreendimento (para além de Artur, outras sugestões para os responsáveis pela reconstrução de Viroconium incluem Vortigern e um senhor da guerra britânico ou irlandês chamado Cunorix).

Uma das escolhas mais óbvias para candidato a Artur galês é o rei Arthwyr de Dyfed (o principal reino do Sul de Gales). Arthwyr viveu em finais do século VI – talvez um pouco tarde de mais para as datas tradicionalmente atribuídas a Artur – mas pouco mais se sabe sobre ele. Talvez o pai de Arthwyr, o rei Pedr ap Cyngar, lhe tivesse dado o nome em homenagem ao grandioso senhor da guerra, embora não possamos garantir que Artur fosse conhecido nessa data remota como um rei histórico ou lendário. É até possível que alguns dos feitos de Arthwyr, agora esquecidos, tivessem sido mais tarde incluídos nas histórias populares de Artur, e que o rei da lenda seja um compósito de alguns desses homens.

No seu livro de 1998, *The Holy Kingdom: The Quest For The Real King Arthur* (ajudados por um escritor chamado Adrian Gilbert), Baram Blackett e Alan Wilson subscrevem a teoria de que o Artur guerreiro não era apenas um único indivíduo, indicando que o Artur do folclore e da lenda teve origem em dois homens que realmente existiram: Arthun (ou Anwn), e Athrwys (ou Arthwys), um rei dos reinos do Sul de Gales de Glywyssing e Gwent. Arthun era supostamente filho do rebelde Magnus Maximus, um romano de finais do século IV, e é conhecido na história galesa como o Rei da Grécia (o que provavelmente é uma leitura errónea do seu nome latino: Antonius Gregorius). Arthun governou, de facto, no Sul de Gales, tal como Athrwys. A história convencional situa Athrwys como um rei do século VII, mas, com alguma convicção, Blackett e Wilson argumentam antes a favor de uma data no princípio do século VI.

Infelizmente, Blackett e Wilson também apregoaram que o seu trabalho estava a ser insidiosamente minado por académicos, os quais eles acreditavam não quererem, por alguma razão, que fosse revelada a verdadeira história sobre Artur. Blackett e Wilson sentiram que estavam a efectuar as suas investigações contra um muro de grande oposição por parte de académicos bem qualificados mas, na sua opinião, ignorantes e partidários de velhas organizações; anunciar publicamente tal sentimento, raramente, muito raramente, pode trazer aos investigadores envolvidos, ou às suas teorias, algo de bom. Tal postura confere pouca credibilidade ao trabalho. Outra das aparentemente delirantes afirmações por parte de Blackett e Wilson é a que anuncia a possibilidade de terem encontrado a verdadeira Excalibur e muito possivelmente também a fabulosa e lendária Espada de Constantino – na América. A espada que possuem não é decerto do tipo de *gladius* romano que alegam, que, de qualquer maneira, seria um exemplar pertencente a uma época demasiado remota para que Constantino o pudesse ter usado. Na verdade, a espada parece ser de um modelo fabricado cerca de 200 depois da época em que possivelmente poderia ter sido empunhada por um verdadeiro Artur. Contudo, todos temos direito a sonhar.

Tal como Blackett e Wilson identificam o Artur histórico (ou pelo menos parte dele) com o rei Arthwys de Glywyssing e Gwent, assim o fazem Chris Barber e David Pykitt. Crêem que, depois de travada a famosa Batalha de Camlann, Athrwys abdicou e viajou para a Bretanha francesa, onde ficou lembrado, não como Artur, mas como Santo Armel (ou Arthmael); cujo santuário pode ainda ver-se em St. Armel-des-Boschaux.

Há muitas outras tradições que ligam o Artur histórico a Gales. Não podemos saber ao certo se estas teorias têm algum fundamento, ou se a localização geográfica de Artur se deslocou com a língua celta, uma vez que esta foi sendo gradualmente empurrada para as montanhas e vales do oeste. As tradições demoram muitos anos a construir, por isso, talvez haja alguma verdade na ideia de Artur como rei em Gales.

Artur do Ocidente

A maioria das histórias populares britânicas sobre Artur sugere que este era do Sudoeste: Tintagel, Glastonbury e o Sul de Cadbury, todas estas regiões estão hoje inextrincavelmente ligadas à possível existência de Artur. Quem quer que tenha passado férias na Cornualha ou em Devon poderá dizer que Artur era um antigo rei neste recanto da Grã-Bretanha. Ou, pelo menos, essa é a impressão que nos fica mesmo após uma breve visita. Nalguns lugares, é impossível andar mais do que uns escassos metros sem que nos deparemos com mais um *Ye Rounde Table Tea Room* [Salão de Chá Távola Redonda] ou mais um "Parque de Estacionamento Rei Artur". Talvez não seja bem assim, mas a identificação dos locais com Artur tem sido desde sempre uma mais-valia nas vendas por parte do pequeno comércio e do turismo no Sudoeste... e o "Parque de Estacionamento Rei Artur" existe mesmo.

Muito poucos académicos concordam com a possibilidade de o verdadeiro Artur ter reinado no Sudoeste. Existe também o grande peso da tradição antiga na ligação do rei a este território – tanto no folclore como nos nomes dos locais e zonas conhecidas. Apesar disso, há poucas teorias modernas consistentes e detalhadas no que respeita à existência histórica de um Artur do Sudoeste.

O Sudoeste da moderna Inglaterra permaneceu nas mãos das dinastias britânicas por um período de tempo substancialmente mais longo do que o Sudeste. As actuais Somerset, Cornualha e Devon estavam sob firme controlo britânico, e mesmo que recuemos aos séculos VII e VIII, a Cornualha, conhecida no século VII pelo reino de Dumnonia, só em 838 caiu sob domínio anglo-saxónico. Como resultado de uma conquista tão tardia, grande parte do Sudoeste romanizado ficou nas mãos dos Bretões. (Exeter, Dorchester e Ilchester, todas estas cidades mostram ter preservado alguns vestígios de ocupação urbana). A forte governação de um temível senhor da guerra – um senhor da guerra cuja memória está preservada nesses salões de chá e parques de estacionamento acima mencionados – pode ter contribuído para ajudar a conservar esses vestígios ao longo dos tempos. Nós, Bretões, sabemos decerto como celebrar os nossos maiores heróis!

Os investigadores que defendem um Artur do Sudoeste reconhecem a importância do poema britânico bastante antigo, *Geraint, Filho de Erbin*. *Geraint* é um legado importante da literatura antiga, pois liga imediatamente Artur ao Sudoeste num contexto histórico, e não através das habituais histórias do folclore e da lenda. Também mostra que ele teria sido um guerreiro influente, cujos soldados combateram e morreram lado a lado com os de Geraint na Batalha de Llongborth, que provavelmente ocorreu em Portchester, na costa sul (Langport, no Sudoeste, é uma das alternativas para a localização da batalha).

Muitas outras histórias medievais galesas e da Cornualha referem Artur como um grande senhor da guerra ou um rei da região; a *Vida de São Gildas* apresenta-o ao comando dos exércitos da Cornualha e de Devon, num cerco de Glastonbury (onde Guinevere se encontrava cativa). Muitas outras histórias mais antigas ligam Artur a esta parte do país: *O Diálogo de Artur e da Águia* e *Geraint, Filho de Erbin* são duas dessas histórias. A maior das vitórias de Artur – a Batalha de Badon – está frequentemente ligada às suas raízes no Sudoeste e é muitas vezes identificada (sem fundamento substancial) com Bath, a cidade romana do Sudoeste, uma vez que "Badon" ter-se-ia pronunciado "Bathon" na língua britânica.

Mesmo a lendária corte de Artur, nas suas histórias mais antigas, Kelliwick, é tradicionalmente circunscrita a Killibury, no Sudoeste, e Artur será para sempre associado ao forte do promontório e ao posterior centro religioso em Tintagel. A ligação já existente entre Artur e Tintagel foi fortalecida em 1998, quando uma equipa de arqueólogos da Universidade de Glasgow encontrou uma laje com a inscrição do nome de um certo Artognou, filho de Coll. Esta pedra pode ser datada, com certeza, dos séculos V ou VI, mas, embora aparentemente semelhante, é difícil conciliar o nome de Artognou com o de Artur. Talvez, como discutido anteriormente, ambos os nomes possam significar " Urso", associação que nos poderia ser útil, mas nem sequer podemos ter essa certeza. A escavação, porém, sugeriu que Tintagel pode não ter sido apenas um centro religioso à época da suposta existência de um Artur real, podendo, de facto, ter sido um local régio ou a fortificação de algum nobre britânico num monte. A crer na tradição, é bem possível que esse homem pudesse ter sido a figura histórica que inspirou o Gorlois de Geoffrey de Monmouth.

Há uma outra pista nas histórias mais antigas de Artur. Muitas histórias tradicionais identificam o avô de Artur com Constantino, mas este é habitualmente identificado com Constantino III, um britânico usurpador do império romano no início do século V. Não obstante, uma antiga tradição lembra Artur como neto de Constantino Corneu, rei de Dumnonia, o nome de um poderoso reino britânico no Sudoeste da moderna Inglaterra. Por vezes afirma-se que houve três reis de Dumnonia que reinaram no tempo de Artur: Erbin, o filho de Constantino; Gereint, neto de Constantino, e Cado, bisneto de Constantino. Se assim é, Artur deve ter sido o filho de Erbin, e teria sido apenas um príncipe. É difícil dizer como conseguiu um príncipe elevar-se às distintas alturas da fama de Artur nos séculos que se seguiram. Talvez se este Artur, que a tradição localiza no Sudoeste, tivesse realmente existido, alguns dos seus feitos tivessem começado a ser lembrados e engrandecidos pelos poetas e bardos que posteriormente surgiram, dando assim origem à ideia do Artur vindouro, o grandioso. Mas, uma vez mais, não há qualquer fundamento histórico que possa sustentar esta suposição.

Artur do Norte

Tal como existe a possibilidade de Artur ter sido um senhor da guerra britânico da parte ocidental da Grã-Bretanha ou de Gales, muitos investigadores tentaram ligar o Artur histórico aos reinos britânicos do Norte. Diversas dinastias britânicas do Norte da moderna Inglaterra e da maior parte das terras baixas da moderna Escócia combateram uma vaga de invasões dos seus territórios por parte de Pictos, Irlandeses e Saxões. Proeminente entre os reinos britânicos do Norte encontrava-se Reghed, que provavelmente abarcava o país de costa a costa, tendo o seu centro na Muralha de Adriano. No entanto, também havia outros reinos: Elmet centrava-se nos Peninos e nas actuais Leeds e York, embora grande parte deste reino tivesse sido conquistado muito cedo pelos Saxões. O reino de Strathclyde localizava-se acima de Reghed e tinha por centro Dumbarton. O reino de Gododdin (um nome que deriva provavelmente de "Votadini", um nome tribal mais antigo) foi imortalizado no poema *The Gododdin* – talvez a primeira fonte a mencionar Artur; as referências sugerem que ele pode ter sido um senhor da guerra desse reino. Esses reinos britânicos do Norte tinham sido criados provavelmente nos finais do Império Romano, ou nos primeiros anos da Grã-Bretanha independente, no início do século V. Utilizados como zonas-tampão entre os territórios civilizados da Grã-Bretanha romana e o Norte e a Irlanda dos bárbaros, essas regiões produziram provavelmente o tipo de guerreiros endurecidos, à vista dos quais valeria a pena mudarmos de caminho para evitar enfrentá-los em batalha. Isto, combinado com as referências a Artur na literatura das regiões do Norte, sugere que uma investigação na tentativa de localizá-lo no Norte, poderia ser particularmente frutífera. E foi o que fizeram precisamente vários investigadores.

A história britânica regista os nomes de três líderes do Norte cujos nomes se assemelham notavelmente ao de Artur. Uma geração antes das datas tradicionalmente associadas a Artur, no século VI, reinou nos Peninos, como descendente de Coel Hen, um rei chamado Arthwys. O reino de Elmet, localizado na região de Leeds, também gerou um Arthwys, filho do rei Masgwid Gloff. Pouco se sabe sobre estes dois reis – decerto não o suficiente para se poder conjecturar sobre qualquer um deles como sendo "o" Artur. A terceira figura do Norte chamava-se Artur e era filho do rei Aedan (por vezes escrito Aiden) do Dalriada, o reino dos Irlandeses que se estabeleceram como colonos no Sudoeste da moderna Escócia. Embora tenha provavelmente nascido nos anos da década de 550 e por isso talvez um pouco tarde de mais para ser enquadrado nas datas tradicionalmente associadas a Artur, David F. Carrol, em 1996, e, antes dele, Richard Barber, apontaram-no como sendo um candidato adequado. Barber sugeriu que este é o primeiro "Artur" identificável como figura histórica na história da Grã-Bretanha, e, por esse motivo, talvez mereça mais atenção do que a que lhe dá a maioria dos investigadores. Tem sido sugerido que a base de Artur pode ter sido em Camelon, no Stirligshire, nome que, por corruptela, se pode ter convertido em Camelot. Sabemos tão pouco das vidas destes três candidatos a Artur, e é tentador especular sobre o facto de alguns dos seus feitos poderem ter passado para o folclore mais recente como acções de um Artur formado como compósito de vários senhores da guerra. Por outro lado, é bem possível que a todos eles tivesse sido dado o nome Artur em homenagem a um guerreiro histórico e lendário, na esperança de que as suas proezas pudessem ser incutidas no nomeado. Talvez do mesmo modo que os nomes Jason e Kyllie estiveram na moda na década de 80 (Elvis também está agora menos na moda do que nas décadas de 60 ou 70 – embora seja ainda um nome popular, escolhido frequentemente para cães), talvez também fosse moda naquela época dar às crianças os nomes das principais personagens da cultura popular vigente. Se as duas últimas sugestões fossem rigorosas, significaria que Artur se teria obrigatoriamente infiltrado no folclore ou na História (ou em ambos) numa época anterior à que é actualmente aceite por muitos investigadores; assim, talvez os feitos destes três reis tenham realmente ajudado a lançar as sementes para a construção da lenda no futuro.

Diversos investigadores e académicos tentaram, com algum êxito, identificar as batalhas arturianas apresentadas na lista de Nennius com locais no Sul da Escócia e com a fronteira da Escócia, datando dos séculos V e VI. Entre as melhores tentativas estão os trabalhos: *Arthurian Localities,* (1869) de Jonh Stuart, *Arthur and the Britons in Wales and Scotland* de W. F. Skene (editado e reimpresso em 1988 de um original de 1868) e, mais recentemente, uma outra história, bem escrita por Alistair Moffat em 1999, sobre "Artur e a Fronteira da Escócia" e intitulada *Arthur and the Lost Kingdoms*. Ao analisar os nomes dos montes, rios e regiões, os três autores conseguiram localizar locais que se adaptam aos das 12 batalhas que constam da lista das vitórias de Artur, elaborada por Nennius na sua narrativa do século IX. Pode construir-se uma tese convincente sobre o verdadeiro Artur se se combinarem as referências mais remotas a Artur e a outras personagens, que mais tarde integrariam a lenda na poesia da Grã-Bretanha Setentrional da Alta Idade Média, com o facto de existirem nesse período tão poucos registos históricos de confiança respeitantes aos territórios a norte do Humber. Todas estas teorias são interessantes, mas o argumento para a sua autenticidade depende de a lista de Nennius se referir a confrontos reais, se, de facto, Artur travou essas batalhas, e se os autores identificaram correctamente os locais das batalhas, ao fim de tantos séculos passados sobre elas e depois de já terem caído no esquecimento até serem uma vez mais relembradas.

Norma Lorre Goodrich argumentava, em 1986, que Artur era um rei do Norte, e que a sua corte era em Carlisle e na extremidade ocidental da Muralha de Adriano. Baseando-se essencialmente na literatura medieval como fonte imediata de valor histórico (o que raramente pode constituir grande fundamento) o trabalho de Goodrich sugere que esta considerava Artur como um rei de Reghed. Pelos poetas e bardos passou muita poesia dos Bretões do Norte para o mundo moderno, mas há nela pouca coisa que sugira que Artur estava ligado ao reino de Rheged nos séculos que imediatamente se seguiram à sua presumível morte.

A tese para sustentar um Artur escocês foi elaborada no ano 2000 por Archie McKerracher, um membro da Sociedade dos Antiquários da Escócia. Mckerracher identificou o local da corte de Artur com muito rigor: o jardim das traseiras do número 40 da Rua Adam Crescent, uma casa no meio de um lance de muitas outras em Stenhousemuir, próximo de Falkirk. Esta teoria assenta na identificação da Távola Redonda, que ficou famosa na lenda arturiana, tendo sido mencionada pela primeira vez por Wace no século XII. McKerracher afirmava que a Távola Redonda era, de facto, real, mas que, longe de se tratar de uma peça de mobiliário, a "távola redonda" era na verdade uma casa redonda, e essa confusão ocorreu porque as fontes originais foram copiadas, traduzidas e corrompidas ao longo dos séculos. Assim, segundo a opinião de McKerracher, a "Távola Redonda" de Wace devia ser antes substituída por "távola rotunda". O único edifício que na história da Grã-Bretanha poderia ser alguma vez identificado como tal era, segundo McKerracher, uma construção de pedra em forma de colmeia conhecida como o "Fornalha (*) de Artur", num local que lhe estava associado, em Stenhousemuir. Ao que parece esta construção foi aparentemente destruída em 1743, em resultado de obras para reparação de uma represa. A teoria de McKerracher também sugere que Artur governou no Norte da Grã-Bretanha, de Gales a Dumbarton (o que faria dele um rei britânico com uma residência "escocesa" moderna e não um verdadeiro Escocês da Alta Idade Média), e que viveu no século V ou VI. O Artur de McKerracher construiu a sua "fornalha" como um mausoléu depois de ter participado numa peregrinação a Jerusalém; fazê-lo teria revelado uma influência directa do Médio Oriente. McKerracher foi ao ponto de sugerir que a "fornalha" fora construída para abrigar uma ordem secreta, ligada ao sagrado, dedicada ao culto de Maria Madalena, e que a posterior associação a Gales e ao Sudoeste apareceu apenas após a influência de Geoffrey de Monmouth. Embora a ideia de McKerracher seja engenhosa, dá a impressão de se basear demasiado em interpretações de fontes medievais escritas mais de cinco séculos após a

(*) "O'on", no original, derivado da palavra "oven" que se traduz por fornalha, fogareiro ou fogão (*N.T.*)

morte do seu Artur. Também não é claro se o local da Fornalha de Artur pode ser datado até esse período da História, e nem sequer se sabe quando começou o local a ser associado a Artur. Contudo, devemos acrescentar mais este contributo para a lista das possibilidades arturianas.

Em 1935, O.G.S. Crawford sugeriu que o local do forte romano de Cambloganna (Castlesteads, na Muralha de Adriano) pode bem ter sido a Camlann original (o local da famosa batalha final travada por Artur, na qual Artur e Modred perderam a vida). Não há provas substanciais que sustentem esta teoria para além da óbvia e consideravelmente frágil ligação linguística. Mais interessante é o facto de o rio Glen, em Northumbria, frequentemente apontado como um dos locais das batalhas de Artur, ter sido mais tarde o local da batalha anglo-escocesa de Homildon Hill, no século V; a Batalha de Flodden, no século VI também foi travada nas proximidades. As batalhas da antiguidade e da época medieval eram habitualmente travadas em locais de importância estratégica, e o facto de terem sido travadas duas batalhas na região sugere a forte possibilidade de o rio Glen ter sido um local decisivo numa campanha da Alta Idade Média. Yeavering, um local importante ligado à realeza da Alta Idade Média, também dá para o rio, por isso as batalhas poderiam muito possivelmente ter sido travadas fora da verdadeira Camelot.

Artur, o mercenário

A ideia de Artur poder ter sido de uma nacionalidade não britânica provém fundamentalmente de uma referência na *História dos Bretões* escrita por Nennius no século IX, que se traduz na afirmação de que Artur lutou pelos britânicos (ou seja, *em sua defesa*) mas não como um natural da Grã-Bretanha. As teorias populares que sugerem que Artur era de descendência sármata tipificam isto, embora não haja razão para limitar a sua nacionalidade a este grupo específico. Na Grã-Bretanha da Alta Idade Média foram feitas e desfeitas, com frequência alarmante, alianças entre diversos grupos culturais – muitos reis britânicos e saxões se aliaram a outros e asseguraram a ajuda dos senhores da guerra irlandeses, e os Bretões tinham, é claro, numa época remota, empregado Saxões como mercenários.

A política militar do final do Império Romano permitia o emprego em massa de indivíduos que não eram Romanos: Godos, Francos, Vândalos, Saxões e muitos mais "bárbaros" combateram ao serviço dos últimos imperadores romanos, e eram pagos com dinheiro ou com terras no Império. Um dos generais com maior sucesso dos últimos tempos do Império, Stilicho, era Vândalo. Os dois comandantes romanos de alta patente, mortos na Conspiração Bárbara na Grã-Bretanha romana, chamavam-se Fullofaudes e Nectaridus, ambos nomes germânicos. Por isso não era invulgar os oficiais romanos trazerem estrangeiros para lutarem ao seu serviço, e é de supor que o mesmo se aplicava aos seus homónimos britânicos pós-romanos. Logo, será impossível que Artur tivesse sido em desses guerreiros? Alguns dos melhores eram-no certamente.

O principal obstáculo a esta teoria é a possibilidade de Bretões e Celtas poderem ter projectado o orgulho da sua cultura num guerreiro que realmente não lhes pertencia. Poderão todas estas tradições e lendas ter sido inspiradas num guerreiro que combateu não por orgulho nacional, mas por dinheiro e terras?

Artur e cebolas

Um rei Artur francês? *C'est impossible*! Contudo, para Geoffrey Ashe e para muitos outros não é assim tão impossível, e o Artur de Geoffrey Ashe considerar-se-ia a ele próprio Bretão francês, tendo servido na Bretanha francesa. Ashe, no seu livro *The Discovery* of *King Arthur* (publicado em 1985, e revisto em 2003), acredita firmemente em Geoffrey de Monmouth quando este afirma ter ido recolher informação para compor as suas próprias histórias sobre Artur a um livro mais antigo, escrito numa época muito próxima aos tempos em que Artur viveu. Como tal, Ashe considera que a história de Vortigern, o seu Supremo Reinado, e os seus feitos contra os Saxões se baseiam, bem como as histórias sobre Ambrosius, em factos históricos. O mesmo se aplica a alguns dos detalhes da vida de Artur, que Ashe tem aprofundado para revelar ainda mais a existência real de Artur. A partir de um denso trabalho e por vezes de um engenhoso trabalho de detective, Ashe julga que o Artur da *História* de Geoffrey de Monmouth pode ser identificado pelos seus feitos como senhor da guerra britânico ou bretão chamado Riothamus.

Ashe crê que o nome de Riothamus pode ter sido um título e não um nome pessoal – que significa "Rei dos Reis". Ashe argumenta que o seu nome pessoal talvez pudesse ter sido Artur. Riothamus é mencionado com brevidade em fontes coevas como um Bretão (provavelmente um rei) que atravessou o Canal, até à Europa continental, e combateu os Visigodos no vale do Loire. Isto aconteceu em 468; depois, foi traído pelo prefeito da Gália, tendo então desaparecido da história. É possível que, nesta ocasião, Riothamus se tivesse exilado na Grã-Bretanha em resultado das guerras civis na altura entre os Bretões na Bretanha francesa. É também possível que, mais tarde, ele tivesse voltado ao continente, tendo talvez morrido a combater os inimigos germânicos (possivelmente Saxões) por volta de 470. A última vez que Riothamus aparece em registos históricos, encontra-se próximo de Avallon, na Borgonha, o que obviamente o relaciona com a lenda que envolve Artur. Ashe vê Artur como um *Restitutor* – alguém que reinstaura o modo de vida romano – cujas razões e feitos reais foram distorcidos pelos escritores medievais depois de Geoffrey de Monmouth ter abordado os seus feitos históricos.

Ashe acredita que, para escrever a sua *História*, Geoffrey teria recorrido aos documentos originais sobre a vida de Riothamus, e que estes se baseavam vagamente em acontecimentos e locais concretos; e há algumas semelhanças entre a carreira de Riothamus e a do Artur de Geoffrey. Esta versão dos acontecimentos parece ter ficado perdida ou esquecida noutras fontes, com excepção da *Vida de São Goeznovius*, que evoca Artur a lutar em França, e também que a sua morte se encontra envolta em mistério. Esta história também sugere que Artur tinha libertado muitas regiões da Grã-Bretanha e de França do domínio saxónico no século V, e convém ter presente que as histórias originais da famosa Távola Redonda de Artur podem ter também tido origem na Bretanha francesa.

Talvez existam dois problemas difíceis de ultrapassar quanto à ligação de Artur ao Riothamus de Geoffrey Ashe. O primeiro é que os acontecimentos historicamente registados na vida deste senhor da guerra ligam-no mais à Bretanha francesa do que à Grã-Bretanha e sugerem que os seus principais inimigos eram os Visigodos, mais do que os Saxões. Isto não encaixa obviamente na concepção tradicional da vida do Artur histórico, mas, para além do facto de ter sido transmitida ao longo dos séculos, nada há que sugira que a visão tradicional seja a mais correcta. O segundo obstáculo é que a data atribuída a Riothamus faz recuar Artur cerca de 50 anos em relação às datas que lhe estão tradicionalmente associadas; embora, uma vez mais, quem poderá dizer que a tradição é mais rigorosa do que a arrojada identificação de Ashe? A data que temos para a Batalha de Badon parece ajustar-se correctamente a cerca do ano de 500, após a provável morte de Riothamus cerca de três décadas antes, mas é possível que Riothamus-Artur nunca tivesse combatido em Badon, e que só mais tarde o seu nome tivesse sido associado à grande vitória.

Há ainda obrigatoriamente uma terceira questão sobre Riothamus/ /Artur, bem como sobre qualquer outra das personagens historicamente comprovadas, cujas identidades foram apresentadas como sendo a solução. Sendo que, na história, todos estes indivíduos podem ter vivido independentemente uns dos outros, conjuntamente com muitas mais centenas de milhares de pessoas de quem já não há memória, porque temos que tentar identificar o brumoso Artur como um indivíduo de quem já tenhamos ouvido falar? Não haverá lugar para outros senhores da guerra, não identificados? Decerto não conhecemos os nomes de todos eles, por isso, porque devemos supor que Artur terá que ser uma figura conhecida?

Apesar de deixar estas questões a pairarem no éter da história, a teoria original de Ashe assenta numa boa pesquisa e lembra-nos que os pensamentos marginais nem sempre devem ser desconsiderados. Se se conseguir obter respostas satisfatórias para as três perguntas anteriores, Riothamus constitui um óptimo candidato ao Artur histórico.

Geoffrey Ashe não é o único a sugerir que Artur pode não ter vivido na Grã-Bretanha, mas na colónia britânica então recentemente estabelecida na Bretanha francesa. A tradição regista que Artur foi neto de Constantino (o próprio Geoffrey de Monmouth o escreveu na sua *História* datada do século XII); há uma teoria que sugere que este Constantino era o usurpador britânico do início do século V, Constantino III. Foi também sugerido que as campanhas continentais de Constantino teriam assistido ao estabelecimento dos guerreiros britânicos no continente, podendo Artur ser descendente desses colonos. Esta ideia assenta grandemente nas declarações inconsistentes que ligam o Constantino histórico a Artur; aparte isso, pouco mais há que possa sustentá-la.

Da Alta Idade Média ...

E para? A Idade do Bronze? O espaço sideral? Embora a maioria dos historiadores situe Artur seguramente no século V ou VI, nem toda a gente confinou a sua pesquisa a este período de 200 anos.

Há por vezes autores que propõem origens muito mais místicas para a fundação da lenda de Artur. Este aparece por vezes ligado ao druidismo, o que parece improvável: quer no papel de um líder político ou de um líder militar, Artur nunca está ligado a nenhuma destas práticas religiosas de forma convincente, embora saibamos muito pouco acerca dos druidas (na verdade, mais ou menos o mesmo que sabemos sobre o próprio Artur). Situar um Artur histórico na época pré-romana, na Idade do Ferro, é uma possibilidade, dada a natureza guerreira ocasional das tribos britânicas durante este período, mas pouco mais há que possa ligar o grandioso Artur a este período, para além do contexto por vezes caótico das tribos em luta.

John Darrah, no seu livro *The Real Camelot*, tenta audaciosamente remover Artur do seu enquadramento habitual, na Alta Idade Média, transportando-o para um contexto mais remoto, uns 200 anos antes, na Idade do Bronze. Darrah sugere que Artur existiu no segundo milénio a.C., e que viveu em parte na qualidade de homem, e em parte como ser divino; neste aspecto, Darrah segue o caminho místico já trilhado por Frazer no seu influente trabalho *O Ramo de Ouro*. Stonehenge é a Camelot de Darrah, e também a Távola Redonda ou templo; ele acredita que as tradições celtas posteriores evocaram essas histórias meio esquecidas, transmitidas por seitas de sacerdotes.

A lenda de Artur está repleta de explanações místicas e pseudo-históricas, embora muito poucas tenham alguma vez aflorado um possível paralelo histórico. Como se lerá mais adiante, alguns investigadores chegaram ao ponto de sugerir que Artur era um deus.

Seria Artur um deus celta?

Alguns académicos viram em Artur mais do que um comum mortal, indicando que a lenda celta aponta para o facto de Artur – e muitos dos seus seguidores – serem, de facto, deuses. Esses deuses teriam feito parte do mundo celta pré-cristão e, como tal, a única forma de os incorporar na cultura celta cristianizada seria reinventando-os como personagens do folclore. Roger Sherman Loomis sugeriu que os cavaleiros de Artur eram deuses do sol e das tempestades.

Na viragem do século XX, Sir John Rhys argumentou que as principais personagens da lenda arturiana tinham como origem deuses e deusas celtas e personagens associadas aos antigos mitos celtas. Ele acreditava que no século V existira realmente um Artur, mas que as histórias sobre Artur que surgiram mais tarde representavam mitos muito mais antigos, reinseridos num mundo histórico muito mais relevante. A teoria de Rhys baseava-se principalmente no significado dos nomes das personagens, e hoje parece bastante desactualizada.

T. W. Rolleston também apresentou argumentos semelhantes no seu *Celtic Myths and Legends*: ele acreditava que o Artur da lenda era a fusão de um senhor da guerra galês e do antigo deus celta Artaius. O Artur de Rolleston misturava histórias sobre o senhor da guerra na vida real e sobre o deus antigo, e mais tarde baseou-se nas lendas da Bretanha francesa e de Carlos Magno para criar o rei que se tornou conhecido no romance medieval. Rolleston acreditava que os emigrantes galeses tinham chegado à Bretanha francesa contando histórias sobre um senhor da guerra chamado Artur, e esta personagem misturou-se gradualmente com Artaius, que, segundo Rolleston, tinha altares em França, onde era adorado. Para sustentar esta teoria, Rollestone comparou o contexto do seu Artur com o de Santa Brígida, uma santa da Irlanda do século VI, que ele considerava ter sido criada a partir do mito da antiga deusa pagã Brigindo.

Algumas das personagens secundárias da lenda medieval arturiana podem ter sido também inspiradas em deuses ou deusas. Se assim for, estas antigas figuras pagãs teriam sido incorporadas no mundo arturiano como parte do movimento de disseminação do cristianismo para assimilar as memórias de outras religiões. Kay, Bedivere, Guinevere e a Fada Morgana podem talvez ser identificados com divindades celtas. Gawain também foi citado como um deus celta incorporado na lenda arturiana. Gawain é uma das personagens mais antigas associadas ao Artur da lenda e do folclore; o seu nome original era Gwalchmai (que se traduz por Falcão de Maio), e há uma história sobre uma justa entre ele e Lancelot, que sugere a sua possível origem como uma divindade. Lancelot matou dois dos irmãos de Gawain (Garis e Gaheris), e estes dois cavaleiros, dos mais notáveis ao serviço de Artur, enfrentaram-se num duelo. Durante o combate descobre-se que Gawain possui poderes secretos que aumentam a sua força para o triplo entre as nove horas e o meio-dia, quando o sol está no seu auge. Suspeito que isto deixou Lancelot bastante preocupado. A ligação directa de Gawain à energia do sol tem sugerido a muitos escritores que ele foi originalmente um deus do sol celta, embora também deva observar-se que poderá haver nisto uma referência directa à luz e à esperança trazidas por um cavaleiro galante a um período de trevas.

Alguns autores foram ainda mais longe e defenderam que as histórias incluídas nas *Vidas* dos santos indicam que Artur pode ter sido um demónio. E que a sua contínua implicância com os santos, testando a sua fé religiosa e os seus poderes, representaria possivelmente a luta entre o bem e o mal, e que o demoníaco Artur estaria ali para avaliar a fé do folclore religioso. Para além de algumas evidências circunstanciais nas *Vidas*, pouco mais existe para sustentar esta teoria bastante invulgar.

Artur na paisagem

Mesmo actualmente, o nome de Artur vive não só na lenda, mas também na paisagem. Um olhar breve pelos mapas regionais do Sudoeste da Inglaterra, da Escócia Meridional e de grande parte de Gales mostrar-lhe-á porquê. Muitos desses locais são meras características geográficas, embora muitas outras sejam criações do homem numa época que remonta à Alta Idade Média. Assinalados nas muitas áreas do país (em especial nas terras altas), o leitor passará ocasionalmente por uma "Cadeira de Artur", uma "Fornalha de Artur", uma "Távola de Artur", ou por uma ou várias variações dos pertences ou feitos de Artur.

Existe a possibilidade de histórias populares há muito esquecidas terem ligado esses locais ao lendário Artur. Houve até algumas sugestões de que os locais pitorescos com este nome indicariam, durante ou após a sua existência, a possível presença de uma guarnição de Artur, o imperador ou Rei dos Reis, como parte de uma imensa rede defensiva em volta da Grã-Bretanha. Muito provavelmente, o facto de se nomearem locais ou outras coisas em homenagem a Artur (especialmente objectos domésticos do seu quotidiano) mostra o desejo dos povos de diversas regiões de se unirem aos seus maiores heróis populares, sendo que, ao fazê-lo, também o elevavam à presença física dum gigante. O facto de um estudo mais detalhado desses locais ter revelado que a tradição de os nomear parece decorrer há séculos – por certo desde os séculos IX e X – reforça a atracção que exerce para os Bretões. Contudo, a presença de locais com nomes arturianos numa determinada área não nos deixa mais perto da certeza da identificação dos locais onde possivelmente o rei teria reinado, apenas que as pessoas dessa área desejavam ser de algum modo associadas à sua grandeza.

CAPÍTULO VIII

NA DEMANDA DO REI ARTUR

Voltemos então à questão inicial do livro: Rei Quem? A partir de referências esparsas encontradas em histórias inconsistentes sobre Artur, as débeis fundações que sustentam a sua existência real ganharam firmeza, tanto nas histórias celtas como nos movimentos românticos medievais, permitindo que viesse a tornar-se no maior dos heróis da época medieval europeia. Mas será que ele existiu realmente? E, caso tenha existido, será que era rei, ou apenas um chefe militar? E será que só existiu um Artur ou uma multidão de gente cujos feitos foram reunidos para criarem o nosso herói lendário?

Fica claro que Artur – tivesse tido ou não uma existência real – passou a simbolizar a liderança em dois períodos muito diferentes da história da Europa Ocidental, e foi (e ainda é) tão famoso que não são necessárias muitas explicações quando é inserido em novas histórias ou em novos ambientes. Por exemplo, quando a empresa Camelot lançou a Lotaria Nacional na Grã-Bretanha na década de 90, ninguém se perguntou por que é que as máquinas da lotaria tinham sido baptizadas com os nomes de Artur, Lancelot e Guinevere. Artur e, por associação, muitos dos seus principais seguidores, são nomes conhecidos; este fenómeno não teve início apenas no século XX: nas primeiras histórias orais, na poesia e nas tentativas de narrativa histórica, o nome Artur passou subitamente a estar na moda. Ele não necessitava de apresentação nessas primeiras histórias, e os primeiros contadores de histórias e historiadores que referiram o seu nome nunca sentiram necessidade de explicar ao seu público quem era Artur, onde governara, ou que era um hábil guerreiro. Eles sabiam – pior está o investigador moderno, que tem de seguir vestígios ténues e pistas etéreas de um homem real, sobre quem existem histórias que foram registadas por escrito centenas de anos depois do seu aparecimento na tradição oral.

Qualquer pesquisa no sentido de encontrar um Artur com existência real que se encaixe na imagem criada pelos nossos cronistas medievais está votada ao fracasso. De modo que é provável que Artur nunca tenha existido. Podemos estar certos de que qualquer Artur que tivesse existido realmente não se teria revisto no herói da cavalaria medieval em que Artur viria a transformar-se por via do destino. Decerto nunca existiu um homem que tivesse sido rei de toda a Grã-Bretanha, honesto e justo, reinando a partir de uma Távola Redonda no centro da sua corte de inspiração gótica, em Camelot. É bem possível que houvesse um Artur de carne e osso rodeado de alguns dos melhores guerreiros à face da terra, mas estes não teriam acatado os códigos de cavalaria considerados pelos romancistas medievais – esses conceitos simplesmente não existiam nos séculos V e VI. Os seus "cavaleiros" teriam sido guerreiros, com intenção de servirem o seu senhor da guerra até à morte. No entanto, a personagem do Artur herói permitiu que os escritores medievais o moldassem segundo a sua vontade – uma personalidade tão heróica era suficientemente maleável para ser moldada de acordo com os valores e as virtudes de qualquer período histórico, e isto explica a razão pela qual Artur não perdeu a popularidade desde a Alta Idade Média.

Quer tivesse sido rei, guerreiro, ou não tivesse sequer existido, a crescente obsessão com Artur, que continua a prevalecer na Grã-Bretanha e o resto do mundo, tem sido alimentada pela forma como o nosso herói foi criado. Ele é, essencialmente, um camaleão, que diferentes autores puderam moldar em diversos e variados moldes para saciarem a avidez dos seus leitores. Por isso o adoramos. Na sua forma mais primitiva, Artur foi um guerreiro que esmagou os Saxões, inimigos dos Bretões e dos Galeses, e participou em demandas mágicas e sobre-humanas. Também representava o poder na sociedade da Alta Idade Média, que se evidenciava pelo bem e pelo mal nas histórias hagiográficas dos santos britânicos. No período medieval Artur chegou a tipificar o código de cavalaria e a força da sociedade feudal, justificando a forma como vivia o público-alvo das histórias arturianas, ou seja, a nobreza. No mundo pós-medieval, Artur tornou-se numa figura mística do passado encantado da Grã-Bretanha; com o crescente interesse pela identidade histórica, Artur passou a representar a forma como os Bretões viam os seus antepassados, como líderes nobres e grandiosos. As histórias populares de Artur continuaram a ser contadas a nível local, dando origem à regionalização de Artur como um "rei galês", um "rei do Sudoeste" e um "rei do Norte". No século XIX e início do século XX, Artur foi usado como protótipo da virtude vitoriana, pregando aos leitores os ideais aos quais estes se deviam render. Os finais do século XX e o início do século XXI vêm Artur como um intérprete de diversos papéis – o herói dum mundo de fantasia, em jogos, um incomparável monumento ao heroísmo e ao machismo, uma ligação ao nosso passado místico e ancestral, e uma apaixonante estrela de cinema. A minha versão é notavelmente diferente da de Geoffrey de Monmouth ou da de Thomas Malory, embora todos narremos histórias sobre a mesma personagem. Por exemplo, a minha narrativa, no capítulo V, com o título "A Demanda do Graal", minimiza o aspecto cristão da aventura, pretendendo actualizar a história para um público de diversas convicções religiosas; contudo, o elemento cristão era o tema-chave da lenda arturiana para um público medieval mais homogéneo, do ponto de vista religioso. Como personagem tão etérea – sendo talvez o nome o seu atributo mais famoso – todos conseguimos imprimir-lhe os traços ou atribuir-lhe os feitos pessoais que quisermos, permitindo que ele mude sucessivamente entre culturas e épocas, continuando sempre a desempenhar o papel do Herói do Povo.

Em algumas das histórias galesas medievais sobre Artur talvez se possa ver a sua capacidade camaleónica, a sua evolução através dos tempos e a forma como as histórias podem ser adaptadas para enfatizarem a opinião de um autor ou as aspirações de determinada cultura. Em algumas dessas histórias, nomeadamente em duas *Vidas* de santos, Artur age com evidente crueldade e estupidez. Pode ser que haja uma razão contemporânea para isso. Ao mesmo tempo que Artur conquistava reconhecimento e popularidade na corte dos Anglo-Normandos – os adversários dos Galeses – circulavam em Gales histórias sobre a sua baixeza. Assim, ao ridicularizarem o seu antigo herói, os Galeses podiam estar a distanciar-se de Artur, o Anglo-Normando recém-chegado. Em face disto, o facto de degradarem o seu próprio herói nacional porque este se tinha tornado popular entre os estrangeiros parece absurdo, mas esta teoria explica de algum modo a razão pela qual Artur não tinha muito boa fama nas histórias galesas.

A determinada altura, mesmo o mais ardente dos crédulos num Artur de carne e osso será levado a concluir que talvez o homem que constitui o objecto da sua laboriosa investigação nunca existiu de facto. Talvez não se mantenha inteiramente céptico por muito tempo (o que seria de nós sem esperança?), mas só os de espírito mais obtuso poderiam desconsiderar essa possibilidade. Esta negação não é só a de Artur como o maior herói literário de sempre – como já se referiu, não restam dúvidas de que esta encarnação nunca poderia ter existido num contexto histórico – mas também da sua existência até como qualquer outro líder que tivesse vivido nos séculos V ou VI. Afinal, que provas temos realmente? Uns registos dúbios em crónicas escritas em data incerta e um punhado de histórias populares e referências cruzadas que surgiram antes do nome de Artur ter sido subitamente arrebatado num delírio fantasista celta. É uma observação plausível. Mas, colocado num contexto histórico, não há mais provas (uma vez que sobreviveram tão poucas fontes dessa época) da existência de um senhor da guerra chamado Artur do que as que atestam a existência de alguns outros líderes britânicos e saxões deste período, muitos dos quais a maioria dos historiadores acredita terem existido realmente. E teriam os Galeses, juntamente com os seus parentes britânicos e bretões, tentado encaixar uma personagem puramente lendária num contexto histórico? Existiram outros heróis celtas em épocas imemoriais – o grande guerreiro Culchulain do mito irlandês, por exemplo, habita um mundo lendário desprovido de datas e de factos históricos reais. Por que haveria de ser diferente com Artur?

Nem todos os nomes notáveis do passado tiveram a "sorte" de a sua própria identidade e os seus feitos terem ficado tão escassamente documentados, e as suas características foram passando de geração em geração sem sofrerem alterações, mais seguramente assentes nas suas acções e personalidades concretas. Sabemos quais foram os feitos de Henrique V, por isso não podemos ver nele outra pessoa que não um aniquilador de Franceses, o mesmo acontecendo com o duque de Wellington (embora o seu ténue papel como primeiro-ministro seja frequentemente ignorado) Até mesmo as personagens britânicas lendárias como Beowulf e Robin dos

Bosques têm papéis bem definidos, que os tornam menos maleáveis para as novas gerações de escritores.

O mais longe que me permitiria ir quanto à possibilidade da existência real de um Artur, seria considerar que pudesse ter existido um guerreiro que tivesse abraçado a causa britânica. Não como o Artur que agora lembramos, mas como um senhor da guerra cujos feitos tivessem aumentado ao longo dos tempos como bola de neve, para deles se construir o Artur da lenda – o guerreiro capaz de derrotar gigantes, o rei que teria reinado com justiça, o líder a quem os maiores e mais nobres homens do mundo prestariam serviço. Dadas as circunstâncias históricas durante e após os séculos do seu florescimento, não é assim tão surpreendente que não tenha sobrevivido nenhuma prova da sua existência: os documentos são tão raros que apenas podemos encadear uma narrativa sumária da História desse tempo. A famosa lista das 12 batalhas arturianas pode ser um exemplo dos seus primeiros feitos na vida real, mas, nos séculos que se seguiram à época em que viveu, os feitos do guerreiro Artur expandiram-se para o domínio da lenda. Neste aspecto, Artur é igual a qualquer outro herói pseudo-histórico. Por exemplo, e provável que Robin dos Bosques tenha existido, embora não haja provas de que fosse mais nobre do que qualquer outro salteador; Rolando, o valente paladino dos Francos, baseava-se num guerreiro que na verdade existiu, mas, uma vez mais, os seus feitos eram desproporcionados em relação à realidade. Do mesmo modo, o famoso Drácula de Bram Stoker foi fortemente baseado no governante valáquio Vlad Tepes, do século XV ("o Empalador", devido ao seu pendor para empalar os seus inimigos turcos em estacas afiadas). E com o filme de 1995, com o título *Braveheart,* William Wallace foi retratado como um herói muito mais valoroso do que aquilo que mereciam as suas campanhas brutais na vida real.

Assim, a mais importante – embora por vezes escamoteada – consideração a fazer sobre Artur é que, se ele alguma vez existiu, não foi o homem da literatura arturiana no qual pensamos hoje em dia. É possível que o nome e os feitos tivessem sido obtidos de um Artur real, de modo a transformá-lo no Artur da lenda. Mas não merece a pena associá-lo a um líder antigo que conduziu os seus cavaleiros de demanda em demanda, pondo o mundo nos eixos. Alguns dos feitos atribuídos a Artur – mesmo nas histórias celtas mais antigas – podem ter sido levados a cabo por um homem com existência real, mas as proezas históricas que tivessem sobrevivido na lenda seriam, muito provavelmente, sempre o conjunto dos actos levados a cabo por uma meia dúzia de senhores da guerra independentes, talvez separados por muitos anos. Não só Artur mas outras personagens da tradição arturiana – Vortigern, Merlin, Kay e muitos outros são também possivelmente retirados de um conjunto de pessoas reais e as histórias que sobre eles se contam misturam os seus feitos reais com copiosas e judiciosas doses de fábula. Foi permitido a Artur florescer como personagem composta – qualquer feito heróico ou traço simpático da sua personalidade pode ter sido incluído na sua reputação, sem restrições. É como o fenómeno de uma criança numa loja de doces: porquê ter só uma coisa quando podemos tirar todas?

Contudo, com poucas excepções, quase todos os escritores que acreditam que Artur realmente existiu concordaram em relação a alguns factos muito básicos:

1. Artur era um líder britânico.
2. Artur viveu na Alta Idade Média, mais especificamente no século V ou VI d.C.
3. Tivesse sido ou não rei, Artur foi um guerreiro, e combateu os inimigos dos Bretões.

Mas o consenso fica-se por aqui. A partir destas três asserções surgiram várias escolas de pensamento: Artur foi de facto rei, Artur foi apenas um general, Artur viveu no Norte, Artur viveu em Gales, o verdadeiro nome de Artur não era Artur, Artur venceu a Batalha de Badon em 518 e morreu em Camlann em 539, etc. Se alguma coisa a variedade de conclusões mostra ao leitor moderno é que realmente não sabemos o suficiente sobre o Artur histórico ou pseudo-histórico para podermos tirar conclusões definitivas sobre ele. E não devemos esquecer que há um rol de cépticos que negam a existência real de um Artur, prontos a arrasarem as últimas teorias. Quer acreditemos ou não, nunca ficou provado que o verdadeiro Artur fosse algum dos candidatos sugeridos por qualquer investigador moderno.

Evitei deliberadamente tais afirmações surpreendentes que revelam o verdadeiro rei Artur. Evidentemente, os escritores que pretendem promover os seus respectivos candidatos a Artur têm que distorcer ou ignorar parcelas das escassas provas históricas existentes, para sustentarem as suas teorias, e fazê-lo num livro como este seria desajustado. Ao invés, os subcapítulos históricos deste livro tentaram abordar alguns dos guerreiros e governantes sobre cuja existência históricas existem maiores certezas. O nome de Artur eclipsou toda essa gente – talvez até tenha absorvido alguns dos seus feitos – no entanto o seu efeito na história (se não na lenda) da Grã-Bretanha deve ser no mínimo semelhante ao de Artur.

É interessante notar que a integração das figuras históricas na lenda arturiana se centra mais nos guerreiros dos finais do século VI, que tinham grandes laços com os reinos do Norte da Grã-Bretanha. Talvez esses povos fossem contemporâneos de um Artur real, que lutava lado a lado com eles, sendo filtrado gradualmente do folclore e da história oral para as lendas sobre Artur que surgiram nos séculos seguintes. Talvez tenha existido realmente um Artur num dos reinos do Norte, como sugeriram muitos historiadores; a data da sua existência seria ligeiramente mais tardia do que a data da existência do Artur tradicional, mas isto não seria necessariamente um empecilho sério.

Aparentemente também há fortes probabilidades de estes historiadores que pesquisam sobre um líder britânico chamado Artur procurarem a sua própria "Besta Demandada". Uma vez que outros senhores da guerra da Alta Idade Média ficaram conhecidos pelos seus nomes de guerra ou por diminutivos, as associações do seu nome ao urso podem sugerir que "Artur" está mesmo à nossa frente, registado pelo seu verdadeiro nome. Talvez Ambrosius seja um grande candidato, ou Riothamus, quando combateu em França, ou Geraint, que combateu em Llongborth. Talvez ele fosse outro dos reis sobre quem sabemos tão pouco – há uma grande quantidade de candidatos que se ajustam a esses critérios nos séculos V e VI. Talvez pudéssemos propor um grande senhor da guerra como Urien de Rheged, o "Urso" da lenda, sugerindo que alguma confusão posterior teria inserido o seu nome nas histórias de forma independente, quando já não houvesse memória da ligação entre o seu nome pessoal e o seu nome de guerra. Urien exerceu decerto influência em reis contemporâneos de condição menor e morreu às mãos de um bretão. Além disso a ligação aos reinos do Norte da

Grã-Bretanha, no século VI, acima mencionada, sustentaria a candidatura de Urien, lembrado hoje em dia tanto pelo seu nome próprio como pelo seu nome de guerra. Mas, mais uma vez, isto não passaria de pura especulação e teoria.

Independentemente das conclusões do leitor, uma coisa é certa: se um historiador ou um arqueólogo fosse alguma vez capaz de provar a veracidade ou inveracidade da existência de Artur, o mundo da lenda tornar-se-ia imediatamente um país das maravilhas menos memorável e menos espantoso.

APÊNDICE A

OS COMPANHEIROS DE ARTUR

O espaço disponível não me permite fornecer uma lista exaustiva de todas as personagens mencionadas nas muitas e diversas histórias de Artur, assim, este apêndice fornece antes um "compacto" que reúne as personagens mais importantes e também as mais interessantes da lenda arturiana. Provêm de fontes arturianas muito diversas, mas estas baseiam-se mais na literatura arturiana medieval do que nas histórias celtas ou noutras histórias mais modernas. Confinei a lista a personagens apenas retiradas da lenda e não da História; foi-me permitido notar alguns paralelos entre as personagens apresentadas e algumas figuras históricas nas quais podem ter sido baseadas.

Alguns cavaleiros são apresentados na lista como Cavaleiros da Távola Redonda. Esses cavaleiros foram extraídos da obra de Sir Thomas Malory e do Ciclo da Vulgata e não coexistem ao mesmo tempo – uns surgiram mais tarde, alguns morreram e foram substituídos por outros valorosos cavaleiros da lista.

Aglovale **–** Um dos Cavaleiros da Távola Redonda, filho de Pellinore, morto em combate por Lancelot.

Agravaine **–** Um dos Cavaleiros da Távola Redonda, filho do rei Lot. Por vezes conhecido pelo "Arrogante" ou o "Orgulhoso", Agravaine é o menos simpático dos filhos de Lot; cavaleiro talentoso e capaz faltava-lhe personalidade à altura e é descrito habitualmente como um homem invejoso. Contribuiu, juntamente com Modred, para a revelação do amor secreto entre Lancelot e Guinevere, e foi morto por Lancelot.

Agwisance **–** Também conhecido por **Rei Anguish da Irlanda**. Um dos Cavaleiros da Távola Redonda, começou como inimigo de

Artur quando o mancebo foi coroado. Anguish desempenha grande protagonismo no romance medieval de *Tristão de Isolda.*

Ambrosius – Também conhecido por **Ambrosius Aurelius, Aurelius Ambrosius** e **Ambrosius Aurelianus**. Chefe dos Bretões antes de Artur, dizia-se que os pais de Ambrosius eram de sangue romano. Algumas narrativas pseudo-históricas colocam Artur como comandante das forças de cavalaria de Ambrosius; ter-lhe-ia sucedido neste cargo. Ao que parece, Ambrosius seria um líder britânico histórico, possivelmente o senhor da guerra que derrotou os Saxões na famosa batalha de Badon, uma vitória frequentemente atribuída, na lenda, ao próprio Artur.

Ana – Geoffrey de Monmouth atribui uma irmã a Artur, chamada Ana, filha de Uther e Igraine, tal como o rei. É conhecida em histórias posteriores por **Morgana A Fada** (pode encontrar mais informação na entrada correspondente, neste capítulo.)

Artur – O Rei dos Reis da Grã-Bretanha, filho de Uther Pendragon. Se chegou até este ponto do livro, o leitor já deve saber muitíssimas coisas sobre ele; por isso, não me deterei mais sobre ele.

Rei Auguselus – Rei da Escócia, referido por Geoffrey de Monmouth como um dos cavaleiros notáveis presentes na corte de Artur na Cidade da Legião.

Bagdemagus – Um dos Cavaleiros da Távola Redonda e rei de Gore, tendo sucedido ao seu tio, Urien. Bagdemagus tentou resgatar Merlin da sua prisão encantada, mas não conseguiu. Também falhou o propósito da sua Demanda ao Santo Graal, tendo sido derrubado por um cavaleiro angélico.

Balin – Também conhecido pelo **Cavaleiro das Duas Espadas**. Balin incorreu na antipatia de Artur após ter decapitado uma donzela encantada. Voltou mais tarde a reconquistar a confiança de Artur, e, no auge de diversas aventuras, assassinou o seu irmão Balan num duelo em que nenhum sabia contra quem estava a pelejar.

Rei Ban – Rei de Benwick, irmão de Bors e pai de Lancelot. Um dos principais aliados de Artur durante os primeiros anos do reinado do Rei dos Reis. Auxiliou-o na Batalha dos Onze Reis e também entregou Lancelot aos cuidados da Dama do Lago, que o treinou nas artes da cavalaria.

Baudwin da Grã-Bretanha – Um dos Cavaleiros da Távola Redonda e firme seguidor de Artur durante o reinado do mancebo, pelo que foi nomeado Condestável da Grã-Bretanha. Uma das primeiras histórias lembra três votos que fez: nunca temer a morte; nunca negar a ninguém comida ou bebida e nunca ter ciúmes da sua mulher nem de nenhuma outra.

Bedivere **–** Também conhecido por **Bedevere** e **Bedwyr.** Um dos primeiros Cavaleiros da Távola Redonda, mas mais famoso por ter sido o último: Bedivere foi o sobrevivente de Camlann, que devolveu Excalibur à Dama do Lago. Há referências que indicam que teria só uma mão.

Bellinor **–** Um dos Cavaleiros da Távola Redonda, que tomou o lugar de Bors à Távola Redonda quando este partiu de Camelot com Lancelot.

Bors **–** Um dos Cavaleiros da Távola Redonda, célebre por ser um cavaleiro puro e modesto. Quando cortesmente rejeitou os avanços de uma dama, ela ameaçou lançar-se de uma torre juntamente com todas as suas damas de companhia; a pureza de Bors implicava que ele tinha que manter-se alerta e vigilante, em vez de aceitar os seus avanços. Bors sobreviveu à Demanda do Graal, tendo acompanhado Galaaz e Percival; mais tarde ficou ao lado de Lancelot na guerra contra Artur.

Brastias **–** Um dos Cavaleiros da Távola Redonda. Inicialmente cavaleiro de Gorlois, duque da Cornualha, Brastias prestou bons serviços a Artur e lutou a seu lado nas primeiras campanhas do Rei dos Reis. Viajou para Benwick para se alistar ao serviço do Rei Ban, em nome de Artur.

Breunis Saunce Pité **–** Também conhecido pelo **Cavaleiro Moreno Sem Piedade** e **Breuse Sans Pitié**. Inimigo dos cavaleiros de Artur e também conhecido por encarcerar damas; encarcerou trinta mulheres antes de Gareth o ter derrotado. Não era uma criatura simpática – o nome diz tudo.

Cador da Cornualha **–** Duque da Cornualha durante o reinado de Artur. Um dos Cavaleiros da Távola Redonda, antigo companheiro de Artur e senhor da guerra britânico de grande competência na *História* de Geoffrey de Monmouth. Cador era pai de Constantino, que governou após a morte de Artur.

Rei Carados da Escócia **–** Um dos Cavaleiros da Távola Redonda, embora tivesse lutado contra Artur inicialmente, logo após este ter sido coroado.

Clariance de Northumberland **–** Um dos Cavaleiros da Távola Redonda, embora este duque ou rei de Northumberland tivesse tomado posição contra Artur, no início do reinado do Rei dos Reis.

Colgrevance **–** Um dos Cavaleiros da Távola Redonda; auxiliou Artur nas primeiras campanhas contra os reis rebeldes. Colgrevance tem a honra rara e dúbia de ter sofrido duas mortes. Uma durante a Demanda do Graal, às mãos de Leonel, e outra mais tarde, às mãos de Lancelot, quando um grupo do qual fazia parte denunciou o romance secreto entre Lancelot e Guinevere.

Constantino **–** Um dos Cavaleiros da Távola Redonda, a não confundir com outros governantes mais antigos com o mesmo nome na *História* de Geoffrey. Constantino era filho de Cador da Cornualha e foi rei após a morte de Artur. Malory escreveu que ele ficou como um dos governadores da Grã-Bretanha durante a campanha de Artur contra Lucius, no continente (juntamente com Baudwin da Grã-Bretanha), e também que tentou manter Bors, Ector de Maris, Bleoberis e Blamore como companheiros da Ordem da Távola Redonda quando foi rei. É bem possível que Constantino seja baseado num rei histórico mencionado pelo monge Gildas, cujos escritos datam de meados do século VI; se for o caso, Gildas não o tinha em alta estima (mas Gildas não tem nenhum dos seus contemporâneos seculares em alta estima...)

Culhwch **–** também conhecido por **Kilwich**. Pronuncia-se "Kilhukh" A história com o título *Culhwch e Olwen* é uma das mais conhecidas da literatura galesa e uma das mais antigas a apresentar Artur à luz fantástica das fábulas. Culhwch era primo de Artur e pediu-lhe auxílio para conquistar a mão da sua futura mulher, Olwen. Artur e os seus cavaleiros aquiesceram, ajudando--o a atingir os seus fins.

Cynon **–** Chegou à corte de Artur como um jovem cavaleiro inexperiente. A sua história de derrota pelo Senhor da Fonte levou Ywaine a prosseguir a demanda em seu lugar, tendo-se este tornado no Senhor da Fonte.

Dagonet **–** O tolo ou o bobo de Artur, e personagem preferida da poesia de Tennyson.

Dinadan **–** Um dos Cavaleiros da Távola Redonda, que, em várias ocasiões, deu mostras de sentido humor (coisa rara entre os membros graves da Távola Redonda). Apesar de ter salvo Modred e Agravaine numa das suas primeiras aventuras, estes mataram-no durante a Demanda do Graal.

Dinas **–** Um dos Cavaleiros da Távola Redonda, inicialmente seguidor do rei Mark. Combateu ao lado de Lancelot na guerra contra Artur.

***Dornar* –** Um dos Cavaleiros da Távola Redonda, também filho de Pellinore.

***Dubricius* –** Arcebispo da Cidade das Legiões na *História* de Geoffrey de Monmouth, é quem coroa Artur em Silchester. Dubricius também fala ao exército britânico estimulando a confiança dos Bretões antes da vitória retumbante em Badon.

***Ector* –** Pai adoptivo de Artur. Cavaleiro honesto, com carácter e humilde, incumbido por Merlin de criar Artur, o futuro rei dos Bretões. Ector permaneceu leal a Artur ao longo de toda a sua vida.

***Ector de Maris* –** Também conhecido por **Heitor**. Um dos Cavaleiros da Távola Redonda, meio-irmão de Lancelot, que o acompanhou na luta contra o pérfido cavaleiro Turquin. Ector foi derrotado por Turquin e chicoteado com espinheiros. Desposou a sobrinha de um duende; fez parte, embora sem êxito, da Demanda do Graal, e lutou ao lado de Lancelot, contra Artur.

***Elaine de Astolat* –** Também conhecida por Elaine le Brank e por Dama de Shallot, Elaine faz parte de um romance triste de Lancelot; deixa de se alimentar até à morte ao ver que o excelso cavaleiro rejeita os seus avanços.

***Elaine de Carbonek* –** Mais uma Elaine que se apaixonou por Lancelot. Uma feiticeira logrou enganar Lancelot, induzindo-o a deitar-se com Elaine; dessa união resultaria um filho que haveria de crescer com o nome de Galaaz.

***Enid* –** Mulher de Geraint; descrita como uma mulher tão bela que a natureza jamais haveria de superá-la. Não obstante, era extremamente leal ao marido e é possível que tivesse sido um modelo das virtudes femininas medievais.

***O Rei-Pescador* –** Também conhecido por **Rei Mutilado** e outras vezes por **Pellam**. Era o guardião do Santo Graal.

***Florence* –** Um dos Cavaleiros da Távola Redonda (apesar de ter nome de mulher!) Filho de Gawain, e da facção dos cavaleiros que revelaram o amor entre Lancelot e Guinevere.

***Gaheris* –** Um dos Cavaleiros da Távola Redonda, filho do rei Lot. Amigo do Rei Mark, Gaheris participou em diversas aventuras que prejudicaram a sua reputação; foi morto por Lancelot.

***Galaaz* –** Um dos cavaleiros mais famosos da Ordem da Távola Redonda, filho de Lancelot. O perfeito cavaleiro, não comparável com nenhum outro, não só em força mas também em pureza e cortesia. Isto manteve-o bem firme na Demanda do Graal, em que, por fim, são revelados ao abençoado Galaaz os verdadeiros segredos do Graal, permitindo-lhe isto morrer em paz no local e na ocasião do acontecimento. Em muitos aspectos, Galaaz simboliza o idealismo dos valores arturianos medievais e posteriores, vitorianos.

Gareth **–** Também conhecido por **Beaumains**. Um dos mais conhecidos Cavaleiros da Távola Redonda e um dos melhores cavaleiros em armas do reino de Artur, mostrando sem dúvida maior lealdade do que alguns dos seus irmãos. Gareth é um dos meus preferidos, como herói de algumas histórias bastante boas. Tendo chegado a Camelot como ajudante de cozinha, ofereceu-se como voluntário para auxiliar Lady Linnet a resgatar a sua irmã das garras do pérfido Cavaleiro Vermelho. Fê-lo face a uma tremenda descortesia da parte de Linnet, e revelou-se mais tarde como Gareth, filho do rei Lot e irmão de Gawain. Foi morto por Lancelot.

Gawain **–** Também conhecido por ***Gwalchmai, Gawaine*** e ***Gauvain***. Um dos maiores Cavaleiros da Távola Redonda, sobrinho de Artur e filho do rei Lot. Gawain foi um cavaleiro poderoso e um campeão, dos mais encantadores da corte de Artur, antes de Lancelot ter entrado em cena; houve uma ocasião em que se esperava que viesse a suceder a Artur como Rei dos Reis, e também gozava do direito a empunhar a espada de Artur, Excalibur. Foi morto numa batalha, a lutar contra Modred. Gawain é a personagem principal no conto medieval inglês *Gawain e o Cavaleiro Verde*, e protagonista em algumas lendas celtas como companheiro de Artur; a personagem tanto pode ter tido origem num deus celta (a sua força considerável estava directamente ligada à energia solar e ao meio dia ficava no auge) como num herói guerreiro da Alta Idade Média, hoje em dia esquecido.

Geraint **–** também conhecido por **Gereint** ou **Erec**. Um dos Cavaleiros da Távola Redonda, marido de uma dama admiravelmente bela, Enid, com quem manteve uma relação que constitui o tema central de um romance medieval. Geraint não é mencionado por Malory mas figura nos contos galeses incluídos na obra *The Mabinogion e* em *Erec e Enid*, de Chrétien de Troyes. As histórias podem ter ido ambas beber a uma fonte comum, mais antiga.

Gorlois **–** Gorlois foi o duque da Cornualha que se rebelou contra Uther Pendragon, e cuja mulher acabou por ser a mãe de Artur. O filho de Gorlois e seu sucessor, Cador, era um grande aliado de Artur na *História* de Geoffrey de Monmouth.

Griflet **–** Também conhecido por **Girflet**. Um dos Cavaleiros da Távola Redonda, que aparece várias vezes nas histórias de algumas das mais importantes personagens de Artur, sem ter desempenhado um papel principal.

Grummore Grummursum **–** Um dos Cavaleiros da Távola Redonda, da Escócia.

Guinevere **–** também conhecida por **Gwenhwyfar** e **Guinivere**. A bonita mulher de Artur e sua rainha, descrita por Geoffrey de Monmouth como sendo de sangue romano e criada por Cador da Cornualha. Mais tarde descrita como filha do rei Leodegrance, que ofereceu a Artur a famosa Távola Redonda como presente de casamento (a mesa fora inicialmente oferecida a Leodegrance por Uther Pendragon). Não sendo habitual na lenda arturiana, para uma personagem feminina (à excepção da maga), Guinevere é retratada como uma mulher de carácter forte, com as suas próprias convicções; o seu adultério com Lancelot é o que desencadeia a derrocada do reino de Artur.

Gwrhyr Gwalstat **–** Um dos Cavaleiros da Távola Redonda, que falava correctamente todas as línguas conhecidas no mundo, bem como a linguagem de muitos animais. Desempenha um papel na história *Culhwch e Olwen*, adaptada de uma história galesa, mais antiga.

Harry le Fise Lake **–** Um dos Cavaleiros da Távola Redonda, que lutou contra o pérfido cavaleiro Breunis Saunce Pité, tendo sido derrotado por ele.

Idur **–** Um jovem cavaleiro da corte de Artur, que matou três gigantes na montanha de Brent Knoll, em Somerset.

Igraine **–** Também conhecida por **Ygerna**. Mãe de Artur, casou com Uther Pendragon depois de ter ficado grávida com a ajuda da magia de Merlin. Tinha sido antes casada com Gorlois, duque da Cornualha, morto em combate contra os homens de Uther.

Isolda **–** Também conhecida por **Iseult**. Filha do rei Agwisance (ou Anguish) da Irlanda; curou Tristão, apaixonando-se por ele, mas acabando por se casar com o tio (por vezes pai), o Rei Mark, inspirando uma das tragédias românticas mais notáveis da Europa medieval.

Karados de Estrangor **–** Possivelmente o mesmo cavaleiro a quem se dão os nomes de **Cador da Cornualha** ou **Rei Carados da Escócia**. Um dos Cavaleiros da Távola Redonda, que também prestou serviços a Uther antes da subida de Artur ao poder.

Kay **–** Também conhecido por **Cai** ou **Cei**. Um dos Cavaleiros da Távola Redonda, filho de Ector e, portanto, irmão de leite de Artur. Kay tornou-se mordomo-Mor quando o seu irmão adoptivo foi coroado; Kay é muitas vezes bosquejado como uma criatura de cabeça quente, cínica e rude, mas no fundo era um bom e leal cavaleiro. Morreu numa peleja contra Modred, em nome de Artur. Com o nome de Cei era um dos companheiros mais antigos de Artur, associado ao folclore celta.

Rei dos Cem Cavaleiros **–** também conhecido por **Berrant le Apres**. Um dos Cavaleiros da Távola Redonda, embora inicialmente se tivesse oposto à governação de Artur.

Kyndelig **–** Um dos Cavaleiros da Távola Redonda, que nunca se teria perdido numa demanda. Por isso, acompanhou Artur na história de *Cullhwch e Olwen*, adaptada de uma outra história galesa.

Lamorak **–** Um dos Cavaleiros da Távola Redonda, irmão de Percival e filho de Pellinore. Estreitamente ligado a Tristão como um valoroso adversário nas justas, Lamorak também se apaixonou pela mulher do rei Lot, Morgause. Esta paixão levou a que os filhos de Lot (à excepção de Gareth, de melhores princípios) tivessem assassinado a mãe e depois também o próprio Lemorak.

Lancelot **–** Também conhecido por **Launcelot du Lake** ou **Lancelot do Lago**. Provavelmente o mais notável de todos os Cavaleiros da Távola Redonda, treinado nas artes da cavalaria pela Dama do Lago, e pai de Galaaz. O melhor pelejador na corte de Artur, superando até mesmo Gawain, embora também se tenha notabilizado por ter sido um sedutor. Uma série de donzelas de nome Elaine, e é claro, a própria Guinevere, ficaram fascinadas por ele. A sua relação com Guinevere foi denunciada pelos rancorosos Modred e Agravaine, o que levou à derrocada do reino de Artur.

Lavaine – Um dos Cavaleiros da Távola Redonda; irmão de Elaine de Astolat. Salvou a vida a Lancelot, tendo-o levado a um eremita quando ele ficou gravemente ferido, e pôs-se do lado de Lancelot, contra Artur, no final fim do reinado deste.

Rei Leodegrance **–** Também conhecido por **Leodegarius**. Pai de Guinevere, foi a ele que Uther Pendragon ofereceu a famosa Távola Redonda. Mais tarde Leodegrance viria a oferecer a mesa a Artur, como presente de casamento; inicialmente, Artur tinha-lhe pedido ajuda contra o seu inimigo, o rei Ryons, e conheceu Guinevere quando chegou ao castelo de Leodegrance.

Leonel **–** Um dos Cavaleiros da Távola Redonda, sobrinho de Lancelot. Lutou contra o pérfido Turquin e perdeu, tendo sido salvo por Lancelot.

Loholt **–** Filho de Artur. No Ciclo da Vulgata, Loholt mata um gigante mas, em contrapartida é assassinado por Kay, que deseja vingar a morte do gigante.

Rei Lot **–** Rei de Lothian e Orkney, pai de Gareth, Gaheris, Agravaine e Gawain, e casado com a meia-irmã de Artur, Morgause. Lot opôs-se ao direito de Artur à governação, e morreria às mãos de Pellinore; não obstante, os seus filhos viriam a tornar-se membros essenciais da corte de Artur.

Lucan, o Mordomo – Um dos Cavaleiros da Távola Redonda e um dos primeiros guerreiros a lutarem por Artur. Desempenhava o distinto cargo de mordomo em Camelot, permanecendo fiel a Artur ao longo de todo o seu reinado e lutando por ele em Camlann (algumas histórias retratam Lucan como um sobrevivente a Camlann, juntamente com Bedevere, possivelmente seu irmão).

Lucius Hiberius **–** O governador romano contra quem Artur lutou na Europa, depois de os Romanos terem exigido o tributo do Rei dos Reis britânico.

Marhaus **–** Um dos Cavaleiros da Távola Redonda e cavaleiro irlandês. Ao contrário do que aconteceu com Gawain, o poder de Marhaus crescia a olhos vistos e, em consequência, conseguiu derrotar Gawain num duelo amigável.

Rei Mark **–** Rei da Cornualha e tio de Tristão, e, em geral, a ovelha ronhosa. Frequentemente associado ao **rei Cunomorus**, comemorado na Alta Idade Média, na Pedra de Tristão, na Cornualha.

Meleagant **–** Também conhecido por **Meliagrant** e **Malagant.** Um dos Cavaleiros da Távola Redonda e responsável pelo rapto de Guinevere no romance francês *O Cavaleiro da Carroça*; derrotado por Lancelot, que resgata a rainha. Provavelmente, tem origem no Melwas do folclore galês, que, numa narrativa pseudo-histórica, rapta a mulher de Artur.

Merlin **–** Conselheiro e por vezes o mágico dos reis da Grã-Bretanha, incluindo Uther e o seu filho Artur. Político competente e, pelos vistos, o funcionário público por excelência, Merlin foi impedido de ajudar Artur ao ser enredado na teia de Nimue. Curiosamente, apesar de todos os bons serviços que prestou, era habitual Merlin aparecer em cena um pouco tarde de mais para poder exercer influência real na acção; as suas verdadeiras proezas eram com poções e aconselhamento político.

Modred – Também conhecido por **Mordred** e **Medraut** (uma variante galesa). Um dos Cavaleiros da Távola Redonda, embora tivesse ficado mais conhecido pelo sobrinho traiçoeiro (ou, na época do trabalho pioneiro de Malory, o filho bastardo de Artur), que desferiu o golpe mortal a Artur.

Morgana A Fada – Também conhecida por **Morgana** e **Morgana A Sábia**. Mãe de Iwaine, mulher de Urien e meia-irmã de Artur, nascida da sua mãe, Igraine, e do marido desta antes de Uther, Gorlois, duque da Cornualha. De origem anónima e humilde na *História* de Geoffrey de Monmouth, tornou-se maga e feiticeira malévola e enredou uma série de cavaleiros em situações de adultério; era inimiga figadal de Artur.

Morgause – Outra meia-irmã de Artur (a outra filha de Gorlois); era a voluptuosa mulher do rei Lot de Orkney; seduziu Artur através de feitiçaria, e, segundo a obra de Malory, Modred nasceu dessa relação.

Nimue – Também conhecida por **Dama do Lago** e **Vivian.** A feiticeira das águas que ajudou Artur entregando-lhe Excalibur e preparando Lancelot, a bem da sua causa, embora mais tarde tivesse borrado a pintura ao seduzir e enredar Merlin na sua teia.

Olwen – A bonita filha de Ysbaddaden, o Gigante, cortejada por Culhwch, tendo casado com ele depois de ele ter cumprido uma série de trabalhos quase impossíveis com a ajuda de Artur e dos seus homens.

Ozana le Cure Hardy – Um dos Cavaleiros da Távola Redonda, que podia ter escolhido melhor os seus amigos - está habitualmente associado aos conluios do rei Mark e de Modred.

Palomides – Cavaleiro sarraceno, membro da Ordem dos Cavaleiros da Távola Redonda. Quando Pellinore morreu, ele prosseguiu a sua demanda no encalço da Besta Demandada.

Patrise – Cavaleiro da Távola Redonda, vindo da Irlanda. Morreu ao comer uma maçã envenenada, destinada a Gawain, numa festa.

Pelleas – Cavaleiro da Távola Redonda; segundo Malory, um dos apenas seis cavaleiros que eram capazes de vencer Gawain. Apaixonou-se por Nimue e na altura da revolta de Modred ela tinha-o levado consigo para viverem ambos debaixo das águas.

Pellinore – Um dos Cavaleiros da Távola Redonda, pai de Percival, fora apresentado pela primeira vez a Artur aquando do avanço de Pellinore na perseguição ao animal sobrenatural, a Besta Demandada; Pellinore acreditava ser o único homem à face da terra capaz de matar a besta. Num duelo com Artur, quebrou a espada do rei, tendo isto levado à aquisição da outra espada, Excalibur; a partir daí passou a ser um leal seguidor do Rei dos Reis.

Percival – também conhecido por **Percevale** e **Parzifal.** Cavaleiro da Távola Redonda e um dos heróis na Demanda do Graal. Também era filho de Pellinore. Percival viveu os primeiros anos da sua vida resguardado como um camponês, mas encontrou a sua identidade durante a Demanda do Graal, tendo assistido à procissão do Graal no castelo do Rei-Pescador. Contudo, não fez a pergunta fundamental, que lhe permitiria obter o Graal para Artur; esteve presente com Bors e Galaaz no final da Demanda.

Peredur – Geoffrey de Monmouth menciona Peredur, situando-o na corte de Artur na cidade da legião, e também figura na literatura medieval galesa; mais tarde, o seu nome passou a ser substituído por Percival. Baseado provavelmente no Peredur histórico, um dos últimos reis britânicos de York no século VI, que morreu no ano 580.

Persant – Cavaleiro da Távola Redonda, depois de ter sido derrotado por Gareth e chamado a servir Artur. Também testou a castidade de Gareth, ordenando à sua própria filha de dezoito anos que se metesse na sua cama; Gareth provou a sua castidade, uma vez que a sua filha voltou imaculada.

Pertolepe – Um dos Cavaleiros da Távola Redonda, embora este fosse também o nome do cavaleiro verde decapitado no conto com o título *Gawain e o Cavaleiro Verde,* conhecido também por **Bercilak.**

Sadok – Um dos Cavaleiros da Távola Redonda, vindo da Cornualha. Esteve inicialmente ao serviço do cruel rei Mark, mas sendo cavaleiro cortês, Sadok desobedeceu a ordens do rei para salvar uma vida, e foi antes juntar-se à corte de Artur.

Sagramore – Cavaleiro da Távola Redonda, muitas vezes derrubado, em justa, pelos maiores cavaleiros que o rodeavam; contudo, dizia-se que sofria de uma sede de batalha que o dotava, em combate, de uma força quase sobrenatural.

Segwarides – Um dos Cavaleiros da Távola Redonda e irmão do sarraceno Palomides.

Tor – Um dos Cavaleiros da Távola Redonda; filho ilegítimo de Pellinore. Tor passou por duas aventuras exemplares antes de lhe ter sido concedido um lugar à Távola Redonda. Também justou com Tristão da Cornualha, quando se encontrava entre um trio de cavaleiros deliciados com as anedotas dos cavaleiros da Cornualha. Morto por Lancelot.

Tristão – Também conhecido por **Tristram** e **Tristam**. Um dos Cavaleiros da Távola Redonda e sobrinho (por vezes filho) do rei Mark, vindo da Cornualha. A trágica história de amor entre Tristão e Isolda evoluiu para uma história com identidade própria, antes de ter sido absorvida pela lenda arturiana, e é evocada como um dos romances clássicos da literatura medieval. Talvez o **Drustan** ou **Drustanus** comemorados na Pedra de Tristão, na Cornualha, ou talvez um príncipe picto de nome **Drust**.

Turquin – Um dos principais inimigos dos cavaleiros de Artur. Criatura pouco simpática, pois entrava constantemente em conflitos violentos contra os cavaleiros bons do rei, incluindo Lancelot, Leonel e Ector de Maris.

Ulfius – Um dos Cavaleiros da Távola Redonda, tendo anteriormente servido Uther e apresentado Merlin para este ajudar na união de Uther com Igraine. Ulfius prestou bons serviços a Artur nos primeiros anos do reinado do Rei dos Reis, mas já devia ser um homem idoso nesta época e não figura mais tarde no reino de Artur.

Urbgennius de Bath – Geoffrey de Monmouth menciona-o como um dos cavaleiros notáveis presentes na corte de Artur na Cidade da Legião.

Urien de Gore – Um dos Cavaleiros da Távola Redonda, embora inicialmente tivesse sido inimigo de Artur; pai de Ywaine e marido de Morgana A Fada. Urien e Morgana separaram-se depois de Morgana ter tentado assassiná-lo, e Urien permaneceu fiel a Artur ao longo de todo o seu reinado. O seu nome foi quase de certeza inspirado em Urien de Rheged, um dos reis históricos mais notáveis do Norte da Grã-Bretanha que conseguiu impedir as investidas dos Saxões durante o século VI; foi assassinado pelos senhores da guerra britânicos seus rivais, na véspera de uma batalha que teria expulso os Saxões das costas da Grã-Bretanha.

Urre da Hungria – Um dos Cavaleiros da Távola Redonda; viajou de lés a lés em busca de aventura e chegou à Grã-Bretanha para servir Artur. Ficou gravemente ferido num torneio, tendo recebido sete ferimentos quase fatais, apesar de ter morto o seu adversário; a mãe do seu adversário, sendo feiticeira, lançou-lhe um feitiço que assegurava que os ferimentos de Urre jamais sarariam enquanto não fossem tocados pelo melhor cavaleiro do mundo. Foram convocados vários Cavaleiros da Távola Redonda e foi Lancelot quem conseguiu sará-lo. Urre tomou o partido de Lancelot na guerra contra Artur.

Uther Pendragon – Pai de Artur e rei da Grã-Bretanha, antes deste. Uther foi um grande guerreiro, unificando os Bretões e mantendo os Saxões à distância. Em algumas versões da lenda, o próprio Uther conseguiu fazer tudo sozinho, noutras foi ajudado, ou seguiu os passos dos seus irmãos e de Merlin. Merlin também fabricou uma poção para Uther, que lhe permitiu deitar-se com a mulher de Gorlois, duque da Cornualha, gerando assim Artur. A porção permitiu a Uther adoptar a aparência de Gorlois.

Vadalon – Um dos Cavaleiros da Távola Redonda; um homem intrépido, mas cruel, que conquistou um lugar à Távola Redonda quando Lancelot e os seus apoiantes abandonaram Artur.

Vortigern – Juntamente com Modred, Vortigern é um dos grandes vilões da lenda arturiana; estabeleceu uma aliança com os traiçoeiros Saxões. Possivelmente, Vortigern baseia-se num governante da Grã-Bretanha pós-romana, com existência real, de quem nada sabemos senão o que nos conta a lenda.

Ysbaddaden – Chefe dos Gigantes e pai de Olwen, aterrorizava o povo que vivia no seu reino.

Ywaine – Também conhecido por **Uwaine, Owain, Ivan** e **Owen**. Um dos Cavaleiros da Távola Redonda; filho de Urien e Morgana A Fada. Um bravo cavaleiro, amante de aventura, que salvou um leão do ataque de um dragão, tendo ficado daí em diante amigo do leão. Foi morto a combater por Artur, em Camlann. Baseia-se provavelmente no histórico Owain, o verdadeiro filho de Urien de Reghed, que continuou a resistir à invasão saxónica depois da morte do pai.

APÊNDICE B

O BESTIÁRIO ARTURIANO

Um elemento da lenda arturiana que pode prender a imaginação do leitor é a quantidade fantástica de diversos animais que se opõem a Artur e aos seus cavaleiros nos momentos mais inoportunos, ou que aparecem para dar mais sabor a uma determinada história. Este apêndice refere alguns dos animais mais assombrosos da literatura fantástica, assim como algumas invulgares concepções de animais nos períodos celta e medieval e que parecem agora estranhamente intrincados.

Texugos

Geraldo de Gales notou que os texugos se serviam uns dos outros como escravos e transportadores de terra quando construíam uma nova morada, arrastando às costas o escravo que carregava o entulho para fora da escavação, para deitarem fora o excesso de entulho. Geraldo disse que quem viu aquilo ficou pasmado.

Castores

Geraldo de Gales, entre outros, afirmava convicto que dos testículos do castor podia fabricar-se um remédio muito poderoso. Quando encurralado pelos caçadores, o castor aparentemente castra-se e atira os testículos contra os caçadores, permitindo-lhe isto escapar com vida. Geraldo, que escreveu no século XII, também notou que, quando construíam uma nova represa, os castores usavam outros da mesma espécie como escravos.

Grous

Dada a sua natureza secreta e a sua forma de dormirem, como se estivessem em transe, os Celtas consideravam o grou uma criatura mágica do Outro Mundo.

Dragões

Também referidos noutras variantes como serpentes, Wyverns(*) e dragões alados. Embora bastante frequentes nas histórias populares britânicas, os dragões e outros répteis eram relativamente raros na lenda arturiana. Ywaine venceu um monstro desta natureza quando o monstro estava prestes a matar um leão, e muitas outras histórias incluíam cavaleiros cavalgando por regiões repletas de criaturas semelhantes, mas os gigantes e os duendes parecem ter sido criaturas míticas mais populares nos contos medievais. Ao que parece, os dragões só foram populares nas histórias populares da Grã-Bretanha pós-medieval; não obstante, se um Cavaleiro da Távola Redonda se cruzasse com uma dessas criaturas reptilianas, sabia estar diante um duro combate.

Duendes

Os duendes aparecem por todo o lado na lenda arturiana, principalmente como serviçais, e por vezes como escudeiros de um cavaleiro. Os duendes mostram-se frequentemente astutos, e podia estabelecer-se uma ligação forte entre amo e duende (como no caso de Gareth, que forçou um pedido de desculpas ao seu duende, por parte de um cavaleiro violento e intratável.) As mulheres duendes podiam tornar-se amantes de cavaleiros, como mostra o *Ciclo da Vulgata*; ao que parece, não se esperava que homens duendes combatessem, quando ocupavam o cargo de escudeiros. Os duendes de Artur têm pouca coisa em comum com o popular duende mágico perito em trabalhar os metais, que vivia no subsolo, como o descrito nas fábulas escandinavas e germânicas e na obra de Tolkien.

(*) Wyvern – segundo o *The Oxford Universal Dictionary Illustrated* (1969), «Representação de um animal quimérico imaginado como um dragão alado, com duas patas de águia e uma cauda farpada como a das serpentes». Em 1700 pensava-se que tinha uma existência real. (*N.T*)

Fadas

Aparecendo umas vezes como duendes elegantes e ocasionalmente cruéis e outras como "seres liliputianos" dos bosques, as fadas surgem de vez em quando na lenda de Artur, e no folclore britânico em geral. Notabilizam-se pelos seus poderes de cura, e pela forma como o tempo passa na sua companhia, ou muito depressa ou muito devagar. Também existiram as fadas cavaleiras, com poderes mágicos, armas encantadas e armaduras esplendorosas.

Gigantes

O folclore britânico tradicional sugere que os gigantes governavam a ilha antes de Brutus ter chegado e os ter expulso para irem viver para as montanhas, pântanos e terrenos baldios. O seu tamanho podia variar bastante – alguns não eram maiores do que um ser humano bem constituído, enquanto que outros eram consideravelmente maiores: um dos gigantes da lenda arturiana conseguiu rasgar completamente uma mulher em duas, ao ter relações sexuais com ela. Os gigantes andavam geralmente vestidos de couro e peles de animais grosseiras e esfarrapadas, armados com mocas e eram extremamente agressivos para com os humanos, especialmente para com as mulheres. Os gigantes também eram muitas vezes apresentados como canibais; habitualmente são lerdos, desajeitados e vulneráveis ao ataque de um cavaleiro de pensamento e discurso rápidos ou de um cavaleiro hábil. No conto *Culhwch e Olwen*, o pai de Olwen era descrito como o Chefe dos Gigantes, sugerindo uma forma de hierarquia social que ainda não foi analisada.

Griffin

Griffin, o Grifo, tinha a parte de trás do corpo como a de um leão e tinha asas, a cabeça e a parte da frente do corpo como a de uma águia. Demasiado grande e apreciador de carne para cavalo, o Grifo vivia em regiões montanhosas e era um espinho na vida dos cavaleiros em demanda.

Ouriços-cacheiros

Geoffrey de Monmouth relatou que, não lhe bastando rolar sobre o dorso para roubar maçãs dos pomares com os espinhos, um desses ouriços que carregam maçãs no dorso seria capaz de reconstruir Winchester. Os pássaros desceriam em bandos sobre a cidade, atraídos pelo cheiro das maçãs, e o ouriço acrescentaria à cidade um enorme palácio e uma muralha com 600 torres, e depois um túnel. Isto, segundo a profecia, deixaria Londres cheia de inveja. É um mundo antigo e um tanto cómico.

Leões

Talvez surpreendentemente, o leão aparece várias vezes na lenda arturiana, e o mesmo acontece com o leão que se torna amigo de Ywaine. Percival ajuda um outro leão durante a Demanda do Graal, quatro leões acompanham e guardam um cisne mágico numa procissão e há mais dois leões que vivem no Túmulo dos Leões. Além da sua força e lealdade, não é atribuído ao leão nenhum outro poder simbólico. As panteras e os linces aparecem ocasionalmente na lenda arturiana, e é bem possível que o Gato de Palug, morto em Anglesey por Kay, segundo os primeiros contos arturianos celtas, fosse um desses animais.

A Besta Demandada

Uma criatura especificamente da lenda arturiana, perseguida primeiro por Pellinore e depois por Palomides. O verdadeiro nome da besta era Galtisant. Tinha cabeça de serpente, corpo de leopardo, pernas traseiras de leão e patas de veado. Saia-lhe da barriga o eco de uma matilha de trinta cães de caça, isto excepto quando a besta bebia. Não há registos que afirmem que Galtisant tivesse feito mal a alguém, fosse homem ou animal, e, ao que parece, a perseguição à besta não passava de puro ritual, levado a cabo mais pela excitação da caça do que pelo desejo de a matar. Contudo, Galtisant nunca foi capturada.

Corvos

Uma das primeiras referências a Artur liga-o a esta ave; numa batalha narrada no poema *The Gododdin*, um guerreiro de nome Gwawrddur "sacia os corvos", embora não o faça tão bem como Artur o faria. Saciar – ou alimentar – corvos era um termo poético que significava matar os inimigos no campo de batalha. O cheiro pestilento e a carnificina de um combate recente sobre um campo de batalha atraíam corvos e outras aves necrófagas ao seu elemento, para se alimentarem das carcaças dos cadáveres. Tal como essas aves, o corvo estava associado à morte e à chacina; Bran, uma divindade celta, pode ter sido originado a partir de um deus parecido com um corvo.

Cisnes

Um comentador medieval observou que o canto do cisne, quando este está agonizante, mostra ao homem que não devia preocupar-se com a morte. As lendas irlandesas têm vários exemplos de divindades que podiam transformar-se em cisnes.

Unicórnios

Os unicórnios assemelhavam-se a cavalos brancos elegantes, com um corno direito projectado a partir do centro da cabeça. Era considerado um símbolo de pureza e uma raridade entre os animais mágicos pela sua boa natureza e por ser tímido (o leitor notará que quase todas as outras criaturas míticas desejavam matar seres humanos). Embora tivesse o hábito de evitar os humanos, o unicórnio podia sentir-se atraído por uma mulher virgem, cujo sentido de pureza podia cativá-lo; houve alquimistas e magos que procuravam o corno e partes do corpo do unicórnio, uma vez que continham fortes poderes mágicos.

AGRADECIMENTOS

Aos sete anos fui obrigado a representar o famoso Rei Artur numa festa da escola – suspeito que, em grande parte, graças à minha inépcia para aprender a dança do *Maypole*, uma dança típica em volta de um mastro, no primeiro de Maio. Guardo, até aos dias de hoje, a lembrança do barulho das crianças meio estranguladas pelas fitas do mastro. As histórias emocionantes sobre o rei Artur e os seus cavaleiros inspiram belas narrativas para crianças, e eu apreciava-as muitíssimo. A dança do *Maypole* ocupou, compreensivelmente, um lugar secundário na minha vida, mas o meu interesse por Artur, tanto o da Literatura, como o da História, não se perdeu, e tenho esperança de que este livro seja uma boa introdução do homem e do mito para aqueles que pela primeira vez tomam contacto com as histórias.

Em primeiro lugar, estou em dívida para com Geoffrey, Thomas e todos os outros contadores de histórias que contribuíram para que o nome de Artur não se tivesse perdido na bruma dos séculos.

Também gostaria de agradecer aos autores das histórias de Artur que me deliciaram enquanto criança e cuja influência em mim terá sido decerto muito maior do que o que me era permitido perceber na altura.

Os meus agradecimentos vão também para os meus pais, por terem estimulado o meu interesse por Artur, pelos livros em geral e pela História.

À brilhante equipa de especialistas da Summersdale Publishers tenho bastante a agradecer; a Liz Kershaw e Sadie Mayne por consideraram meritória a minha abordagem ao tema deste livro, e a Carol Baker por ter editado em texto legível uma "pilha" de documentos semelhante à de Nennius, agradecendo também o facto de me terem proporcionado um ambiente de trabalho divertido, o que é talento raro no mundo da edição. Agradeço ainda a todos aqueles com quem me foi permitido discutir repetidamente a História, a Arqueologia e a Literatura relacionadas com Artur, e também por me terem ajudado a definir exactamente a abordagem da minha escrita sobre o rei do Passado e do Presente.

E, finalmente, a minha gratidão vai para os meus amigos e família, que me ajudaram a manter a sanidade ao longo do processo de escrita, obrigando-me a ir até ao *pub*, a falar ao telefone e a assistir a mais uma derrota da nossa equipa de futebol.

Este livro é dedicado a Symmie, que manteve tudo a funcionar casa, e que tinha a enorme paciência de esperar que eu chegasse quase a meio de cada frase antes de me interromper para me perguntar se, na história, já tinham começado as cenas de pancadaria.

Daniel Mersey
Sussex
Verão 2004

BIBLIOGRAFIA

AO LEITOR ARTURIANO

Que caminhos tomar a partir daqui? Englobar 1500 anos de desenvolvimento literário e estudos históricos num livro com estas dimensões seria uma tarefa verdadeiramente impossível. Ao invés, segue-se uma lista de livros que considerei os mais úteis e os mais interessantes ao longo da minha própria exploração do mundo de Artur. O nível de sabedoria e rigor em cada um deles varia bastante, e, sobre este tema, existe à disposição do leitor um leque literário muito mais vasto; mas estes são os livros aos quais me apercebi que recorria com extrema frequência. Existem vários livros em diversas edições e têm sido publicados por diversos editores, o que significa que as datas das edições aqui referidas não são sagradas.

Texto arturianos antigos

Barron, W. R. J. e Weinberg, S C (orgs.), *Layamon's Arthur: The Arthurian Section of Layamon's Brut*, 1989.

Beda, *A History of the English Church and People* (trad. Sherley-Price, L), 1955.

Bromwich, R., *The Welsh Triads/Trioedd Ynys Prydein*, 1978.

Bryant, N. (trad.), *Merlin and the Grail: Joseph of Arimathea, Merlin, Perceval - The Trilogy of Arthurian Romances Attributed to Robert de Boron*, 2001.

Burns, J. E., *Arthurian Fictions: Reading the Vulgate Cycle*, 1986.

Chrétien de Troyes, *The Complete Romances of Chrétien de Troyes* (trad. Staines, D.), 1990.

Chrétien de Troyes, *Arthurian Romances* (trad. Owen, D. D. R.), 1987.

Coe, J. B. e Young, S. *The Celtic Sources for the Arthurian Legend*, 1995.

Geoffrey de Monmouth, *The History of the Kings of Britain / Historia Regnum Btitanniae* (trad. Thorpe, L.), 1966.

Gerald of Wales, *The Journey Through Wales and the Description of Wales* (trad. Thorpe, L.), 1978.

Guest, C. E. (trad.), *The Mabinogion*, 1906 (reimp. 1997).

Layamon, *Brut* (trad. Allen, R.), 1992.

Lofmark, C., *Bards and Heroes*, 1989.

Malory, T., *The Death of Arthur /Le Morte d'Arthur* (ed. Cowen, J.), 1969.
Marsden, J., *Northanhymbre Saga: The History of the Anglo-Saxon Kings of Northumbria*, 1995.
Padel, O. J., *Arthur in Medieval Welsh Literature*, 2000.
Pennar, M., *Taliesin Poems*, 1988.
Short, S. (trad.), *Aneirin: The Gododdin*, 1994.
Sommer, H. O., *The Vulgate Version of the Arthurian Romances*, oito volumes, 1909-1916.
Stone, B. (trad.), *Sir Gawain and the Green Knight*, 1959.
Wace, *Roman de Brut, A History of the British* (trad. Weiss, J.), 1999.
Webb, J. F., *Lives of the Saints*, 1965.

Lenda arturiana

Ashe, G. (org.), *The Quest for Arthur's Britain*, 1968.
Ashe, G., *Mythology of the British Isles*, 1990.
Barber, R., *King Arthur. Hero and Legend*, 1993.
Barber, R., *Myths and Legends of the British Isles*, 1999.
Barron, W. R. J. (org.), *The Arthur of the English*, 1999.
Beardsley, A., *Beardsley's Le Morte Darthur: Selected Illustrations*, 2001.
Brimacombe, P., *Knights of the Round Table*, 1997.
Bronwich, R., *The Arthur of the Welsh*, 1991.
Cruse, A., *The Colden Road in English Literature*, 1931.
Davis, C., *Celtic Beasts: Animal Motifs and Zoomorphic Design in Celtic Art*, 1999.
Doel, F., Doel, G. e Lloyd, T. *Worlds of Arthur: King Arthur in History, Legend and Culture*, 2000.
Ebbutt, M., *British Myths and Legends*, edição facsimilada 1994.
Evans, A., *Brasseys Guide to War Films*, 2000.
Hamilton, C., *Arthurian Tradition: A Beginners Guide*, 2000.
Johnson, C. e Lung, E., *Arthur: The Legend Unveiled*, 1995.
Jones, R., *Myths and Legends of Britain and Ireland*, 2003.
Karr, P. A., *The Arthurian Companion*, 2001.
Mancoff, D. N., *The Return of King Arthur: The Legend Through Victorian Eyes*, 1995.
Matthews, J., *King Arthur and the Grail Quest*, 1994.
Matthews, J., *The Unknown Arthur. Forgotten Tales of the Round Table*, 1995.
Mersey, D., *Legendary Warriors: Great Heroes in Myth and Reality*, 2002.
Ousby, I., *The Cambridge Guide to Literature in English*, 1993.
Parker, M., *King Arthur*, 1995.
Rhys, J., *Celtic Folklore*, dois volumes, 1901.
Rolleston, T. W., *Celtic Myths and Legends*, edição facsimilada 1994.
Saul, N., *The Batsford Companion to Medieval England*, 1983.

Snell, F. J., *King Arthur's Country*, 1926.
Snyder, C., *Exploring the World of King Arthur*, 2000.
Stafford, G., *King Arthur Pendragon*, 1999.
Tolkien, J. R. R., *Finn and Hengest: The Fragment and the Episode* (ed. Bliss, A), 1998.

Ficção arturiana

Berger, T., *Arthur Rex*, 1978.
Bradley, M., *The Mists of Avalon*, 1982.
Bulfinch, T., *The Age of Chivalry*, 1997 (originalmente publicado em 1858).
Chant, J., *The High Kings*, 1984.
Cooke, B. K., *The Quest of the Beast*, 1957.
Cornwell, B., *The Winter King*, 1995.
Cornwell, B., *Enemy of God*, 1997.
Cornwell, B., *Excalibur*,1997
Cutler, U. W., *Stories of King Arthur and his Knights*, 1905.
Frankland, E., *Arthur.The Bear of Britain*, 1944.
Green, R. L., *King Arthur and His Knights of the Round Table*, 1953.
Guerber, H. A., *Myths and Legends of the Middle Ages*, 1919.
Hulpach, V., *King Arthur. Stories of the Knights of the Round Table*, 1989.
Karr, P. A., *The Idylls of the Queen*, 1982.
Lang, A. (org.), *Tales from King Arthur*, 1993.
Matthews, J. e Matthews, C., *The Arthurian Book Of Days*,1990.
McSpadden, J. W., *Stories from Wagner*, 1905.
Ousby, I (org.), *The Wordsworth Companion to Literature in English*, 1992.
Riordan, J. *Tales of King Arthur*, 1982.
Robinson, E. A., *Merlin*, 1917.
Robinson, E. A., *Lancelot*, 1920.
Robinson, E. A., *Tristram*, 1927.
Steinbeck, J., *The Acts of King Arthtur and His Noble Knights*, 1979.
Stewart, M., *The Crystal Cave*, 1970.
Stewart, M., *The Hollow Hills*, 1973.
Stewart, M., *The Last Enchantment*, 1979.
Stewart, M., *The Wicked Day*, 1984.
Stobart, J. C., *The Tennyson Epoch*, 1907.
Sutcliff, R., *The Lantern Bearers*, 1959.
Sutcliff, R., *Dawn Wind*, 1961.
Sutcliff, R., *Sword at Sunset*, 1963.
Tennyson, A., *Idylls of the King*, 1961 (publicado originalmente em 1888).
Tennyson, A., *The Holy Grail* (introdução por Macaulay, G. C.), 1908.
Twain, M., *A Connecticut Yankee at King Arthur's Court*, 1971.
White, T. H., *The Sword in the Stone*, 1938.
White, T. H., *The Queen of Air and Darkness*, 1939.
White, T. H., *The Ill-Made Knight*, 1940.

VAlite, T. H., *The Once and Future King*, 1958.
White, T. H., *The Book of Merlyn*, 1977.
Wilkinson, D., *The Legend of Arthur King*, 2003.

História arturiana

Alcock, L., *Arthur's Britain: History and Archaelogy AD 367-634*, 1971 e 1989.
Alcock, L., *By South Cadbury, is that Camelot... Excavations at Cadbury Castle 1966-70*,1972.
Anderson, R., *The Violent Kingdom*, 1989.
Bidwell, P., *Roman Forts in Britain*, 1997.
Brett, V., *Winchester*, 1999.
Campbell, E., *Saints and Sea-kings: The First Kingdom of the Scots*, 1999.
Carver, M. (org.), *The Age of Sutton Hoo*, 1992.
Carver, M., *Sutton Hoo: Burial Ground of Kings?*,1998.
Dark, K., *Civitas to Kingdom*, 1994.
Dark, K. e Dark, P., *The Landscape of Roman Britain*, 1997.
Dixon, K. R. e Southem, P., *The Roman Cavalry*, 1992.
Elliot-Wright, P. J. C., *Living History*, 2000.
Evans, S. S., *Lords of Battle: Image and Reality of the Comitatus in Dark-Age Britain*, 1997.
Foster, S. M., *Picts, Gaels and Scots*, 1996.
Frere, S., *Britannia: A History of Roman Britain*, 1967.
Gater, D., *The Battle of Wales*, 1991.
Halsall, G., *Early Medieval Cemeteries*, 1995.
Halsall, G., *Warfare and Society in the Barbarian West 450-900*, 2003.
Harrison, M., *Anglo-Saxon Thegn 449-1066 AD*, 1993.
Heath, I., *Armies of the Dark Ages, 600-1066 AD*, 1980.
Ireland, S., *Roman Britain: A Sourcebook*, 1986.
Johnson, S., *Hadrian's Wall*, 1989.
Lowe, C., *Angels, Fools and Tyrants: Britons and Anglo-Saxons in Southern Scotland*, 1999.
MacDowall, S., *Late Roman Infantryman* 236-565 AD, 1993.
MacDowall, S., *Late Roman Cavalryman* 236-565 AD, 1995.
Maund, V., *The Welsh Kings: The Medieval Rulers of Wales*, 2000.
Mersey, D., *Glutter Of Ravens: Warfare in the Age of Arthur*, 1998.
Millett, M., *Roman Britain*, 1995.
Morgan, K. O. (org.), *The Oxford Popular History of Britain*, 1993.
Morris, J., *The Age of Arthur. A History of the British Isles from 350 to 650*, 1973. Myres, J. N. L., *The English Settlements*, 1986.
Newark, T. e McBride, A., Ancient Celts, 1997.
Nicolle, D., Arthur and the Anglo-Saxon Wars, 1984.
Nicolle, D., *Medieval Warfare Source Book Volume 1: Warfare in Western Christendom*, 1995.

Ottaway, P., *Archaeology in British Towns*, 1992.
Paigrave, F., *History of the Anglo-Saxons*, 1876.
Piggott, S., *Ancient Britons and the antiquarian Imagination: Ideas from the Renaissance to the Regency*, 1989.
Pollington, S., *The English Warrior from earliest times to 1066*,1996.
Radford, C. A. R. e Swanton, M. J., *Arthurian Sites in the West*, 2002.
Rahtz, P. e Watts, L., *Glastonbury: Myth and Archaeology*, 2003.
Richards, J., *Stonehenge*, 1991.
Savage, A. (trad.), *The Anglo-Saxon Chronicles*, 1997.
Shadrake, D. e Shadrake, S., *Barbarian Warriors: Saxons, Vikings, Normans*, 2000. Snowden, K., *Great Battles in Yorkshire*, 1996.
Snyder, C., *Sub-Roman Britain: A Gazetteer of Sites*, 1996.
Snyder, C., *An Age of Tyrants: Britain and the Britons AD. 400-600*, 1998.
Southern, P. e Dixon, K. R., *The Late Roman Army*, 1996.
Stephenson, I.P., *Roman Infantry Equipment: The Later Empire*, 1999.
Underwood, R., *Anglo-Saxon Weapons & Warfare*, 1999.
Wagner, P., *Pictish Warrior* AD 297-841, 2002.
Webster, L. e Brown M. (orgs.), The Transfomation of the Roman World AD 400-900,1997.
Welch, M., *Anglo-Saxon England*. 1992.
Williams, G., *The Iron Age Hillforts of England*, 1993.
Williarns, C., *Stronghold Britain: Four Thousand Years of British Fortifications*, 1999.

Teorias arturianas

Ashe, G., *The Discovery of King Arthur*, 1985 e 2003.
Barber, C. e Pykitt, D., *Journey to Avalon: the Final Discovery of King Arthur*, 1997 Blackett, A. T. e Wilson, A., *King Arthur: King of Glamorgan and Gwent*, 1981.
Blake, S. e Lloyd, S., *The Keys to Avalon: The True Location of Arthur's Kingdom Revealed*, 2000.
Blake, S. e Lloyd, S., *Pendragon: The Definitive Account to the Origins of Arthur*, 2002.
Chambers, E. K., *Arthur of Britain*, 1927 (1966).
Clancy, J., *Pendragon: Arthur and His Britain*, 1971.
Collingwood, R. G. e Myres, J. N. L., *Roman Britain and the English Settlements*, 1937 Cummins, W. A., *King Arthur's Place in Prehistory*, 1997.
Darrah, J., *The Real Camelot*, 198 1.
Dunning, R., *Arthur: King in the West*, 1988.
Gilbert, A., Wilson, A. e Blackett, B., *The Holy Kingdom*, 1998.
Glennie, J. S. S., *Arthurian Localities: Their Historical Origin, Chief Country, and Fingalian Relations*, 1994 (originalmente publicado em 1869).
Goodrich, N. L., *King Arthur*, 1986.

Holmes, M., *King Arthur. A Military History*, 1996.
Littleton, S. e Malcor, L. A., *From Scythia to Camelot*, 2000.
Moffat, A., *Arthur & The Lost Kingdoms*, 2000.
Phillips, G. e Keatman, M., *King Arthur: The True Story*, 1993.
Reid, H., *Arthur the Dragon King*, 2001.
Reno, F. D., *The Historic King Arthur*, 1996.
Skene, W. F., *Arthur and the Britons* (org. Bryce, D), 1988.
Turner, P. J. F., *The Real King Arthur: A History of Post-Roman Britannia A.D. 410- A.D. 593*,1993.

ÍNDICE

ÍNDICE